ПЕРВАЯ СРЕДИ ЛУЧШИХ

ТАТЬЯНА УСТИНОВА

ПЕРВАЯ СРЕДИ ЛУЧШИХ!

ТАТЬЯНА
УСТИНОВА

САКВОЯЖ
СО СВЕТЛЫМ
БУДУЩИМ

МОСКВА

2 0 0 5

УДК 82-3
ББК 84(2Рос-Рус)6-4
   У 80

Оформление серии художника *Д. Сазонова*

       Устинова Т. В.
У 80   Саквояж со светлым будущим: Роман. — М.: Изд-во
       Эксмо, 2005. — 352 с. — (Первая среди лучших).

        ISBN 5-699-12475-6

       Баловню судьбы Аркадию Воздвиженскому детективы удавались
легко — в меру запутанные и мрачные, с изящно-печальным концом.
Но в жизни писателя — царя и бога детективного жанра — никогда не
случалось ничего подобного. И тут — на тебе, откуда ни возьмись! Да
еще по всем канонам криминального чтива: с угрозами и убийством.
В пекло событий попала и верная секретарша Аркадия Маша Вепренцева, чьим детям в случае неповиновения грозила жестокая расправа.
А требовалось от нее и ее шефа всего-то отказаться от «гастрольной»
поездки в Киев. Но как же не ехать? Ведь в программу визита была
включена встреча писателя с кандидатом в президенты Украины Бори-
сом Головко. Маша и Воздвиженский злодеев, разумеется, ослуша-
лись. Только закончилось это весьма печально. Познакомиться с Бори-
сом Головко на даче местной поэтессы, где собрались именитые гости,
им так и не привелось — того зверски убили. Двадцать семь ножевых
ран! Его истерзанное тело обнаружили... в Машиной комнате...

                                          УДК 82-3
                                          ББК 84(2Рос-Рус)6-4

Билетер с Барахольщиком взяли брусок
И лопату точили совместно,
Лишь Бобер продолжал вышивать свой
цветок,·
Что не очень-то было уместно, —
Хоть ему Барабанщик (и Бывший судья)
Объяснил на примерах из жизни,
Как легко к вышиванию шьется статья
Об измене гербу и отчизне.

Льюис Кэрролл, «Охота на Снарка».

— Маша! Где труп?!

Молчание и отдаленное мурлыканье музыки.

— Маша! А, Маша?!

Молчание и музыка, и никаких звуков, свидетельствующих о том, что Маша услыхала его призывы.

— Маша!!! Где труп, я тебя спрашиваю?!

Ну что делать? Придется теперь вставать и самому идти на поиски, а не хочется. Он оттолкнулся ногами от массивной тумбы письменного стола, кресло покатилось. Сначала оно ехало по паркету и производило некоторый шум, потом въехало на ковер и покатило бесшумно, а когда колесики увязли в ворсе, и вовсе остановилось.

До двери было еще далеко. В кресле не доехать.

Он заворчал, выбрался из кресла, пошел к двери, зацепился за что-то, то ли за край ковра, то ли за ножку книжного шкафа — он всегда и за все цеплялся, потому что видел плохо, — распахнул дверь и заорал:

— Марья!

Последние звуки стихли, и тишина воцарилась в доме.

Он свесился через полированные лестничные перила и проорал в гулкую пустоту:

— Марья, дьявол!..

— Я не дьявол, — проговорили с робким достоинством у него за спиной, зря он свешивался в проем! — Я просто... не слышала. Вам что-нибудь нужно, Дмитрий Андреевич?

— Я Аркадий, — проскрежетал он, — по крайней мере, пока на работе!

Секретарша промолчала, разглядывая свою коричневую папочку. Он помолчал, разглядывая секретаршу, а потом протянул:

— Маша, а, Маша? Где труп?

— Какой именно труп вас интересует, Дмитрий Андреевич?

— Последний.

— У нас два последних.

Он в раздражении почесал за ухом, как большая блохастая собака. Впрочем, на блохастую собаку он похож, пожалуй, не был. Он был похож на ухоженного домашнего пса, искренне недоумевающего, откуда у него могут взяться блохи.

— Ну... бабы этой труп! Где он?!

Вредная Марья сделала вид, что задумалась, и замолчала. Он постоял-постоял возле нее да и ушел в кабинет.

Раз она вредничает, он тоже будет вредничать.

Не пойти за ним она не может, а в кабинете их положение моментально изменится в соответствии с табелью о рангах — он начальник, она подчиненная. В кабинете победа всегда оставалась за ним. В предвкушении этой победы он пинками подогнал кресло к столу, уселся и сложил пальцы домиком, как некий политический деятель недавнего прошлого, утверждавший — не без оснований! — что «Россия наш общий дом». Насчет «нас» было до конца неясно, а вот для того политического деятеля Россия — дом родной, это уж точно!

На подоконнике сидел серый дождик в мокром плаще, болтал ногами в резиновых ботах. От его болтания по подоконнику с гулким стуком рассыпались капли.

Дмитрий Андреевич молчал и смотрел на дождь.

Приоткрылась дверь на лестничную площадку, застланную турецким ковром. Он усмехнулся в сложенные пальцы.

— Труп фотомодели Русланы у вас, — сказали от двери. — У меня его нет.

— У меня тем более!

— У вас.

— У меня нет, — повторил он в медленном раздражении. — Найди мне его сейчас же.

Все дело в том, что он «неорганизованный». Если бы он был «организованный», он бы и сам знал, где у него что, и ему не нужна была бы никакая секретарша. А так, раз «неорганизованный», то и получается, что он никогда не знает, что и куда засунул.

Куда он мог засунуть труп?!.

— Разрешите, я посмотрю, — вежливо попросила Маша. — Или мне со своего компьютера посмотреть?

— Нет уж, — возмутился он, — смотри с моего! И так сколько времени потеряно!

Она подошла.

Повеяло духами и еще чем-то женским и теплым, как будто ты с холодной улицы, с дождя и ветра, когда кажется, что вот-вот пойдет снег, и дальние тучи сизым краем уже легли на бурую раскисшую землю, и собака трясет ушами и смотрит жалобно и серьезно и просится обратно под крышу, входишь в домашнее живое тепло, и внутри этого тепла горит камин, букет последних астр сияет в старинной голубой вазе с отколотым лепестком, душистый чай остывает в пузатом чайнике, и в полированной поверхности стола отражаются тонкие руки в рукавах теплого платья.

Вот так ему представлялось. Недаром он был писатель.

Маша положила свою коричневую папочку на круглый шахматный столик — он очень любил этот столик, хоть в шахматы за ним никогда не играл! — и решительно направилась к столу. Так решительно, что ему показалось, будто она засучивает рукава.

Она все делала очень решительно и необыкновенно серьезно, как участковый в кино, который то и дело повторяет суровым голосом: «Я на работе!»

Рукава она засучивать не стала, боком протиснулась к его рабочему месту. Ему почудилось, что она втянула живот.

Ну конечно.

Из чувства противоречия и отчасти затем, чтобы показать, кто в доме хозяин, он не стал вставать, лишь чуть-чуть отъехал в сторону, самую малость. Маша деликатно нагнулась, так, чтобы не поворачиваться к нему задом, уставилась в монитор и моментально распатронила все его файлы.

Он никогда не умел так обращаться с адской машиной. У него она все время «глючила» — глотала страницы, перескакивала из документа в документ, висла и не отправляла почту.

— Ну что? Нашла?!

— Нет пока. Сейчас найду.

— Говорю тебе, что у меня этого трупа нет. Труп мужика есть, а трупа бабы нет! И искать нечего.

— Одну минуточку подождите, Дмитрий Андреевич.

— Ты должна называть меня Аркадий.

— Мне не нравится.

— Какое это имеет значение! Я стал Аркадием задолго до того, как ты родилась.

— Вы себе льстите, — пробормотала непочтительная секретарша Маша. — Вот. Это тот труп, который вы искали?

— Где?

Он уставился в монитор.

Ну, конечно, он знал, что она найдет. Она всегда все находила. Но существовали определенные правила игры, которые нужно соблюдать, и они оба соблюдали их беспрекословно.

Некоторое время он читал, напоминая себе, что должен сохранять на лице недовольную мину. Это был именно тот файл, который потерялся.

Он читал. Маша стояла у него за спиной.

— Ну что, что? Долго ты будешь там торчать? — ворчливо спросил он через некоторое время. — Ну нашла, и спасибо тебе большое!.. Можешь идти.

Маша пошла к выходу и у самой двери остановилась и помедлила. Он видел, что она медлит.

— Что еще?

— Дмитрий Андреевич, нам бы еще киевскую поездку обсудить. Когда мы сможем?..

Он поднял глаза от компьютера.

— Зачем?

Секретарша смотрела, склонив голову, как сорока. Потом моргнула, тоже совершенно по-сорочьи.

— Зачем нам обсуждать киевскую поездку? — спросил он раздраженно. — Ты что, не можешь ее сама с пресс-службой обсудить? Позвони Веснику и все с ним реши. Первый раз, что ли?

— Не первый, — с тихим упрямством сказала секретарша, — мы с Ильей Юрьевичем уже все обсудили, и теперь нужно, чтобы вы сами... Чтобы вы одобрили программу.

Он пробарабанил пальцами по клавиатуре и как будто выстрелил длинную фразу.

Фраза была следующая: «Пошли вы к черту все!»

Он почитал ее сначала слева направо, а потом справа налево.

Справа налево получилось так: «есв утреч к ыв илшоп!»

Красиво получилось.

Было совершенно ясно и понятно, что никакое его одобрение не требуется. Программу давно утвердили, и меняться она не будет ни при каких обстоятельствах. Илья Весник — начальник пиар-службы издательства — славился тем, что мог «продать» любого, даже самого завалящего автора. Дополнительно пиарщик славился тем, что из-за писательской истерии никогда не менял концепций и стратегий, а над самими «инженерами человеческих душ» смеялся и дам называл «звезда моя», а инженеров мужского пола «гений ты наш».

Таким образом, выходило, что звезда была как бы «его» личная, а гении все «наши».

Спорить бессмысленно. Есв утреч к ыв илшоп!

— И когда мы едем... одобрять программу?

— Сегодня к пяти. На пять назначено совещание. Будет пиар-отдел и отдел рекламы.

— Замечательно, — пробормотал Дмитрий Андреевич, по совместительству Аркадий. — Чудесно просто. А писать я когда буду? В самолете? Или в Киеве?! Или когда?! У меня два трупа, и вообще какого лешего!..

Маша прибрала с шахматного столика свою папочку, покосилась на окно, помолчала и спросила тоненьким голосом:

— Я пойду, Дмитрий Андреевич? У меня еще звонки.

— Давай, — разрешил он, — вали. И не забудь Веснику позвонить и сказать, что до Киева никаких интервью.

— До Киева осталось два дня, — проинформировала Маша. — Точнее, полтора, потому что сейчас уже половина второго. А на завтра назначено НТВ.

— Как?!

— Назначали вы сами. Помните, вы ужинали с продюсером «Новостей» и он вас приглашал?

Оттого что Маша права, а она была права почти всегда, он рассердился всерьез.

Знаменитый писатель Аркадий Воздвиженский — по паспорту Дима Родионов — пробормотал неприличное слово, которое его секретарь предпочла не услышать, уткнулся в компьютер и стал быстро печатать.

Маша постояла-постояла на пороге и тихо вышла. На темном полу лестничной площадки лежал светлый шелковый ковер, привезенный прошлым летом из Турции. Маша присела и положила на него ладонь.

Не соврал пожилой турок, продавший им ковер. У турка были пышные канибадамские усы, белоснежная рубаха, и молодые помощники, одним движением словно разливавшие на полу перед покупателями целые озера благородного шелка, называли его «эфенди». В жару ковер казался прохладным, а зимой теплым, как будто райские цветы на нем навсегда впитали южный зной.

Если бы у шефа был просто скверный характер, это еще полбеды. Ничего страшного. Подумаешь, скверный характер!.. Мало ли характеров она перевидала на всех своих многочисленных работах! Но Маша Вепренцева в своего шефа была, разумеется, тайно влюблена, и это было так же бессмысленно и глупо, как если бы она влюбилась в Михаэля Шумахера. Или в Ральфа. Или в них обоих.

Даже если бы Маша осталась последней женщиной на земле, знаменитый писатель Аркадий Воздвиженский, по паспорту Дмитрий Андреевич Родионов, не обратил бы на нее никакого внимания. То есть, убедившись, что, кроме них, на планете больше никого нет, он выразил бы неудовольствие по поводу грядущих неудобств, которые будут отвлекать его от работы, и попросил бы Машу сварить ему кофе.

Там, где Маша трогала ковер ладонью, он будто чуть выцветал — шелковые ворсинки приминались и как-то по-другому отражали свет, турок-«эфенди» объяснял это тем, что с разных сторон ковер по-разному «глядит на солнце».

Если бы у шефа был просто скверный характер, она справилась бы с ним, а если бы не справилась, то ушла с работы, но она была в него влюблена и потому очень от него зависима. Уволиться означало бы отказаться от него, а она никак не могла этого сделать, хотя прекрасно понимала, что это единственный выход.

А может, его вовсе нет. «Выхода нет» — так пишут на дверях метро.

За кабинетной дверью, в двух шагах от нее зазвучали шаги, и она поспешно вскочила, заметалась и сбежала на несколько ступенек вниз по полированной английской лестнице.

Шеф эту лестницу на самом деле заказывал в туманном Альбионе и несколько месяцев ждал, когда ее доставят. Доставка из Альбиона оказалось делом чрезвычайно сложным и продолжительным. Видимо, мало кому приходило в голову доставлять лестницы оттуда.

— Маня, не мечись, — приказал шеф с площадки. — Ты что? Ковер гладила?

Задрав голову, Маша посмотрела на него. Он стоял, свесившись вниз, и улыбался. Она улыбнулась в ответ.

— Ты на меня обиделась?

— Нет.

— А почему я чувствую себя виноватым?

Как все было бы просто, если бы у него был скверный характер!

— Не обижайся на меня.

Сейчас он скажет, что не любит, когда у него что-то пропадает и когда его отвлекают.

— Я терпеть не могу, когда у меня пропадают файлы и когда мне мешают работать.

— Я знаю.

— Вот и хорошо.

— Сварить вам кофе?

Он подумал, подтянулся и сделал на перилах стойку на руках. Маша ахнула. Свитер великого писателя упал вниз, обнажив живот, и джинсы тоже поехали, открывая волосатые лодыжки.

— Вы с ума сошли! Здесь высоко, вы упадете!

— Если упаду, ты меня похоронишь, — не слишком

внятно, оттого что стоял вниз головой, сказал он, — ибо я убьюсь насмерть.

Потом издал некий залихватский рык, словно подтверждающий его молодецкую удаль, описал ногами дугу и приземлился на площадку. Что-то жалобно зазвенело, и финал представления оказался смазан из-за люстры, которую он задел то ли головой, то ли рукой.

— Дмитрий Андреевич, осторожней!

Люстра покачалась-покачалась, но осталась висеть, и они перевели взгляд с потолка друг на друга.

— Почему все мешают мне работать? — осведомился великий писатель брюзгливо, словно не он только что выскочил на площадку с извинениями. — Почему я не могу сесть и спокойно написать свои десять страниц?! Или двадцать страниц?! Или сорок?! Почему я принужден вести какие-то идиотские разговоры, когда я до сих пор не знаю, как мне связать один труп со вторым?! И вообще не знаю, связаны ли они?! И когда это все кончится?!..

Голос звучал все тише, потому что писатель удалялся в сторону своего кабинета, и наконец смолк совсем, потому что Родионов сильно захлопнул за собой дверь.

Маша вздохнула с облегчением, постояла, прислушиваясь, и побежала вниз.

Как все было бы просто, если бы у него был скверный характер! А еще лучше, если бы он был подлец, поедающий на завтрак беззащитных секретарш и чужих детей! Она бы тогда быстренько его разлюбила, освободилась и стала бы обычной сотрудницей, исполнительной, проницательной, деловой, профессиональной и какой угодно.

Подлецом он решительно не был. И вообще он был хорошим начальником. Каждый раз, когда ему казалось, что она чем-то обижена, он смешно каялся, из командировок привозил ей подарки, а на Восьмое марта покупал мимозку — мечта, а не начальник!

Кроме того, думала Маша уныло, ожидая, пока закипит вода в чайнике, влюбиться в шефа — это просто классический сюжет для комедии. Или мелодрамы.

Для жизни этот сюжет не подходит вовсе. И она понимает это лучше всех. Ну, а он ни о каких таких сюжетах даже не догадывается. И слава богу.

Зазвонил телефон, и она проворно сняла трубку. Хоть в кабинете и не слышно, но на всякий случай стоило поспешить.

— Да.

Молчание и какие-то потусторонние шорохи, вечные спутники стационарных квартирных телефонов.

— Алло! — повторила она с некоторым нажимом. Так бывало по нескольку раз в день. Аркадий Воздвиженский знаменитость, и у него уйма поклонников, с которыми Маша всегда разговаривала вежливо, но непреклонно.

— Алло?

— Скажи своему писаке, чтобы сидел в Москве и не рыпался, — проговорили в трубке отчетливо. — Как-нибудь в Киеве без него разберутся, а он...

— Вы ошиблись, — быстро сказала Маша и повесила трубку.

Что за идиотизм?! Кто это может быть?!

Телефон снова зазвонил, и было совершенно ясно, кто звонит, и она решила, что ни за что не снимет трубку. Чайник на плите тоненько свистнул, приноровился и наддал в полную силу.

Маша быстро переставила его на холодную конфорку. Телефон звонил.

У Дмитрия Андреевича в кабинете ничего не слышно, она это точно знает.

Телефон надрывался.

Изоляцию делали так, чтобы звуки туда не проникали, и Маша сама проверяла — по мобильному звонила из кабинета на домашний номер.

Телефон разрывался от звона. Может, подушкой его накрыть от греха подальше?..

На лестнице загрохотало, загремело и завыло:

— Маша!! Какого черта ты трубку не берешь?!

Значит, все-таки слышно! Она сорвала трубку с разорявшегося телефона, толкнула дверь в кладовку, нырнула туда и закрыла за собой дверь.

— Алло!

— Ты трубками не бросайся, курочка! Пробросаешься! Ты скажи ему, вперед пусть место себе на кладбище закажет. Какое больше нравится, а то, когда его привезут из Киева, выбирать он уж не сможет!

— Вы ошиблись номером, — размеренно произнесла Маша. — Набирайте правильно.

— Ты, курочка, язычок свой прикуси и слушай, — сказали в трубке весело, — если твой козырь из Москвы хоть шаг шагнет, будут ему полные вилы. Последние дни доживает. И не крутись ты, курочка, а слушай! Значит, ни в какую милицию ты не звонишь и никому ничего не рассказываешь. Говоришь своему писаке драному, чтоб в Москве сидел и не вылезал.

— Послушайте...

— Заткни клюв, дура, — миролюбиво посоветовали в трубке. — Ты че? Не въезжаешь, что ли? У тебя детей сколько, дура?

Маша Вепренцева уронила расписную чайную коробочку, которую держала в руке. В коробочке у нее хранились кофейные зерна. Она кофе собиралась варить.

— Ну? Че застыла-то? Лера и этот твой... Сильвестр. Это скока будет, пощитай, ё...! Пощитала?

Маша взялась за стену.

— Ну, пощитала, значит. Вот если только слово одно скажешь, я сначала козлику твоему яйца отрежу, а потом подожду. Посмотрю, как он без них скакать станет. А потом козочку, значит, приспособлю. И только после, после, золотая ты моя курочка, ножиком по горлу, да так, чтобы один другого видел. Чтоб веселее помирать-то им! Поняла, что ли?

— Вы... кто?

— Конь в пальто, — моментально отозвался голос в трубке и радостно заржал, — тебе не все равно, кто я, а? Ты поняла, дура, что ездить никуда не надо, или повторить еще раз?..

Маша швырнула трубку о стену, на которой висел телефон, и помчалась к входной двери. Трубка болталась и подпрыгивала на витом шнуре, и внутри нее болтался и подпрыгивал отвратительный голос, говоривший ей такое страшное, что она даже дышать больше не могла.

В сумке был мобильный, и, натягивая пиджак, Маша пыталась его отыскать. В горле было сухо, и голова гудела, словно она швырнула трубку в собственную голову.

Мобильный никак не находился, а она должна немедленно позвонить домой. Прямо сейчас. Господи, помоги мне! Помоги мне немедленно!..

— Маша?

Она не оглянулась, и даже по ее спине было ясно, что произошло что-то ужасное.

Дмитрий Андреевич, который терпеть не мог, когда ему мешают, который и вышел только для того, чтобы устроить секретарше разнос за то, что та подняла в доме такой шум и практически устроила факельные шествия, мгновенно сбежал с лестницы и схватил ее за воротник пиджака, как нашкодившего школяра. Он умел отличать баловство и капризы от... настоящих проблем.

— Маша!

Она не могла найти телефон. В этом телефоне в данный момент был весь смысл ее жизни. Она должна позвонить и не может найти мобильник!

— Маша, приди в себя!

Она искала.

Дмитрий Андреевич вырвал у нее сумку, бросил ее на стол, потряс секретаршу за воротник и затолкал в кухню. Она сопротивлялась, но он был сильнее.

— Так, в двух словах. Что случилось?

Маша Вепренцева была обыкновенной женщиной. То есть самой обыкновенной. В героини сериала она решительно не годилась.

Это только в сериале героиня, узнав от темных сил, что они ей угрожают, и выслушав требование «никому ничего не говорить», в самом деле никому ничего не говорит! То есть свято верит в то, что «темные силы» плохого ей точно не посоветуют! Еще не было в природе ни одного сериала, где героиня немедленно рассказала бы о своих проблемах герою, а тот позвонил бы в милицию или в сыскное агентство, и проблемы бы моментально уладились. Впрочем, тогда и сериала бы никакого не вышло.

Она тяжело дышала, отводила в сторону глаза, и телефонная трубка на витом шнуре покачивалась и легко ударялась в стену, как ленивая лодочка в зеленый бережок. Писатель Аркадий Воздвиженский взял трубку, послушал и вернул ее на аппарат.

Его секретарша схватила со стола бутылку, глотнула воды, поперхнулась, закашлялась. Потекло по подбородку и капнуло на пиджак.

— Дети, — сказала она хрипло и вытерла подбородок тыльной стороной ладони. — Он сказал про детей. Мне надо позвонить, Дмитрий Андреевич.

— Кто сказал?

— По телефону... Он сначала сказал, что вы в Киев ехать не должны, или будут вам... длинные грабли.

— Маш, ты в своем уме?

— Да-да! — повторила она быстро. — Он сказал, если вы поедете, чтобы место на кладбище сначала присмотрели, потому как потом поздно будет. И после про грабли.

— При чем тут грабли?!

Маша глотнула еще воды, еще раз утерла рот и посмотрела мимо него. В виски ломился адреналин, будто она только что чудом избежала смертельной опасности и еще до конца не осознала это.

Надо бежать, бежать, гнал адреналин, ну, беги, ну, что же ты стоишь?!

— Дмитрий Андреевич, мне надо позвонить. Детям позвонить, прямо сейчас... Он еще сказал, что их... убьет. Он, наверное, их похитил.

Родионов посмотрел на нее, прищурив глаза, — она явно была не в себе. Из ее обрывочных фраз он ничего не понял, но вдруг осознал, что все... всерьез. Был какой-то разговор, напугавший ее до смерти, и этот разговор означает, что у них проблемы. Очень большие проблемы.

Он не хотел проблем, ни больших, ни маленьких. У него их и так хоть отбавляй. Он уже твердо знал, что задержит рукопись по меньшей мере на месяц, а для издателя это катастрофа, конец света, ведь есть некое магическое словосочетание, заклинание практически. Звучит оно не слишком поэтично. «Издательский план» — вот как оно звучит, но несмотря на полное отсутствие поэзии, магия этого словосочетания известна каждому автору.

Сдал роман вовремя — молодец. Не сдал — подлец. Беда.

Беда-а!..

Дополнительная беда секретарши Маши была ему совершенно ни к чему. То есть решительно ни к чему.

— Где сейчас должны быть дети?

— У... у бабушки. То есть Сильвестр у бабушки, а Лерка... господи, я не помню... Лерка в саду, где же еще!

— Ну так звони! — велел Родионов грубо. Специально так грубо, чтобы она перестала косить глазами и облизывать губы. Ему казалось, что она в обморок грохнется. Что тогда прикажете с ней делать?!

— Телефон... не могу найти.

— Вот тебе телефон, — и он сунул ей трубку, которая только что была пристроена на аппарат на стене. Маша отшатнулась, словно он сунул ей в лицо гадюку.

Ах да. Именно из этой трубки ей... угрожали.

Вот черт. Из заднего кармана джинсов он извлек свой телефон. Пластмассовый корпус был теплый, и Дмитрий Андреевич вдруг сконфузился из-за того, что он нагрелся у него... на заднице.

Но Маша ничего не заметила, про задницу Дмитрия Андреевича даже не подумала. Набрала номер и стала ждать, глядя в одну точку бессмысленным взглядом.

Родионов, покорившись судьбе, — вот как тут прикажете книжки вовремя сдавать?! — нажал кнопку на электрическом чайнике. Кофе выпить, что ли?..

...и что это она так переполошилась? Мало ли сумасшедших звонит?! Да в день по нескольку раз, и что? Ничего. Маша всегда сдержанна и непреклонна, а тут вдруг так... распустилась. Или все дело в детях и в том, что придурок наговорил что-то про них?

У Родионова не было детей, и он понятия не имел, как чувствуют себя те, у кого они есть.

— Мама? — выговорила его секретарша быстро. — Мама, у вас все в порядке? Сильвестр пришел? Когда придет? Мама, нет, не отпускай его никуда. Бог с ним, с теннисом, мама! Нет, ты слышишь меня или нет? И Лера... Ничего не случилось. Нет, ничего...

Родионов едва заметно пожал плечами и стал методично, одну за другой, открывать дверцы шкафчиков. Он искал кофе.

Женщины — непостижимые существа. Понять, что происходит у них в голове, невозможно.

Ну, вот это что такое?!

Она звонит матери и истерическим голосом спрашивает, все ли в порядке. Потом велит никуда не отпускать ребенка, даже и на теннис не отпускать, а потом, когда мамаша уже вполне готова отправляться в Институт Склифосовского с сердечным приступом, сообщает — все, мол, хорошо, ты, главное, не волнуйся. Это я так. Бдительность проявляю.

Ну что? Лектор[1] готов? Лектор давно готов!..

Видимо, мать тоже была уже «готова», потому что Маша долго бубнила, что нет никаких причин для беспокойства, и увиливала от прямых вопросов, и пыталась попрощаться, и никак не могла.

Родионов насыпал кофе в две кружки и налил кипятку из чайника. Теперь хорошо бы еще найти сахар или хоть шоколадку, что ли. Пожалуй, лучше шоколадку.

Маша наконец отделалась от матери, нажала на телефоне «отбой» и повернулась к нему. Вид у нее стал менее дикий, но все же он ясно видел, что она готова сию минуту бежать.

Куда?.. Зачем?..

— Он сказал, — выпалила Маша, и Родионов остановился, не донеся до рта кружку, — что вы не должны ехать в Киев. Что вы должны остаться в Москве, иначе будут вам полные вилы.

— Как же вилы? — удивился Родионов. — Раньше ты говорила — вроде грабли!

— Вот вы шутите, Дмитрий Андреевич, а на самом деле...

— На самом деле это все чушь, — перебил ее Родионов, который после слова «вилы» вдруг перестал утешать себя тем, что это чушь, и забеспокоился.

— Это не чушь! — выкрикнула Маша Вепренцева. — Он сказал, что... если я вам расскажу, он... он...

Повторить то, что говорила ей трубка, она никак не могла. Про Сильвестра и про Леру, про ее детей! Ну, не могла, и все тут! Поэтому Маша сказала:

---

[1] Имеется в виду персонаж фильма «Молчание ягнят» — Ганнибал Лектор.

— Он грозился... убить их, если я только кому-нибудь расскажу!..

Знаменитый писатель Аркадий Воздвиженский, в миру Дима Родионов, хлебнул еще из своей кружки, а потом уставился в нее, словно ожидая, что там будут показывать нечто интересное. В кофейной черноте кривовато и волнообразно двигалось отражение лампочки на потолке и половина его, Родионова, щеки.

Побриться бы надо, перед тем как к Веснику ехать.

— А голос? Мужской или женский?

— Скорее... скорее мужской, — она вспомнила отвратительное холодное кваканье — смех, от которого волосы на затылке вставали дыбом.

Никто не смеет угрожать ее детям. Никто и никогда! Тому, кто посмеет, придется иметь дело с ней, с Машей Вепренцевой, а это большая сила!

Очень большая. Очень.

Хотя на самом деле маленькая.

Но только до той минуты, пока какая-то сволочь не начинает угрожать ее детям!

— То есть он сказал, что, если мы поедем в Киев, мне будут... вилы и еще он убьет твоих детей.

— Да, — хрипло подтвердила Маша. — Но не сразу.

— Что не сразу?

— Убьет... не сразу.

Родионов посмотрел на нее и понял, что тему лучше не развивать.

Он глотнул еще кофе и поморщился — он не любил растворимый. Зачем только секретарша держит его в офисе? Журналистов, что ли, поит? Из экономии?

— Маша, я думаю, что это все ерунда, просто ненормальные развлекаются. Нужно поехать в издательство и переговорить с Весником или с кем-то из службы безопасности. Или с Марковым. Марков-то уж точно во всем разберется, причем быстро.

Валентин Марков был одним из владельцев издательства — молодой, напористый и решительный мужик, по слухам, друживший с «самим Тимофеем Кольцовым», олигархом, которого до сегодняшнего дня никому пока не удалось ни истребить, ни упечь в каталажку. Тимофей Ильич на упористых слоновьих ногах стоял твердо, на мир поглядывал исподлобья, шуток ни с кем не шутил, в Куршавеле мировую элиту из себя не изображал, яиц Фаберже, футбольных клубов, а также домов высокой моды и Виндзорских дворцов не покупал. Никому не удавалось с ним... поладить, ибо он даже близко никого к себе не подпускал, а вот Марков как-то сумел к нему приблизиться и войти в доверие.

Родионов Маркова слегка опасался, и, встречаясь, они, как два опытных и осторожных хищника, кружили друг возле друга, косили глазами, трепещущими ноздрями втягивали воздух и молниеносно дергали боками — от высокого напряжения чувств и эмоций. Они нуждались друг в друге, ибо что писатель без издателя, что издатель без писателя — никуда и ни к чему не нужен! Родионов очень не любил ни о чем Маркова просить, и Маша об этом отлично знала, а потому его великодушие оценила, даже несмотря на ужас, который хоть и разжал зубы, но все равно еще скалился поблизости от ее горла.

— Но ведь он говорил про Киев, — пробормотала Маша, сглатывая слюну, отравленную ужасом. — Он говорил, чтобы вы не ездили в Киев! Откуда он знает, куда вы едете, если он ненормальный и развлекается? И откуда он знает имена моих детей?!

Родионов подумал.

Про киевскую командировку и вправду никто не знал, даже его мать, которой он давным-давно не звонил. Только вчера Маша поругалась с менеджером из рекламной службы издательства, потому что информацию о поездке сто лет назад должны были вывесить на личный родионовский интернет-сайт, да так и не вывесили.

Значит, кто-то свой говорил про вилы и угрожал Машиным детям? Или человек, который знал кого-то из своих, кто знал про поездку и разгласил секретные сведения?! Родионов покрутил головой для прояснения сознания.

В шее что-то хрустнуло, а сознание так и осталось довольно мутным.

Он писал детективы уже восемь лет и считался «корифеем жанра», но в жизни с ним никогда не приключалось никаких детективных историй! Даже бизнесом когда-то он занимался очень скучно и с упорством дебила. И бизнес был скучный, и окружение скучным, и бумаги были скучными, и банки — тоже скучными, иностранными, никогда не прогорали, зато исправно платили проценты, и скучный Дмитрий Родионов уходил на пенсию скучным богатым бюргером. Бизнес он продал, положил в банчок еще кучку денег, повздыхал на свободе, пару раз съездил с гоп-компанией друга Сереги «на острова», пару раз там нырнул с аквалангом, пару раз напился, столько же раз проснулся поутру невесть с кем и заскучал уже свирепо, до ненависти к себе.

От скуки и пришло ему в голову романчик сочинить! И хорошо, что пришло!.. Друг Серега был рядом, он-то и порассказал историй про нормальных, совсем не скучных ребят, и Дмитрий Андреевич осторожненько эти истории поместил в свое произведение — так, чтобы никто из героев не догадался и не обиделся.

Никто не догадался и не обиделся, а Валентин Марков детектив напечатал, и началась игра на интерес, которая продолжалась уже восемь лет.

За это время из скучающего бизнес-пенсионера Дмитрий Андреевич Родионов превратился в Аркадия Воздвиженского, «гения нашего», звезду, «талантище», и времени у него ни на что не хватало, и работы оказалось выше головы. И бессонница у него появилась, как у всякого порядочного молодого мужчины, и обмирающие курсистки стали бросать на Родионова томные взгляды и подносить ему блокнотики для автографов. И все телевизионные передачи до одной были счастливы, когда удавалось договориться со строгой и избирательной пресс-службой и еще более строгим и избирательным секретарем Вепренцевой об участии в них господина Воздвиженского. И мобильный номер приходилось менять примерно раз в полгода, потому что вездесущие журналисты узнавали и принимались ему звонить, а он... он не желал славы и почестей, он был вполне счастлив в тишине и покое своего английского кабинета, наедине со своим романом, ему не нужно было всей этой суеты, обожания, поклонников, поклонниц...

И все это такое же вранье, как и то, что его никогда не интересовали гонорары!..

Сказку про то, что гонорары его не интересуют, он сочинил сам, специально для Валентина Маркова. Неизвестно, поверил в это Марков или нет, однако исправно платил Родионову и условия игры принял. Если гению не угодно признаваться, что он меркантилен и суетен, как все смертные, — пусть его не признается, мы тут, в миру, про суетность все очень хорошо понимаем.

Спору нет, он прожил бы и без гонораров, только на свои «пенсионные», накопленные скучным бизнесменским трудом, но зарабатывать Дмитрий Родионов, в отличие от Аркадия Воздвиженского, умел и более всего любил себя в искусстве, именно когда получал гонорары — очень, очень, очень «достойные», как выразился один немецкий издатель, возжаждавший печатать труды господина Воздвиженского в фатерлянде.

Детективы Аркадию удавались отлично — залутанные, мрачноватые, похожие на пресловутую «пламенеющую готику», всегда изящно, хоть и не слишком благополучно, завершавшиеся. Еще он превосходно умел держать себя, перед камерой никогда не пасовал,

24

журналистов не боялся, запретных тем не избегал — в общем, находка, а не писатель!..

Но в жизни — никогда никаких детективов, а тут на тебе, откуда ни возьмись! Да еще с угрозами и прочими непонятностями!..

— Дмитрий Андреевич, я должна ехать, — задыхающимся голосом прервала Маша его размышления о своей судьбине и о месте детектива в ней. — Мне нужно... детей спасать.

— Никого спасать тебе не нужно, — возразил писатель Воздвиженский. — Он велел передать... что?

— Чтобы вы не ездили в Киев.

— Вот именно. А я пока в Киев не поехал еще. А раз не поехал, твоим детям ничего не угрожает.

Его секретарша поняла все наоборот. Женщина всегда понимает то, что говорит мужчина, с точностью до наоборот.

Она поняла не то, что сейчас нет никакого повода для паники и ужаса, а то, что, как только Родионов укатит, ей придется эвакуировать семью куда-то примерно в район Северного полюса.

И еще она почему-то решила, что он не поедет! Ну раз кто-то угрожает ее детям и для их безопасности следует оставаться в Москве, значит, нужно в Москве и остаться!..

— Боже мой, что же делать?..

— Маша!

— Если вы уедете... я же должна с вами ехать, а я не могу...

— Маша!

— Мне придется их увезти, но... куда? Господи, у нас все родственники в Москве, даже и уехать некуда...

— Дьявол! Маша!!

Рефлекс сработал моментально и стопроцентно, как у собаки Павлова. Маша схватила со стола папочку, сделала стеклянные глаза и по-сорочьи склонила голову набок.

— Да, Дмитрий Андреевич?

— Сейчас мы поедем в издательство, и я поговорю с Марковым. До этого разговора мы все равно ничего предпринять не сможем. Сейчас твоим детям ничего не угрожает. Поняла?

Секретарша кивнула.

— Повтори.

— Дмитрий Андреевич, шутить такими вещами...

— Да какими вещами!.. Что ты, ей-богу, психуешь! Сама рассказывала, как на прошлой неделе к Донцовой в дом какая-то поклонница ворвалась и руками там махала и чего-то требовала! Дочку ее чуть не до смерти перепугала! Или ты думаешь, что сумасшедшие только к Донцовой наведываются, а наши почитатели все разумные и милые?!

Маша моргнула. Родионов сунул ей свою кружку с остывшим кофе.

— На, попей, а я пойду соберусь. И поедем. Чем раньше приедем, тем быстрее с Марковым поговорим. И не смотри ты на меня глазами скорбящей Богоматери!..

Он пошел было из кухни, но остановился:

— Где сейчас дети?

— Ле... Лера в детском саду, а... Сильвестр... он в школе, но через полчаса уже...

— Значит, из детского сада непонятно кому ребенка не отдадут. А Сильвестра мы заберем.

— Как... заберем?

— Из школы заберем, — сказал он с неудовольствием, — ничего, полдня с нами покатается.

Маша пришла в смятение. Предложение было очень и очень разумным, конечно, но отдавало таким неслыханным нарушением субординации, что согласиться на него ей казалось сущим безумием.

— Дмитрий Андреевич, это... невозможно и не нужно. Я маме позвоню... вернее, уже позвонила, и она...

— И она уже слегла с мокрой тряпкой на голове, — продолжил за нее знаменитый писатель-детективщик язвительно. — Правильно я понял?

Он понял все правильно, но это не означало, что она имеет право втягивать его в свои проблемы! Или имеет?.. Или это не она его втягивает?.. И это не только ее проблемы?..

— Давай собирайся, — приказал гений, кажется, приходя в дурное расположение духа из-за собственного необдуманного благородства, — времени совсем нет!

Он вышел в коридор и проорал уже оттуда:

— Вот когда мне романы писать, чтобы вовремя их сдавать?! Когда, спрашивается?! Пойдешь сегодня сама к Маркову и будешь ему объяснять, почему я рукопись опять задерживаю.

Но первый раз в жизни Маше не было дела до его рукописей.

Телефонный звонок будто погрузил ее в зловонное и гадкое болото. И не просто зловонное и гадкое, но еще и кусачее, пиявочное, и десятки голодных пиявок с наслаждением впились в нее и теперь сосали из души все теплое и радостное, оставляя там страх и панику. Мирок Маши Вепренцевой хоть и не уподоблялся райскому саду, но все же был благополучен и мил и удобно устроен, и все в этом мирке было на своих местах — Дмитрий Родионов с его насмешливой уверенностью в жизни, Лера и Сильвестр, лучшие из детей, когда-либо существовавших на свете, мама, которая никогда не обременяла Машу нравоучениями, обожала внуков и имела еще одно очень важное качество. Что бы ни происходило в жизни дочери, она всегда была на ее стороне.

Если дочь принимала решение о том, что должна сменить работу, или обходиться без мужа, или купить в прихожую коврик, мать всегда говорила, что она молодец и что отныне — с новым ковриком, на следующей работе или без мужа — у нее все наконец-то пойдет просто отлично.

Маша Вепренцева обожала свою мать, и ей даже представить себе было страшно, что будет, если та узнает, что какой-то сумасшедший угрожал ее внукам!..

— Маш, я готов. Где мой портфель?

Аркадий Воздвиженский был крайне неорганизованным человеком. Он объявил об этом Маше, как только та появилась в его жизни, очевидно, желая с ходу запугать ее как следует, но Маша пугаться не стала и очень ловко взяла всю организацию его жизни на себя.

Впрочем, она подозревала, что он отчасти играет в неорганизованность, как хороший артист в собственную гениальную простоту или что-то в этом роде. Полжизни нынешний знаменитый детективщк занимался бизнесом, в котором трудно и невозможно быть неорганизованным — по миру пойдешь от неорганизованности-то! Но если ему нравится, Маша согласна, пусть он будет «неорганизованный», она вполне с этим справится!..

— Где портфель, Маша?

Портфель оказался в холле, на том самом месте, куда Маша ставила его каждый день, и в нем все тоже оказалось на месте — ручки, папки, записная книжка.

При виде портфеля настроение у Родионова испортилось окончательно.

Рукописи-то нет. Портфель есть, а рукописи в нем нет! Марков сейчас первым делом о ней спросит, и Родионову придется оправдываться, как школьнику, который позабыл дневник наблюдений по природоведению и теперь гундосит, что дневник он вел, вел... но забыл... но он же вел, правда, вел...

А директор ни одному слову не верит и требует показать записи!..

Секретарша ухудшения его настроения не заметила, она думала только о том, что им непременно надо успеть к концу занятий в школу, чтобы неизвестный враг не подобрался раньше их, хотя разум остужал эмоции — и вправду, мало ли сумасшедших, и вообще речь шла о Киеве, а вовсе не о Москве!

Они вышли на улицу, в асфальтовое марево майского московского полудня, в запах шашлыка от уличной кафешки на бульваре, во всегдашний автомобильный рокот близкой Маросейки.

Ах, как Родионов любил Москву, хотя никому и никогда в этом не признавался! Ругать столицу в последнее десятилетие считалось хорошим тоном, и Дмитрий Андреевич ее снисходительно поругивал, мэра подозревал во всех смертных грехах и даже, было дело, поставил свою подпись под петицией, призывавшей убрать с излучины Москвы-реки некое бронзовое страшилище, по ошибке принятое властями за памятник Петру Первому. Петиция ничего не изменила, власти по-прежнему настаивали на том, что страшилище — памятник и император, а Дмитрий Андреевич получил полное моральное право утверждать, что Москва нынче стала «не та».

Не та, не та!..

Но как он любил этот город — со всей его толчеей и бестолковостью, «пробками», неработающими светофорами, чахлыми липами, кое-где еще сохранившимися с тех пор, как Москва была «порт пяти морей и самый зеленый город в мире». Ни морей, ни зелени в ней отродясь не водилось, зато были Кривоколенный и Спасопесковский переулки, торжественная, даже какая-то «государственная» тишина Кремля за высоченной красной стеной, и неказистые церковки в Замоскворечье, и дом Пашкова, и Чистопрудный бульвар, и Иверская часовня. Он никогда не смог бы этого объяснить, но Москва словно принадлежала лично ему, только ему одному, и он один точно знал, что нужно делать, чтобы она не болела, не чахла и процветала, и ревновал ее ко всякого рода джигитам, которые налетали, сверкали очами, размахивали шашками, рубили сплеча, почитая себя баронами Османами, деловито и на века преобразившими Париж!

Он никогда не понимал, почему здесь должно быть так, как там, хотя очевидно, что никогда не будет здесь и там одинаково, да и не нужно никому этой одинаковости, и переживал, и любил, и все время ругал, опасаясь впасть в моветон и показаться сентиментальным.

Покопавшись в сумочке, Маша Вепренцева достала ключи от машины и нажала кнопку сигнализации. Джип мигнул фарами, как встрепенувшийся Конек-Горбунок, приготовился везти их по делам.

— Может, ты одна съездишь? — открывая пассажирскую дверь, заныл Родионов для дальнейшего неукоснительного соблюдения правил игры. — А я попишу немного, а? Ну что мне там делать?! Ведь Весник все равно уже все утвердил, и Табакова уже все решила, зачем я-то нужен?!

Таней Табаковой звали начальницу рекламного отдела, дальними командировками, или, как это называлось у гениев и звезд, «гастролями», ведала она, и дело свое знала.

— Дмитрий Андреевич, мне одной там нечего делать. Татьяна Александровна должна объяснить вам программу, а Весник...

— Да ну тебя, — пробормотал Родионов, швырнул на заднее сиденье портфель и полез на пассажирское место.

Мало того, что он был «неорганизованный», мало того, что он не вовремя сдавал рукописи, мало того, что реальная жизнь интересовала его постольку-поскольку, а жил он только как бы внутри своих романов, он еще и машину почти не водил!

До появления в его жизни Маши Вепренцевой писатель Аркадий Воздвиженский сменил четырех секретарей и нескольких водителей. Все они никуда не годились. Секретари преданно смотрели ему в рот, но никогда не знали, где его вещи и рукописи, грозных окриков пугались, на компьютере раскладывали пасьянс, позевывали в сторонку, варили скверный кофе и, главное, все стремились в шесть часов свалить домой, что было для Дмитрия Андреевича совершенно неприемлемо. У них был нормированный рабочий день, а у Воздвиженского его не было. Он щедро им платил, но оказалось, что никто не согласен работать день и ночь, хоть бы и за деньги.

Вот этого Дмитрий Андреевич решительно не понимал. Ему все думалось, что раз нашлась работа, на которой на самом деле можно *зарабатывать*, то уж и держаться за нее нужно руками и ногами! Но — вот странность! — объяснить этого он никому не мог. Никто его не понимал. Если он назначал на восемь вечера встречу с журналистом или продюсером, секретари утомлялись от одного только упоминания о встрече и считали своим долгом назавтра непременно отпроситься пораньше, в счет «вчерашней переработки». Родионов их увольнял, приходили новые, точно такие же.

И так продолжалось до Маши Вепренцевой, которая, явившись на собеседование два года назад, выслушала все требования мрачного Дмитрия Родионова, окончательно утратившего веру в русский народ, и, не моргнув глазом, сказала, что все его условия ей подходят. Родионов тогда не очень поверил, а узнав, что у нее двое детей, и вовсе хотел сразу отказать ей от места, но на тот момент не было никого, кто мог бы не то что найти ему нужные материалы, но даже и на звонки ответить, и Маша осталась.

«На две недели», — предупредил он тогда непререкаемым тоном, и она согласилась. А что ей было делать?

С тех пор прошло два года, и он понятия не имел, как это он ухитрялся жить без нее.

Она улаживала все его дела, искала в словарях, справочниках и Интернете необходимые для его работы данные, как мозаику, складывала его расписание, в котором было море всего — интервью, съемок, телевизионных программ, сценариев, продюсеров, выездных мероприятий, встреч с читателями и дней, когда он наотрез отказывался выбираться из дому, запирался в кабинете и писал по двадцать часов. Она сдавала в химчистку его костюмы, покупала ему ботинки, научилась завязывать галстуки, варить кофе так, как он любил, — молотого кофе насыпать примерно до половины турки, а поверх должно быть на два пальца воды.

И она уволила его водителя Гену, который однажды забыл Дмитрия Андреевича на мероприятии за городом. Ей-богу, забыл!.. Гена работал с девяти до девяти, когда нужно было куда-то ехать, и совсем не работал, когда никуда ехать было не нужно. В загородном клубе, где праздновали десятилетие некой компании, торгующей спортинвентарем, Дмитрия Андреевича чествовали не только как гения русской прозы, но и как выдающегося спортсмена, и дочествовались почти до полуночи, а в полночь, когда вся развеселая толпа стала разъезжаться, выяснилось, что ни машины, ни водителя нету. Уехал он. В девять у него рабочий день закончился, а телефон у шефа не отвечал, ну, Гена и отбыл, очень довольный собой и уверенный, что дальнейшая шефова жизнь к нему отношения не имеет.

И наутро Маша Вепренцева, зараза такая, Гену уволила.

С тех пор за рулем всегда была она сама, и Дмитрий Андреевич привык к тому, что водитель у него — женщина. А что тут такого?.. Раз уж эмансипация и полное равенство в правах, то и пожалуйста.

Черный и стремительный джип с хищным рылом вырулил на Маросейку, пару раз раздраженно огрызнулся на прочие машины, которые никак не хотели пустить его в свое стадо, рыкнул на присевшую со страху «Оку», покрасовался перед ней, сверкнул полированным боком, ленивой рысью доскакал до угла и свернул на бульвар.

— Сегодня четверг?

Маша покосилась на начальника.

— Да.

— Не проедем нигде, — сказал тот брюзгливо. — Пробки.

По вторникам и четвергам в Москве было как-то особенно невозможно проехать. Хотя с наступлением весны стало полегче — многие разъехались в отпуска или безвылазно сидели на дачах.

Машин и впрямь было много, тем не менее до школы они добрались быстро и еще оставалось время, чтобы доехать до Весника и даже не опоздать.

Во дворе уже вовсю носились освобожденные от тяжкой доли школьники, гвалт стоял невообразимый, и совершенно непонятно было, как можно в этой толпе выловить своего отдельного ребенка.

Маша моментально почувствовала себя виноватой. Она не должна навязывать Родионову свои личные дела! Сильвестр, конечно, отличный парень, но ее начальник вовсе не обязан проводить с ним время!

— Дмитрий Андреевич, может, я попрошу кого-нибудь...

— Не ерунди, — отрезал писатель Воздвиженский. — Мы уже все решили. Иди, добывай его, и поехали! Дел по горло!

Маша выскочила из джипа. С улицы в прохладную кондиционированность салона повалил теплый воздух, и запах тополей и асфальта, и влага вчерашнего дождя. Писатель Воздвиженский подумал, что зря он содеял в своем романе суровую зиму, теплое лето было бы куда как лучше, а Дмитрий Родионов подумал, что возить с собой по городу чужих детей — ужасная морока.

Зачем он согласился?.. И даже сам это предложил!

Хаотичное движение заряженных частиц за школьным забором продолжалось, и кто-то уже висел на худом и замученном боярышнике, а еще несколько щенят валялось на газоне, а другие вырывали друг у друга рюкзаки, и несколько томных барышень лет по четырнадцать взирало на малышачью возню со снисходительным презрением, а юноши этого же возраста, говорящие непередаваемыми шаляпинскими басами, косились на барышень и шикарными одесскими плевками сплевывали на асфальт, и все вокруг визжало, двигалось, прыгало, хохотало, сверкало на солнце.

— А я ему говорю: чегой-то ты звонишь? А он мне отвечает, что алгебру забыл!

— Ага, алгебру! Так я и поверила, что он алгебру забыл!..

— Да мы ваще вчера до двух часов оттягивались!..

— Мне он целых три эсэмэс прислал...

— Да этот фильмец отстой, ва-аще!

— А он в каком, в девятом или в десятом?

— Вот я иду, мажорю, а навстречу мне Анька из восьмого «Б»...

Опустив стекло и надвинув темные очки для неузнаваемости, Родионов курил и думал, что ни за что на свете не хотел бы вернуться в свои четырнадцать лет. Что там думают по поводу сей золотой поры именитые психологи и психологессы? Но детство мы вернуть не сможем заново, как первый вальс, оно не позабудется?! Школьные годы чудесные, с книжками, танцами, песнями? Из школьных чудесных годков ему помнилась одна сплошная морока с глубоким осознанием собственной никуда не годности, препирательства с биологичкой по поводу генов красной комолой[1] коровы, лазанье на канат и постыдное на нем болтание, потому что долезть до конца у него никогда не получалось, икс квадрат минус игрек квадрат, и возмущение

---

[1] То есть безрогой.

отца, что он, его сын Дима, икс от игрека отнимает каким-то «примитивным» способом, а должен отнимать
«красиво», прыщи на лбу, прыщи на носу, прыщи на
груди, и никакого вальса!..

Вот идет, к примеру, он, Родионов, мажорит, а навстречу ему Анька из восьмого «Б»!..

— Здрасти, — сказал тоненький голосок где-то
очень близко.

— Здравствуйте, — отозвался Родионов и завертел
головой, пытаясь рассмотреть здоровающегося, но не
смог, тот уже нырнул за заднюю дверь и теперь там во-
зился.

— Это Сильвестр, — проговорила секретарша Маша очень быстро. — Дмитрий Андреевич, мы с ним
уже обо всем договорились, он не будет нам мешать.

— Да кто ж спорит... — пробормотал Дмитрий Андреевич, и в это время к их машине двинулась небольшая компания пацанят, тех самых, что не обращали
никакого внимания на девиц, которые не обращали
никакого внимания на них.

— Садись скорее, — нервно приказала невидимому
Сильвестру Маша, — нам некогда, у нас еще встречи
сегодня!..

— Я сажусь, — выговорил тоненький голосочек, и
сзади что-то упало.

Родионов вздохнул.

— Вау! Эта чего? Эта твоя тачка, да?

— Не, пацаны, это матери его тачка, да, Вест?

— Да не, там вон еще кекс какой-то сидит!

— А че? Ксенон или нет?

— Не-а, не ксенон!

— Да че ты гонишь-то?

— Да ты сам гонишь!

— Вестик, покатай, а?

— Вау, братва, а эта че такое?!..

— Марья Петровна, это ваша тачка, да? То есть машина?

Шаляпинские басы решительно не вязались с худосочными шейками и тоненькими ручками, на которых отросли здоровые красные кулачищи, у одного в ухе была серьга, другой все ковырял в носу, в который было продето кольцо, оно, как видно, невыносимо мешало и носу, и самому красавцу, третий все заглядывал в салон, так что чуть не тыкался в родионовскую сигарету, и Родионов стекло поднял.

— Ребята, пока, — сказала Маша, — мы спешим.

— Ну, покатайте, Марья Петровна, а?

— В следующий раз, — сдержанно сказала Маша, — обязательно!

Прыгнула в салон и так рванула с места, что Родионова качнуло назад и прижало к креслу.

— Мам, как здорово, что ты приехала! — с удовольствием сказал сзади тоненький голосок. — Я тебя и не ждал!..

— Это случайно получилось, — нервно произнесла Маша, косясь на Родионова.

Неизвестно, чего она от него ожидала — то ли что он надуется и перестанет разговаривать, то ли что сию минуту пристанет к ее сыну с вопросами, типа: «Ну, как успехи, молодой человек?» и расскажет историю из собственной боевой юности. Это явственно читалось у нее на лице, и великий писатель усмехнулся.

К уху Родионова придвинулось сопение, он оглянулся и прямо перед своим носом увидел шоколадные блестящие глаза и широкий улыбающийся мальчишеский рот.

— Почему они зовут тебя Вест? — осведомился Родионов.

— У меня имя неудобное, — объяснил мальчишка охотно. — Очень длинное. Как его сократить? Непонятно как!

— Да уж, — согласился Родионов, — неудобное. Что это тебя так мамаша назвала? Мамаша, что это вы мальчика так неудобно назвали?

— Это не я его назвала, — неизвестно зачем сказала Маша. То ли потому, что ей хотелось перед ним оправдываться, то ли потому, что это была правда, — но хоть и не я, мне нравится имя Сильвестр. Сильвестр Петрович — красиво!

— Красиво, — согласился Родионов, — но не выговоришь, особенно с фамилией.

— Моя фамилия Иевлев, — похвастался Сильвестр.

— Позвольте, но Сильвестр Иевлев — это же... какой-то исторический персонаж, — удивился Родионов. — Из книжки или из... фильма...

— «Россия молодая», — подсказала Маша мрачно. — Так и есть. Оттуда. Не ожидала, что вы вспомните.

Родионов пожал плечами. Он как-то не подумал, что Маша имеет склонность называть своих детей именами исторических и литературных персонажей! Хорошо хоть не Петруша Гринев и не Александр Меншиков!..

— Как здорово, что вы меня забрали, — сказал Сильвестр Иевлев, и Родионову показалось, что он даже хрюкнул тихонько от удовольствия. От этого самого удовольствия Вест даже не спрашивал, почему он должен ехать с матерью и ее начальником «по делам». — И машина — класс! Прикольная такая! Это ваша, да? Я знаю, что ваша, мама на ней несколько раз приезжала, но меня никогда не возила.

— Сильвестр, ты к Дмитрию Андреевичу не приставай, — велела Маша Вепренцева строго. — Мы же договорились!

Родионов вдруг пришел в раздражение. Конечно, замечательно, когда за тобой ухаживают и от всего оберегают, но это решительно не означает, что нельзя разговаривать — или не разговаривать! — на свое личное усмотрение!

— Маш, может, я сам решу, можно ко мне приставать или нельзя? Я не сплю, и не болен, и вполне в сознании!

Она моментально замолчала и стала смотреть на дорогу.

— А правда мама классно машину водит? Даже такой здоровый джип!

— У этого джипа имя есть, — сказал Родионов небрежно.

— Какое? — заинтересовался Сильвестр.

— Не скажу, — почему-то ответил великий писатель. — Ты же первый раз на нем едешь!

Маша покосилась на писателя — объяснение было по меньшей мере странным, но Сильвестр, кажется, все понял.

— Мам, я есть хочу. У меня Паштет булку съел. Он не завтракал.

— Почему он не завтракал?

— У него мама уехала куда-то, он в школу сам вставал, представляешь? Ну вот и не завтракал.

— Понятно. Но есть нам все равно некогда.

И опять покосилась на великого. Великий ничего, не сердился. Почему-то ее очень смущало, что они едут втроем на машине, да еще разговаривают про булки и про Паштета, и что это тогда такое, если не вовлечение писателя и начальника в свою частную, никому не интересную жизнь?!

— Мам, а как же я до вечера?! Я есть хочу! С утра хочу. Как Паштету булку отдал, так и захотел!

— Сильвестр, замолчи, — шикнула Маша. — Сейчас приедем в издательство и чего-нибудь найдем. Там столовая есть.

Сильвестр засопел над ухом у Родионова. Столовая — это звучало как-то уж очень скучно. Хоть бы буфет. И то как-то веселее.

Маша посмотрела на него в зеркало заднего вида. У него была расстроенная мордочка. Он имел способность моментально расстраиваться из-за пустяков и так же моментально приходить в хорошее настроение.

Ее сын был рассеян, непрерывно все терял и потом

шатался по квартире и ныл, что злые люди все специально от него попрятали. Он был ленив, все уроки делал за пять минут, но и этих пяти минут ему хватало, чтобы учиться прилично, а по некоторым дисциплинам просто блестяще, что для Маши, все науки бравшей исключительно упорством, то есть той самой чугунной задницей, оставалось загадкой. Он обладал чувством юмора, всегда был готов прийти на помощь, чувствовал ответственность за семью, в которой были одни женщины, и любил пожаловаться на то, что невыносимо устал, специально для того, чтобы его жалели. Жалость он любил не просто какую-нибудь, а деятельную — чтобы чесали спинку, наливали чаю, делали бутерброд и давали кашу с вареньем. Он был честолюбив и однажды, выиграв теннисный турнир, весь вечер прошатался в халате, с голой худосочной грудью, на которой болталась заслуженная «золотая медаль» из жести на триколорной ленточке. Медалью Сильвестр очень гордился.

Ему только что стукнуло двенадцать лет.

Родионов раньше его никогда не видел. Впрочем, нет, видел один раз, когда Сильвестр приезжал к Маше на работу, то есть к Родионову домой, но она тогда быстренько вытолкала сына вон, и он, помнится, ждал мать на лавочке у подъезда.

— Мам, а чего там в этой столовой, а? Я тебе сразу говорю, я борщ не буду!

— Если хочешь есть, будешь все, — отрезала Маша.

— Да не буду я борщ! Не хочу я его!

— А ты чего хочешь?

Родионов в семейную перепалку не вмешивался, помалкивал, но Маша, вдруг осознав, что он рядом, разговоры про борщ моментально свернула.

Тут и до издательства доехали, и оказалось, что даже не опоздали.

— Я сразу к Маркову, — сказал Родионов раздраженно, как только Маша припарковалась и приказала сыну вылезать. Раздражение возникло оттого, что сейчас опять придется объясняться по поводу рукописи, которой как не было, так и нет. — А ты в пиар-отдел давай. И спроси про билеты.

Иногда с ним такое бывало, он любил поруководить Машей относительно чего-то такого, что уже давным-давно не имело к нему никакого касательства.

Вот, к примеру, спросить про билеты в Киев. Или узнать, заправляла ли она машину.

— Хорошо, Дмитрий Андреевич.

За чистыми высокими стеклами нового офисного здания угадывалась конторка и прохладный плиточный пол, и охранники за конторкой, завидев их, издали приветливо улыбались, и в идеально промытом стекле Маша поймала отражение их троицы — очень красивое. По крайней мере, ей так показалось. Здоровенный, ухоженный Родионов, она сама в пиджачке и с портфелем, настоящая бизнес-леди, и Сильвестр, загребающий уличную пыль раздолбанными кроссовками, в джинсах и майке навыпуск. На майке спереди была нарисована чудовищная морда и написано кровью «Рамштайн», а на спине загадочные символы. Впрочем, спина в стекле не отражалась.

Они вошли, и турникет послушно повернулся — знак особого уважения охраны, которая не то что пропусков у великого не спрашивала, но и переключала свои кнопки даже раньше, чем следовало.

Родионову нужно было на шестой этаж, а Маша с Сильвестром вышли на пятом, где располагались пресс-служба и пиар-отдел. Она не сказала никаких напутственных привычных слов, вроде того, что «Я буду ждать вас там-то и там-то, возвращайтесь скорей», и он на миг почувствовал себя брошенным.

Это она из-за сына, решил Родионов, рассматривая в зеркале свое небритое отражение. У нее голова занята Сильвестром и тем, что наговорил по телефону тот придурок.

Аркадий Воздвиженский был не только «неорганизованным», но еще и крайне равнодушным человеком. Он знал за собой эту черту и старался всячески ее маскировать — там, где ему представлялось нужным. Он особенно внимательно слушал собеседников, до коих ему не было никакого дела, но которые могли пригодиться в его дальнейшей жизни и карьере, и прослыл очень внимательным и чутким человеком. Он оказывал нужным ему людям мелкие услуги, которые ему самому ничего не стоили, но казались важными тем, кому он их оказывал, и прослыл отзывчивым. Вот, к примеру, он предложил Маше заехать за ее сыном в школу, и она наверняка преисполнилась благодарности и еще раз убедилась в том, какой ее шеф душевный человек!

А он вовсе не от душевности, а от равнодушия предложил-то!

Ну, какая ему разница, с сыном ехать или без оного?! Секретаршина семья не имела к нему никакого отношения, и никогда он ею не интересовался, и поэтому сейчас ему было как-то... непривычно, что ли. Он никогда не интересовался тем, что происходит с Машей за порогом его квартиры — куда она идет и что делает там, куда пришла, и что представляют собой ее родители и есть ли у нее, скажем, садовый участок под Егорьевском. А тут вдруг сын Сильвестр оказался вполне материальным, и Родионова это... смущало. Он неожиданно подумал, что если ему двенадцать, а Маше двадцать девять, значит, она родила его в нежном возрасте семнадцати лет, и это показалось ему странным.

Или ей не двадцать девять, и он все перепутал?..

Это тоже от равнодушия, сказал он себе. Тебе нет дела ни до кого, кроме твоих героев. Вот и до Маши никакого нет. Просто тебе с ней удобно, гораздо, гораздо удобнее, чем с ее предшественницами и предшественниками.

Лифт тренькнул, разъехались блестящие двери, и

Родионов вышел на пустынную площадку шестого этажа. Здесь никто никогда не курил, не толкался, не обменивался новостями, не шептал друг другу в уши свежие сплетни. Здесь было чисто, чинно, хорошо пахло, и ни один звук сюда, в «поднебесную», не долетал «снизу», оттуда, где обитали простые смертные с их простыми радостями и печалями.

Родионов усмехнулся своему трепету, который испытывал против желания, и нажал белый квадратик на стене.

Он чувствовал, что невидимый Большой Брат изучает его в глазке камеры, словно в щели прицела, внимательно и равнодушно, как он сам, Родионов, изучал весь мир. Потом в мозгах дверного механизма запищало, и писатель толкнул тяжелую дверь с матовым стеклом.

В святая святых самого крупного, успешного и процветающего издательства этой страны было прохладно и еще более тихо, пахло кофе, цветами и какой-то парфюмерией.

Родионов перехватил портфель другой рукой — от неловкости.

Дьявол!.. Я не хочу и не буду... переживать. Я самостоятельный человек тридцати восьми лет от роду, сделавший собственные деньги и имеющий собственные мозги. Я уже написал почти двадцать книг и напишу еще сорок! Я никого и ничего не боюсь. Меня нельзя заставить есть борщ против моего желания.

— Здравствуйте, Катя.

— Здравствуйте, Дмитрий.

— А Марков у себя?..

— Да, — с некоторым сомнением произнесла секретарша. — Вы договаривались? Потому что мне никто ничего не сказал, и Марья Петровна не звонила.

Родионов не сразу сообразил, что Марья Петровна — это его Маша.

— А... она не звонила, потому что я не собирался

заезжать. Если Марков занят, я не буду настаивать на встрече.

Ну, слава богу, он занят!..

Про Машины проблемы и странные телефонные звонки Родионов давно позабыл.

— Нет, нет, — заторопилась секретарша, — я сейчас спрошу. Может быть, вам пока кофе сделать или чаю зеленого? Или минеральной воды?

— Кофе и воды, — решил Родионов. Еще оставалась некоторая надежда на то, что издатель его не примет. Впрочем, что за глупости?! Разве когда-нибудь Марков его не принимал?

— Валентин Петрович, к вам Родионов.

Катя послушала, что говорит ей трубка, улыбнулась Дмитрию Андреевичу приятной улыбкой и вышла из-за конторки.

— Проходите, пожалуйста. Кофе я вам в кабинет подам.

Надо идти. Отступать некуда.

В просторном кабинете было привольно и прохладно, элегантно и стильно, однако богатство в глаза не лезло, не свисало со стен в виде полотен Айвазовского, не покрывало пол в виде шелковых китайских ковров, не торчало на столах в виде курительных трубок и пепельниц из чистого английского серебра. Впрочем, отсутствием вкуса Валентин Марков никогда не страдал, как и отсутствием чувства юмора.

— Здравствуйте, Валентин.

— Здравствуйте, Дмитрий! Рад вас видеть. — Рукопожатие у Маркова энергичное, ладонь сухая и прохладная. — Надеюсь, вы приехали нас порадовать?

Порадовать — это значит привезти рукопись. Разочаровать — это значит рукопись не привезти.

— Боюсь, что нет, — забеял Родионов самому себе отвратительным тенорком, — я еще ее не закончил. Мне не слишком много осталось, но все-таки пока я не могу сказать, что дело идет к концу. Я стараюсь, но всякие обстоятельства...

Марков слушал, не перебивая. И про обстоятельства, и про то, что осталось немного, хотя на самом деле много, и про то, что на прошлой неделе у Родионова сделался насморк и из-за насморка он не мог полноценно трудиться, и еще про то, что в Москве жара, как обычно в конце мая, и про что-то столь же бессмысленное.

К концу речи Родионов себя ненавидел.

Марков же остался невозмутим, только чуть заметно пожал плечами под безупречной белой рубахой голландского полотна.

За это чуть заметное пожатие плеч, за странное выражение, мелькнувшее в лице издателя, за сигарету, которую он не торопясь вытащил и так же не торопясь прикурил, Родионов готов был его убить. Этот человек, почти одного с ним возраста и, насколько Родионову известно, не родившийся членом английской королевской фамилии, держался безукоризненно и очень продуманно — так, что тертый калач Родионов моментально начал чувствовать себя кругом виноватым и практически ни на что не годным.

— Я все понимаю, — произнес Марков и посмотрел на свою сигарету. — Но у нас план, и мы опоздаем, если вы продержите рукопись еще, скажем, месяц. А типография? Вы же бизнесмен, Дмитрий, и не можете не понимать, что такое... обязательства.

Родионов чуть не завыл.

Да, да, он отлично понимает, что такое обязательства! Да, он знает, что рукописи нужно сдавать вовремя! Да, он знает, что издательство на его задержках теряет время и деньги!!!

Ну, расстреляйте меня! Ну, спихните меня с Крымского моста!

Но, черт побери, что я могу поделать, если все мои герои до одного вдруг решили, будто история, которую я для них придумал, никуда не годится?! То есть, может быть, она годится для каких-то других героев, но эти отказываются маршировать дружными рядами в ту сторону, в которую я их направляю!! В один голос они вопят, что я должен изменить историю или придумать других героев, которые как раз пойдут куда надо, а у меня план, видите ли!

Кажется, Марков отлично понимал, о чем именно думает Родионов, потому что вдруг улыбнулся и смешно почесал затылок. У него, при всей внешней безупречности, была такая чудная манера, и это как-то примиряло Родионова с действительностью, с тем, что Марков все время его опережает, заставляет играть на своем поле.

И еще одна мысль была совершенно убийственной. Мысль, что Марков... прав.

Прав, и все тут. Рукописи нужно сдавать вовремя. Есть обязательства, и от них никуда не денешься. Если их невозможно выполнить, лучше всего их на себя не брать. И точка.

Отворилась матовая стеклянная дверь, сделанная в стиле хай-тек, вошла Катя и внесла подносик. На подносике стояли маленькая чашечка кофе, приятно запотевшая бутылка минеральной воды и вазочка с конфетами. Конфеты были как в детстве, в хорошо знакомых, вкусных бумажках: «Трюфели», «Столичные», «Вечерний звон». Те, что еще несколько лет назад невозможно было купить в магазине, их приходилось «доставать» или мечтать о том, что дадут в «заказе» — двести граммов.

Сердясь, Родионов взял «Трюфель», развернул бумажку и положил его в рот. Пальцы, испачканные коричневой шоколадной пылью, он вытер под столом о джинсы. Хорошо, что Марков не видел!..

— Так когда же?..

— Думаю, что недели через две, — невнятно из-за конфеты за щекой сказал Родионов. — Никак не раньше.

— Но через две недели рукопись будет точно?

— Думаю, что да.

— Дмитрий, мне хотелось бы все-таки знать совершенно точно!

Черт бы его побрал! Черт бы побрал все на свете рукописи, всех писателей и всех издателей!

Не отвечая, Родионов прожевал конфету и глотнул кофе из чашки. Кофе был скверный, слабый и теплый. Он любил горячий и крепкий.

— Через две недели книга будет.

— Может быть, вы пока пришлете редактору то, что готово на сегодняшний день, чтобы мы могли запустить в работу хотя бы обложку? Хотя бы.

— Пришлю, — обреченно пообещал Родионов. Интересно, за две недели он успеет собрать и вразумить героев?.. Или предстоит еще одна пытка и верчение ужом, будто на раскаленной сковородке?!

— Жаль, что вы не успеваете, — заметил Марков бесстрастно. — Мы же собирались выпустить новинку в конце зимы! Впрочем, сейчас об этом уже можно не говорить, мы все равно опоздали, а к лету никто никаких новинок не выпускает — мертвый сезон!

«Зачем только я стал писать эти романы, — думал Родионов обреченно. — Сидел бы себе дома, смотрел бы телевизор, пил пиво, плевал в потолок и разжирел бы, как средний американец, вес которого составляет в среднем килограммов сто десять! Или больше?..»

Одним глотком он допил скверный кофе и уже приподнялся, чтобы идти, и тут вдруг вспомнил, зачем он пришел.

Телефонный звонок, черт возьми! Он же явился к Маркову, чтобы рассказать ему про звонок и угрозы, а вовсе не затем, чтобы лепетать и оправдываться!..

Родионов несколько приободрился и вернул себя на стул.

— Валентин, у меня случилось небольшое чрезвычайное происшествие.

— Что такое?

— Нам позвонил какой-то ненормальный и сказал, чтобы я не ездил в Киев, — Родионов пожал плечами. — В Киев, как вы знаете, я улетаю послезавтра. Он сказал... со слов моей секретарши, потому что она подошла к телефону... чтобы я никуда не двигался из Москвы, иначе будут мне... «полные вилы». И еще угрожал ее детям, кажется. У нее даже истерика была.

— У Марьи Петровны? — не поверил Марков. — Истерика? Мне представлялось, что она слишком здравомыслящая для того, чтобы выходить из себя из-за каких-то сумасшедших!

— Она здравомыслящая, — буркнул Родионов. — Но она правда была напугана. Кроме того, вы же понимаете, что про Киев никто не знает! Кроме своих, конечно. Значит, этот сумасшедший — кто-то из своих?

Тут Марков задумался, и Дмитрий Андреевич с некоторым злорадством заметил, что, задумавшись, тот пришел как будто в растерянность.

— А... определителя у нее на телефоне нет, правильно я понимаю?

— Он звонил мне домой.

— А! — с непередаваемой интонацией воскликнул Марков и опять задумался.

— И дети, — подлил масла в огонь знаменитый детективщик. — Ее детям угрожали. Насколько я понял, он сказал, что... если она меня не остановит и я все-таки поеду, детям... придется плохо.

— Что значит — плохо?

— Валентин, она не говорит, а я не стал допытываться. Хотите, я ей позвоню, она поднимется и все сама расскажет?

— А где она?

— У Весника в отделе. Она даже ребенка из школы забрала сама, потому что боялась. Мы его сюда привезли.

— Все так серьезно?

Родионов пожал плечами.

Он был «равнодушный» и даже сам толком не мог ответить на вопрос, взволновало его Машино отчаяние или не слишком. Вот если бы в его личное, родионовское, ухо кто-нибудь наговорил гадостей, тогда другое дело! А так... Ну, он должен был что-то предпринять, вот он и предпринял — переложил все проблемы на Маркова. А там посмотрим.

Издатель еще подумал. Родионов съел вторую конфету.

— Вряд ли мы сейчас сможем установить, откуда был звонок. Я не уверен, что из звонка какого-то ненормального стоит делать выводы, хотя...

Он встал из-за стола, задумчиво выключил телефон, который вдруг затрезвонил и запрыгал на столешнице, среди многочисленных книг и бумаг. По столу Валентина Маркова было совершенно понятно, что он за ним работает, а не любуется на свое отражение в матовой двери. На нем было много ручек, папок, растрепанных и новых книг, аккуратных и совсем не аккуратных бумаг, зажигалок, блокнотов, и все это вылезало за отведенные каждой бумаге рамки, громоздилось, высилось, лезло друг на друга. Марков во всей этой чертовщине ориентировался отлично — стоило только Кате заглянуть и сказать, что главный редактор что-то там просит, как необходимая бумага моментально извлекалась из-под завалов, одним движением пролистывалась напоследок и отдавалась Кате.

Родионов так не умел, потому что был «неорганизованный».

Марков подошел к окну и посмотрел на улицу, словно там простирались невесть какие виды. Виды там, конечно, простирались, но совершенно обыкновенные, московские: дорога, скверик, в скверике лавочки, а за сквериком фанерно-панельные пятиэтажки, наследие Хрущева, пообещавшего всем, что скоро на месте пятиэтажек возведут дворцы, а пока и так сойдет, все лучше, чем в бараке!

Родионовская бабушка жила в бараке на Соколе, и не было у маленького Димы большей радости, чем поехать к ней «на чай». Бабушка была молодая, веселая, широким голосом пела песни, которых Родионов потом никогда не слышал. И места лучше, чем этот самый барак на Соколе, тоже не было на свете!..

— Звонок ерунда, конечно, но планируется, что в Киеве вы встретитесь с Тимофеем Ильичом, а это... меняет все дело.

Родионов изумился.

— С Кольцовым?

Марков кивнул и смешно сморщил нос.

— А я... ничего об этом не знал.

— И я не знал, — признался Марков. — Я только утром об этом Веснику сказал. Он с вами летит. Весник, а не Кольцов.

К этому Родионов был совсем не готов и моментально почувствовал себя оскорбленным.

«Выездные мероприятия» считались в издательстве делом совершенно обычным и проводились не реже двух раз в год.

Писатели — «гении наши» — и писательницы — «звезды» — направлялись в «глубинку» и там «давали гастроли». Направить «гениев» и «звезд» в эту самую глубинку было делом многотрудным и хлопотным, ибо сначала отдел Тани Табаковой делал рекламу, завозились материалы, просчитывались предполагаемые результаты и графики мероприятий, обговаривались условия и приглашались журналисты. Программой «гастролей» вместе с Табаковой занимался Весник, и, как правило, пять дней визита расписывались «от и до» — от момента схода с трапа самолета и до момента посадки в него же, дней через пять. Из аэропорта «гения» или «звезду» везли сразу на местное телевидение или радио, потом на встречу в книжный магазин, а затем уже журналисты шли непрерывным потоком, один за другим, и заканчивалось все поздно вечером, в гостинице. Родионов под вечер «на гастролях», как правило, уже почти не мог говорить от усталости и напряжения, распухший язык, не приспособленный молоть по двадцать часов без перерыва, не помещался во рту, и сам себе писатель напоминал спятившего поэта Бездомного с иконкой и свечечкой в руке. Маша доводила Дмитрия до двери его номера люкс и возвращалась к себе, где у нее еще продолжалась работа. Что-то она согласовывала, утрясала и решала на завтрашний день, который начинался, как правило, местной утренней программой, то есть в полседьмого утра, а вставать следовало в пять, чтобы продрать глаза, привести себя в порядок и вспомнить о том, что ты человек.

Нечто подобное планировалось и в Киеве, и Родионов был к этому готов, только вот о Тимофее Кольцове услышал впервые.

О том, что Весник летит с ним, Родионов тоже услышал впервые, и было это странно, и неприятно, и как-то слишком подозрительно. Начальник пиар-службы ни в какие такие командировки, ясное дело, с авторами никогда не ездил. Не по статусу ему это было вовсе, и непонятно, на кого оставить все дела в Москве, ибо заместителям Весник полностью не доверял никогда и приговаривал только, что «в случае чего», как на войне, спрос будет только с него и Марков, не поморщившись, спустит с него три шкуры.

Издатель на секунду оторвался от пейзажа, глянул на писателя Аркадия Воздвиженского и сказал, словно отвечая на его мысли:

— Мне Тимофей Ильич только вчера позвонил. Сказал, что собирается в Киев. Там же выборы скоро, а он дружит с одним из кандидатов.

— А... кто там кандидаты? — осторожно поинтересовался далекий от украинской политики Родионов.

— Головко и Мищенко. Еще какие-то есть, но они не в счет. Тимофей Ильич летит Головко поддержать.

— А я тут при чем, Валентин?

— Хочет с вами познакомиться, — выговорил Марков так, как будто признавался, что Тимофей Кольцов решил познакомиться с иранским дервишем, и недоумевал, зачем это ему нужно. — Говорит, что читает вас и любит.

— Он... книги читает?! — искренне поразился Родионов, и Марков засмеялся:

— Вы напрасно полагаете, что он совсем уж... от сохи, Дмитрий!

— А он откуда? Из дворца?

Всем в державе была известна биография данного конкретного олигарха — неблагополучная семья, детский дом, ПТУ, какие-то темные истории, какой-то мелкий и еще более темный бизнес, который постепенно укрупнялся и — от укрупнения, видимо, — все светлел и светлел, и нынче Тимофей Ильич, губернатор Калининградской области, член Совета Федерации, владелец всего, чем только можно владеть, был уж практически святой. Ну, если не святой, так уж точно просветленный.

Вон даже и книги взялся читать. С чего бы?..

— Он, кажется, только детективы и читает, — сказал Марков с усмешкой, — но много. Просил, чтоб я его с Марининой познакомил. А то, говорит, с королевой Английской Елизаветой я знаком, а с нашей — нет.

— Познакомили?

— Ну конечно. Он был так счастлив, как будто тендер выиграл на строительство Кольцевой дороги вокруг Москвы.

Родионов улыбнулся.

— А Маринина? Была счастлива?

Марков тоже улыбнулся:

— Да как вам сказать... Тимофей Ильич человек сложный, а Марина Анатольевна идолопоклонством не страдает. Сказала, что он лучше, чем кажется на первый взгляд, вот и все.

— Ну, и все-таки я при чем?

— У вас получается один выходной, и мы Головко и Кольцовых вписали в этот выходной. Надеюсь, вы не возражаете?

Ну, конечно, Родионов не возражал. Заодно он не возражал против того, что вечером над Патриаршими прудами взойдет луна. А хоть бы и возражал! Луна-то все равно взойдет!

— Так что в свете того, что вы должны встретиться с кандидатом в президенты Украины и с одним из самых влиятельных людей России, эти странные звонки в ваш адрес как-то все... усложняют.

Родионов и думать забыл про звонок.

Теперь его интересовали только Кольцов и Головко.

Кандидата в президенты Украины он в глаза не видел и сейчас соображал, как бы посмотреть его досье в Интернете, чтобы не опозориться при встрече.

Секретарше надо сказать. Пусть она ищет. Я «неорганизованный».

— Наша служба безопасности, конечно, проверит ваши звонки, но я думаю, что время уже упущено. А утечка информации могла быть откуда угодно.

Они еще помолчали. Марков думал, Родионов томился.

— А можно попросить Марью Петровну подняться ко мне? — спросил наконец Марков задумчиво. — Сам я вряд ли смогу что-то установить, а наш начальник службы безопасности, может, что-нибудь и выяснит...

Звонок шефа застал Машу и Сильвестра в пиар-отделе, где мальчика поили чаем, кормили пирогами, конфетами и орехами из большой железной коробки.

Маша выскочила в длинный и светлый коридор, очень просторный и чистый. Между прочим, она давно заметила, что самый главный показатель процветающего учреждения — это коридоры и туалеты. Если в коридоре узко и мрачно, вздыбленные полы и стены с обитой штукатуркой, а в сортирах фанерные дверки с оконными защелками, болтающимися на одном гвозде, чугунные раковины и развешанные по батареям чудовищные тряпки из мешковины, значит, пиши пропало. «Учреждение» никуда не годится, начальникам ничего не нужно, а подчиненные ходят на работу исключительно с целью время провести и из дома куда-нибудь смыться!

В издательских коридорах было чуть ли не краше, чем в кабинетах. На полу ковры, на стенах картины, на потолке светильники — благолепие и чинность.

Маша Вепренцева, когда бывала в хорошем настроении и в зоне видимости никого не оказывалось, по коридорам всегда бежала и подпрыгивала, просто так, от удовольствия быть здесь и от радости жизни.

Сейчас в коридоре маячил Весник, который издали распахнул руки ей навстречу, словно заранее приготовляясь обнять.

У него была внешность чудесного плюшевого мишки, которого хочется ласкать, почесывать по гладкой кофейной шерсти, прижиматься к его теплому боку и чувствовать себя защищенной.

Еще у Весника были глаза ястреба, хватка крокодила, быстрота ягуара и безжалостность тираннозавра. При всем этом он был порядочен, смешлив и очень хорошо образован.

— Машуня, — начал он задолго до того, как Вепренцева приблизилась, — Машунечка, как я рад! А где гений наш?

Они сошлись и смачно поцеловались. Они всегда целовались исключительно смачно, и это ровным счетом ничего не означало.

— Гений у Маркова.

— Ну-у, это серьезно.

— Серьезно, — подтвердила Маша.

— А ко мне вы когда?

— Вот сейчас я к ним поднимусь, а потом мы сразу к тебе.

— Гений-то готов к свершениям?

— Он всегда готов, ты же знаешь, Илья! Ну, ворчит немножко, что мы смерти его хотим, ты в особенности, но... готов.

Весник поправил и без того безупречно сидящие на носу очки и посмотрел на Машу заговорщицким взглядом.

— У нас там изменения в программе.

Маша Вепренцева знала Илью Весника уже давно, и она различала, когда он говорит «просто так», а когда «со смыслом». Сейчас пиарщик явно говорил «со смыслом».

— Что за изменения, Илья?

— Вот ты идешь к Маркову, и иди себе, иди. Вернешься, поговорим. А еще я тебя с таким парнем познакомлю — высший класс! У меня сидит.

— Илья!

— Да ладно, не век же тебе в девках куковать!

Маша махнула на него папкой и побежала дальше. Ее раздражало, когда взрослые и умные мальчики пытались устроить ее личную жизнь. Она мигом начинала чувствовать себя старой девой или, хуже того, матерью-одиночкой, как выражаются в собесе.

— Приходи скорей, — вслед ей крикнул Весник, — и гения приводи! У меня но-вос-ти!

— Да ну тебя с твоими новостями, — себе под нос пробормотала Маша Вепренцева и выскочила на лестничную площадку.

Здесь всегда было много народу — курили, стреляли друг в друга глазами, обсуждали последние новости, новых и старых авторов, мужей, жен и «шестой этаж», где сидело начальство.

Вот и сейчас тут стояла небольшая толпишка, центром которой был знаменитый на все издательство Лазарь Моисеевич Вагнер.

Никто толком не знал, за что именно в издательстве отвечает этот великий и всесильный человек, поэтому казалось, что он отвечает решительно за все. Может, так оно и было. Хотя по штатному расписанию числился он главным администратором. Вагнер был своего рода гуру — к нему обращались, ему плакались, у него просили помощи, поддержки и содействия, и его слово было истиной в последней инстанции. Все знали, что, если Лазарь считает, что дело не выгорит, к начальству «на шестой» идти бесполезно — на самом деле не выгорит! А если он тебя поддержит, значит, дело исключительно стоящее, и даже если его не одобрят «на шестом» с ходу, всегда можно будет «подключить» Лазаря Моисеевича, и помощь придет.

Можно даже сказать, настигнет!

— Милочка! — воскликнул Лазарь Моисеевич, едва увидев Машу, и вперил в нее цепкие глазки. В отставленной руке у него дымилась «беломорина», а галстук, несмотря на «беломорину», был как пить дать долларов за восемьсот. — Машенька! Опять ты мимо меня летишь! И хоть бы раз зашла, хоть бы один разочек навестила старика!

Маша Вепренцева Вагнера не любила.

Маша Вепренцева Вагнера обожала и нисколько его не боялась.

— Лазарь Моисеевич, вот клянусь вам, сегодня зайду!

— Ох, я не верю тебе, не зайдешь ты ко мне! Когда тебе заходить, если ты сейчас к Маркову бежишь, а потом сразу с гением твоим к Веснику!..

Непостижимым образом Лазарь всегда и все знал и никогда ни о чем не спрашивал.

— Клянусь вам, Лазарь Моисеевич, что сегодня точно зайду!

Схватив Машу за локоть и заговорщицки оглянувшись по сторонам, Лазарь увлек ее подальше от всех остальных и помахал у нее перед носом «беломориной». Таким образом он разгонял чужой сигаретный дым, который казался ему менее благородным, чем дым от его папиросы.

Папироса ужасно воняла и курилась желтым дымом, как химический завод.

Маша покосилась на нее и сморщила нос. Лазарь это заметил.

— Напрасно ты, милочка, выражаешь своим носом отвращение к моей папиросе, — заявил он и торжественно взмахнул «беломориной», — это настоящая классика жанра. Натуральный вкус, и никаких добавок!

— Вам бы на конфетную фабрику поступить, Лазарь Моисеевич, — высказалась Маша деликатно, — шоколадки рекламировать. Стабилизатор Е-124.

— Чего я не видал там, на вашей конфетной фабрике! — фыркнул Лазарь. — Все я там уже повидал!

— Вы работали на конфетной фабрике?!

— Разве мне, образованному человеку, нужно обязательно видеть ваши стабилизаторы своими глазами? Разве я не могу делать выводы? Вот я ничего не видел своими глазами, но я спрашиваю, Маша, — почему твой гений до сих пор на тебе не женился? Какой вывод я должен делать из этого?

Маша Вепренцева, двадцати девяти лет от роду, отличный работник, сдержанный профессионал, мать двоих детей, замечательно управлявшаяся с *самим* Аркадием Воздвиженским, покраснела как рак.

Впрочем, непонятно, почему — как рак. Вовсе и не как рак.

Видела она однажды этих самых раков. Вовсе они и не были красными. Какие-то невразумительные они были, бурые, с зеленцой. А когда их варили, стало уж совсем гадко. И в этом так много было инквизиторства и пытки, что Маша Вепренцева от угощения наотрез отказалась, ушла в машину и долго ждала там Родионова, мрачная и хмурая. Родионов пришел и первым делом спросил: «Что за номера?!» Он не видел, как раки лезли друг на друга, а если и видел, то это зрелище отнюдь не лишило его аппетита.

Итак, Маша стала красной, как гоночная машина «Феррари», на которой иногда любил приехать в издательство Илья Весник.

— Лазарь Моисеевич, вы знаете, как я вас люблю, но, честное слово...

— Ты совсем не можешь иметь на меня обиду! — воскликнул Лазарь. — Это так же глупо, как иметь обиду на свою мамочку только за то, что она кормит тебя манной кашей, когда ты любишь вовсе мороженое! Но от манной каши детки хорошо растут, а от мороженого могут простудиться и заболеть!

— Лазарь Моисеевич...

— Не говори мне за Родионова. Скажи за себя. Почему ты не можешь объяснить ему, что он должен на тебе жениться?

Маша перевела дыхание. Что за вздор?! Что за разговор на лестничной площадке издательства, где в двух шагах курят, смеются и громко разговаривают?! Сначала Весник со своим «классным парнем», а теперь еще и Лазарь!..

— Лазарь Моисеевич, я понятия не имею, откуда вы все это взяли, но мы вовсе не собираемся... жениться, и я не стану намекать на это Дмитрию Андреевичу. Мы просто коллеги.

— Ах-ах-ах, — прокудахтал Лазарь, затянулся в последний раз и энергично затушил свою «беломорину». — Пусть вы будете коллеги, но только не для меня! Мне все давно и хорошо известно! А ты говоришь, конфетная фабрика!

— Лазарь Моисеевич, мне нужно бежать. Марков вызвал.

— Ты должна бежать, и сию минуту ты побежишь. Валентин не любит, когда его заставляют ждать такие мелкие люди, как мы с тобой. — Всем прекрасно известно, что Марков относился к Лазарю с превеликим уважением и даже с некоторым пиететом, но тому нравилось прикидываться ничего не значащим стариком. — Но ты должна зайти ко мне, и мы обсудим создавшееся положение, пока оно не превратилось в угрожающее!

— Нет никакого угрожающего положения. И не будет.

И тут она вдруг подумала, как бы ей хотелось, чтобы оно стало именно таким — угрожающим. Чтобы Родионов хоть что-нибудь бы... почувствовал.

Какое нелепое слово, из романа — почувствовал!

Ничего и никогда он не чувствовал, к ней-то уж точно, и еще на заре их совместной работы он как-то объяснил ей, что является принципиальным противником любых «служебных романов». Он ни что не намекал, просто комментировал ситуацию, которую тогда мусолили во всех газетах — как некий министр-фрондер взял да и бросил свою старую жену и ничтоже сумняшеся женился на молодой секретарше.

«На работе надо работать, — сказал тогда Родионов, скомкал газету и швырнул огромный ком в корзину для бумаг. — Спать надо вне работы. Можно подумать, что эта его секретарша принципиально отличается от какой-то другой секретарши! Какая разница, с ней или с другой!»

Вот Лазарь, а? Привел ее в состояние душевного трепета, да еще перед самым визитом на «шестой этаж», в логово льва, царя зверей!

Когда Маша вбежала в приемную Маркова, Родионов ее уже покидал, и вид у него был очень недовольный.

— Маш, ты поговори с ним побыстрее и приходи, — распорядился он. — У нас серьезные изменения в программе.

Маша затормозила возле него, как кот возле миски со сметаной из мультфильма «Том и Джерри» — так, что из-под туфель пошел дым.

— Мне и Весник толковал про какие-то изменения. Случилось что-то, Дмитрий Андреевич?

Родионов хмуро глянул в сторону Кати, которая за своей конторкой негромко разговаривала по телефону и не обращала на великого писателя и его помощницу никакого внимания.

Молодец Марков. Он брал на работу исключительно профессионалов, и не только на большие должности, но и в секретари!..

— Откуда-то взялся Тимофей Кольцов, — проинформировал он. — И какие-то будущие украинские президенты.

— Кто?!

— Мы с ними встречаемся в Киеве, и мне все это очень не нравится, — заключил он. — Давай быстрей. Нам надо это обсудить!

— Обсудить все мы сможем только дома, — сказала Маша. — Здесь... негде.

У них был корпоративный закон — на двоих.

Он формулировался примерно так: мы всегда воюем на одной стороне. Издатели, журналисты, пиарщики могут быть попеременно то на нашей, то на противоположной, но мы — ты и я — всегда по одну сторону линии фронта. В этом весь смысл нашей совместной работы. Никакого другого смысла нет. Если исключить эту «фронтовую» составляющую, получится, что ты — просто хороший работник, а я хороший работодатель. А работников и работодателей полно, и среди них попадаются неплохие. Можно сколько угодно складывать их вместе в разных вариантах, но из них никогда не получится... боевая единица.

Из Маши Вепренцевой и Дмитрия Родионова получилась.

Поначалу Маша радовалась и недоумевала, почему великий так ей доверяет, а потом поняла — доверяет, потому что ему так удобно. Он выбрал ее совершенно рационально и расчетливо, и нет в его доверии ничего личного. Ничего... угрожающего, как это называл Лазарь.

Они делились друг с другом сомнениями, придумывали стратегии, обсуждали дела издательства и предложения журналистов — вдвоем. Потом принималось решение, которого придерживались оба — и он, и она, хотя это величины несравнимые, разнокалиберные — великий писатель и какая-то там секретарша!

Обсудить — означало переговорить без свидетелей и выстроить какую-то линию поведения, как всегда, одну на двоих.

В стенах издательства так поговорить было нельзя.

В нагрудном кармане его просторной летней рубахи зазвонил мобильный телефон, и Маша помедлила возле Родионова — если звонок неизвестно от кого, отвечать он не станет, сунет трубку ей.

Он посмотрел на номер и нажал кнопку:

— Да. Привет.

Маша все медлила. Он покосился на нее и махнул ей рукой, чтобы шла по своим делам.

Все ясно. Звонок личный, ее вмешательство не требуется.

У нее моментально испортилось настроение. Как будто столбик термометра упал сразу на несколько десятков градусов.

Было жаркое лето, грянула холодная зима. Ромашки спрятались, поникли лютики.

— Да, сейчас занят. Нет, я сам тебе перезвоню.

Он никогда не разговаривал о личном при ней — не из деликатности чрезмерной, а все потому же, почему и служебных романов не признавал. На работе только работа, все, что не работа, — только после и не имеет отношения «к персоналу».

«Персоналом» была Маша Вепренцева.

«Я должна его разлюбить, — подумала она мрачно. — Вот просто взять и разлюбить. Сегодня же. Сегодня я его разлюблю. Я не хочу терзаться и мучиться и все время мучаюсь и терзаюсь!..»

— Маша, что ты застыла?! Давай, давай, шевелись, тебя Марков ждет, нам надо к Веснику и еще поговорить!

Она сосредоточенно кивнула и повернула за угол. Родионов вызвал лифт.

Конечно, он ничего не понял. Машино лицо, моментально ставшее расстроенным, он заметил и решил, что у нее живот болит. Или из-за того полоумного переживает. Немного вроде успокоилась, а теперь вот опять начала.

Если бы кто-нибудь сказал ему, что Маша переживает из-за того, что вот сейчас по телефону ему позвонила любимая и она поняла, что это его любимая, и из-за этого расстроилась, он бы с чувством покрутил пальцем у виска.

Быть такого не может. Маша Вепренцева здравомыслящая и... нормальная. Уж он-то, Дмитрий Родионов, знает это точно!..

Он заглянул в пиар-отдел, где в данный момент все были заняты обычными делами и параллельным развлечением Сильвестра, сидящего за компьютером. Сильвестр что-то длинно и путано рассказывал из жизни компьютерных монстров. Родионов прислушался, но на «ламерах, юзерах и крякерах» понял, что ему ничего этого все равно не постичь, и тут Сильвестр заметил его.

— Здрасти, — внезапно поздоровался он с Дмитрием Андреевичем.

— Привет, — поздоровался и Дмитрий Андреевич.

— А у меня тут «Квейк-3».

— Что?

— Игра такая, «Квейк-3»! Вы что, не играете?!

Родионов вздохнул. Не мог же он на весь пиар-отдел признаться, что бывает с ним такое, играет он, особенно когда работа не идет!

— Правда не играете?! — Сильвестр сделал большие глаза, как если бы неожиданно узнал, что Дмитрий Родионов не умеет ходить на ногах и передвигается исключительно на руках. — Хотите, я вас научу?!

— Сейчас не хочу, — сказал Родионов. — Сейчас мне к Веснику нужно. А где ты взял этот Квейк? В Сети, что ли?

— Ну да, — кивнул Сильвестр и повернулся к компьютеру. Глаза у него блестели. — Это очень просто. Они нелицензионные и без диска идут. Так просто берешь, качаешь, а потом ставишь, и все дела. И коды я нашел.

— Да чего их искать-то, — проявил осведомленность Родионов, — они все на «гейм ру» и так есть.

— Так вы играете?! — вскрикнул Сильвестр радостно. — Играете, да?

Родионов понял, что попался, и затосковал. Хорош знаменитый детективщик, которого на мякине не проведешь! Да еще и репутация у него была, старательно лелеемая, человека, который в компьютерах вовсе не разбирается и без посторонней помощи ни один нужный файл отыскать не может! А тут — на тебе!..

Пропадающего ни за грош Родионова спас кто-то из ребят, работавших в отделе.

— Дим, Илья ждет, надо идти.

И Родионов позорно бежал, так и не признавшись, что в «Квейк-3» он очень даже играет!

У Весника в кабинете было прохладно и как-то гораздо более свободно, чем у Маркова. Свободно не в. смысле мебели, а для души вольготнее.

Родионов вошел без стука, швырнул портфель в одно кресло и плюхнулся в другое.

Весник даже из-за стола не встал.

— Здорово, гений ты наш. Ну, как там, на шестом?

— Как всегда, — пробурчал Родионов, придвинул к себе пепельницу и закурил. У Весника в кабинете курили все.

— Чай, кофе?

— Кофе у вас тут гадкий. Давай чай, что ли! Зеленый.

Этот зеленый чай — сено сеном! — нынче пили все и везде. Никто не знал, для чего он нужен, потому что на вкус он был нехорош, а цветом и вовсе подозрителен, но считалось, что нужно пить именно зеленый.

О, великая сила общественного мнения, правильно сформированного в правильном направлении!

Здоровый образ жизни — тренажерный зал, кефир со злаками, отварное мясо, зеленый чай и никакого сахара. Салат с рукколой, фетуччини с крабовым мясом и никакой котлеты с макаронами.

А что делать?..

Весник захохотал — он все время хохотал, такой уж у него был нрав, — вызвал секретаршу и попросил сварганить на троих зеленого чаю.

Тут только Родионов заметил, что в кабинете они не одни, а в отдалении на диване расположился кто-то еще.

— Знакомьтесь, — весело предложил Весник таким тоном, словно они могли отказаться знакомиться. — Или вы знакомы?

Человек приподнялся с дивана, но не до конца, и протянул руку, нисколько не озабоченный своим не слишком удобным полусогнутым положением. Конечно, Родионов откуда-то его знал, но откуда?.. У него было приятное лицо, длинные пшеничные волосы с выгоревшими светлыми прядями, ровный загар, щетина и впадины на щеках, которые особенно уважал писатель Джек Лондон и искренне почитал их за признак решительности и мужества, свойственных белой расе.

Постулаты писателя Джека Лондона писателю Дмитрию Родионову казались сомнительными, но пришлось признать, что диванному молодому человеку впадины на щеках и впрямь придавали исключительно мужественный вид.

— Аркадий Воздвиженский, — представился Родионов по привычке.

— Игорь Веселовский, — в тон ему ответил молодой человек.

Весник опять захохотал.

— Дим, ты что, не узнаешь? Он ведет все ток-шоу! Вот если есть ток-шоу, которое все смотрят, значит, его Веселовский ведет!

— А почему вы Дима, если вы Аркадий?

— Я по паспорту Дима, а по работе Аркадий.

Конечно, в конце концов они друг друга узнали, сто раз встречались в Останкине и на различных светских мероприятиях, и если в первую минуту еще осторожничали, то сейчас стало ясно, что здесь, в кабинете Ильи Весника, собрались все свои — звезды и великие люди.

Игорь Веселовский и впрямь вел многочисленные передачи, хотя Родионову всегда было не слишком понятно, как это так. С его точки зрения, один человек может вести только одну программу, а на остальные можно понабрать других людей, но, видимо, на телевидении все было не так уж просто.

Должно быть, кадров там не хватало.

Должно быть, руководство и не знало, где их взять, кадры-то. Нелегкое это дело — программу вести. Нелегкое и неблагодарное.

Игорь плюхнулся обратно на диван и закурил невиданную сигарету. Она была длинная, коричневая и странно пахла.

— Может, виски кому налить? — спросил Весник и опять захохотал. — Или рому ямайского?

Присутствующие от рома и от виски отказались — еще одна черта современного делового человека, который просто так среди дня ни за что пить не станет, ибо голова должна быть трезвой, сердце спокойным, а руки... впрочем, руки значения не имеют. Феликс Эдмундович Дзержинский, придумавший эти самые сердца, руки и головы, может спать спокойно. Между прочим, Родионова всегда поражала некоторая «анатомичность» афоризма великого революционного деятеля и пламенного борца, чрезмерное количество в нем членов и частей человеческого тела!..

— Мы с Игорьком когда-то работали вместе, — поделился Весник, — в незапамятные времена, еще когда Верховный Совет был и Хасбулатов незабвенный. А потом он в звезды вышел, а я... в чиновники угодил.

— Хасбулатов вышел? — спросил Родионов, во всем любивший точность.

— Да ладно тебе! — сказал Веселовский с укором. — Какой ты чиновник! Все же знают, что ты гений, а не чиновник.

— Да ладно, что я за гений! Вот ты — другое дело!

Родионов понял, что какое-то время они будут друг друга безудержно хвалить, и хорошо бы, чтобы его похвалили тоже — во-первых, в соответствии с правилами игры, а во-вторых, это приятно.

— Вот кто у нас настоящий гений, — словно бы прочитав его мысли, воскликнул Весник, — вот кто карьеру сделал до небес! Из женщин его одна Донцова по тиражам опережает, а мужиков таких и вовсе нет!

Родионов скромно потупился. Вступать в ответные славословия ему было лень. Можно и пропустить. Невелики шишки.

— Аркадий, а вот скажите, в последнем романе, ну, который «Приют зла»...

— «Обитель», — поправил Родионов, очень польщенный тем, что телезвезда знает название его книги и, кажется, даже читала, то есть читал, — «Обитель зла»!

— Да-да, «Обитель»! Из-за чего он убил?

— Там все написано.

— Нет, — вдруг сказала звезда. — Не все.

— Никак читал? — спросил Весник, но Веселовский не обратил на него внимания.

— Там написано, что он убил, чтобы получить наследство, да?

Родионов улыбнулся. Эта книга ему очень нравилась. Он по-разному относился к своим детективам, какие-то любил больше, какие-то меньше. Была парочка и таких, которые он вовсе терпеть не мог и даже старался не вспоминать никогда, словно стыдился их, а вот «Обитель» любил.

Удалась ему «Обитель».

— Ну да. Наследство.

Веселовский затянулся своей коричневой сигаретой.

— А мне кажется, что он из ревности убил. И мне кажется еще, что вы, когда писали, знали, что он из ревности убил, а наследство это потом придумали, чтобы туману напустить.

— В этом деле он мастак, — поддакнул Весник. — В смысле, тумана. Как напустит, так я и не знаю, что делать. И, главное, пишет, подлец, так, что бросить нельзя. Вот, Игорек, возьму его читать. Читаю. Ночь. Думаю, вот сейчас десяток страничек, и все! Так нет! До утра читаю, до шести часов, и потом еще до семи кошмары снятся! Вот как так можно писать?!

— Так из ревности или нет?

Родионов пожал плечами. На лице у него появилась странная, болезненная гримаса, будто его заставляли сказать то, что говорить ему совсем не хочется.

— Я не знаю, — признался он. — Ревность для меня состояние загадочное, понимаете? А писать имеет смысл только о том, в чем ты понимаешь. Я в ревности ничего не понимаю. Из ревности можно... взять и застрелить. А так как он... долго думал, планы строил, улики фабриковал... все-таки голова включается, и ревность уже ни при чем.

Казалось, Веселовский разочарован.

— А я был уверен, что из ревности! Ну, нет там ничего, кроме ревности этой! Наследство неубедительно очень!

Весник, который давно уже занимался своими делами, последнюю реплику уловил.

— Ты с моими авторами поосторожней, — велел он издалека, — особенно с гениями! Неубедительно, понимаешь ли! Все убедительно! Дим, ну где Маша застряла? Приглашать народ на совещание или рано еще?

— У Маркова она, ты же знаешь.

В нагрудном кармане у него завибрировал телефон, и он вытащил трубку.

Номер был знакомый.

Дьявол. Он обещал позвонить и не позвонил.

Лицом и плечами он сделал Веселовскому какой-то знак, который тот, видимо, хорошо понял, потому что кивнул и уткнулся в журнал, всем своим видом подтверждая, что ничего не слушает.

— Алло, Люда, привет.

— Ты опять занят?

— Занят, — признался Родионов. — Я в издательстве.

— Я тебе домой звонила, но там твоя... монахиня Калистрата подошла. Я не стала тебя просить, потому что все равно не позовет!

То, что она звонила ему домой, напомнило ему нечто неприятное, и он некоторое время пытался вспомнить, что именно, да так и не вспомнил.

— Дима, я соскучилась. Когда мы встретимся?

— Я не знаю. Я тебе потом сам позвоню.

— Вот ты все не знаешь и не знаешь! А если уведет меня кто-нибудь, что ты станешь делать?

— Ничего не стану делать, — пробормотал Родионов. — Я не Ромео.

Веселовский хмыкнул из-за своего журнала, но головы не поднял.

— Дим, я не расслышала!

— И хорошо, что не расслышала, — громко сказал Родионов. — Я просил, чтобы чай принесли.

Это показалось ей подозрительным и даже отчасти обидным.

— Ты что? — спросила она. — В ресторане?

— Я в издательстве, — повторил Родионов терпеливо. — Я тебе уже говорил.

— Дим, когда мы встретимся, а? Месяц прошел, как мы виделись! Может, уже пора опять повидаться?

— Я в Киев улетаю, — сообщил Родионов, наскоро подумав о том, что порция беззаботного секса ему не помешала бы, особенно перед тяжелой командировкой. Как спортсмену перед Олимпиадой. — Послезавтра.

Люда расстроилась и рассердилась, он моментально это почувствовал.

— Дим, а я что? Ничего для тебя не значу, да? Совсем ничего?

Это была истинная правда — она же сермяжная, кондовая, посконная и домотканая, — но Люде об этом лучше не сообщать.

— Почему ты мне говоришь о том, что уезжаешь, в самую последнюю минуту?! А эта твоя швабра с тобой едет, да?

Родионов промолчал.

Их отношения были устроены таким особенным, волшебным и очень удобным для него образом, что ни на какие такие вопросы он не отвечал и ловко делал вид, что вообще их не слышит. *Заставить* его их услышать было решительно невозможно.

Веселовский глянул на него лукавым глазом, перелистнул журнал и опять углубился в чтение. Весник на заднем плане водрузил на стол ноги в полированных штиблетах, сцепил пальцы на животе, откинулся на спинку кресла и монотонным голосом продолжал отчитывать кого-то по громкой связи:

— А я сто раз повторил, что делать этого не следует, а нужно завезти все материалы и на месте, я настаиваю, на месте посмотреть, как это будет выглядеть, и только тогда принимать решение! Но вы не можете! Для этого же нужно ваши задницы от стульев оторвать, а вы не хотите! Вы хотите зарплату получать, а я просто так вам платить не стану, понятно?!

— Ди-им! — позвала Люда из трубки. — Ты что там, уснул?

Родионов встрепенулся и спросил:

— Ты что вечером делаешь?

— Ничего, — оживилась Люда, — а что? У тебя есть предложения?

— Вот появились, — игриво сказал Родионов, и за журналом опять зафыркали. — Давай я к тебе вечером приеду. Если ты не занята, конечно!

Конечно, она не занята! Конечно, она будет его ждать, еще бы! Конечно, он может приезжать!

— Вот и отлично.

— Димочка, миленький, возьми меня с собой в Киев, — вдруг затараторила Люда. — Ну правда, ну возьми!.. Я тебе мешать не буду. Я помогать буду, даже лучше, чем эта твоя швабра, правда-правда!

И столько чувства было в ее голосе, столько мольбы, что он улыбнулся с нежностью:

— Всему свое время. Пока оно еще не пришло.

За дверью простучали каблуки, и Маша Вепренцева громко поздоровалась с секретаршей:

— Настя, привет! Можно мне к Илье Юрьевичу?

— Да-да, он ждет, Маша. Заходите!

Родионов заторопился:

— Люд, значит, я часам к десяти приеду, договорились?

Дверь распахнулась, и влетела запыхавшаяся Маша с папкой под мышкой.

— Подожди, — заволновалась в трубке Люда, — как к десяти? Мы что, не поедем никуда? Даже поужинать не поедем?!

— Ну все, — сказал Родионов Люде специальным, окончательным голосом, и, услышав этот голос, Маша посмотрела на него вопросительно. — Пока.

Он даже не стал дожидаться ее ответа, нажал «отбой» и засунул трубку в нагрудный карман. Маша Вепренцева проводила ее глазами, и у нее сделалось странное выражение лица.

— Ну, наконец-то! — провозгласил из своего кресла Весник и поднялся, нажимая кнопку на селекторе. — Настя, скажи всем, что можно совещание начинать. Ну что, Марья? Взгрел тебя Марков?

— И не думал даже, — Маша улыбнулась резиновой улыбкой.

Телефонная трубка Родионова не давала ей покоя. Все было ясно и понятно, и совершенно незачем страдать, но она все равно страдала так, как будто грубыми пальцами покопались в ее свежей ране. И теперь и жжет, и больно, и дотронуться невозможно, и самое главное, рана огнем полыхает, а недавно казалось, что нет ее совсем, успокоилась!

— Я ему рассказала, как нам сегодня полоумный звонил.

— Чего он хотел?

— Хотел, чтобы мы в Киев не ездили, — подал голос Родионов, — представляешь? Угрожал, мерзавец!

— Тебе?! — поразился Весник.

— Ребят, я пошел, — сообщил Веселовский, наскоро докуривая свою загадочную сигарету, и выбрался из-за низкого столика. — Бонжур, мадам! И, так сказать, сразу же оревуар!

— Маша Вепренцева, — представил ее Весник, но хохотать не стал, а радостно заулыбался. — Сей прекрасный принц есть мой давний друг Игорь Веселовский. Ты его наверняка давно и хорошо знаешь, он у нас телевизионная звезда.

— Здравствуйте, — сказала Маша, покрутила своей папочкой, попыталась ее пристроить в другую руку и в конце концов положила на столик. Рот у нее улыбался, а глаза как-то не очень. — С удовольствием смотрю ваше шоу, правда. Вы просто замечательный ведущий!

Странно, но в ее устах банальный комплимент во-

все не звучал банально, а показался самой лучшей по-
хвалой. Она умела как-то располагать к себе людей,
знала это и виртуозно этим пользовалась.

— Я стараюсь, — потупив глазки, пробормотал Веселовский и даже по-гусарски прищелкнул каблуками,
вышло смешно. — А что-то мы господина Воздвиженского к нам никогда не приглашали! Такое упущение!

Маша моментально, как фокусник из воздуха, вынула откуда-то визитную карточку и вложила Веселовскому в приготовленную ладонь.

— Обязательно позвоню, — пообещал он так, что
Родионов подумал про него равнодушно — вот па-
пильон, а? Еще, чего доброго, ухаживать за ней взду-
мает, заморочит ей голову, а мне потом забот не обе-
решься! — Мы летом в основном в повторах выходим,
а к осени ближе начинаются съемочные сессии.

— Ты чего, Игорек? — радостно спросил Весник. —
Это ты нас как бы предупреждаешь, чтоб до осени мы
ничего от тебя не ждали, так я понимаю?

— Мария Петровна, — сказал Веселовский, глядя
Маше в лицо, — не слушайте вы его! Он такой болван!
Ему бы только своих авторов продвигать, и в этом весь
смысл его никчемной жизни!

— Илья Юрьевич болван?! — ужаснулась Маша
притворно. — Вы говорите какие-то ужасы, Игорь!

«У него изумительные глаза, — отметила она машинально. — У героя-любовника в романе только и
могут быть такие глаза — очень зеленые, яркие, как
крыжовник, с темными зрачками.

Омут, а не глаза. Казнь египетская».

А писатель Воздвиженский слушал их препирательства, чем-то напоминавшие все его телефонные
разговоры с Людой, Олей, Леной, Ирой, которых по-
падалось много, и еще с Тамарой, которая попалась
одна. Он слушал и скучно думал, как это людям не на-
доедает такую ерунду молоть и вздор. Все ведь наперед

ясно, и отклонений никаких от маршрута быть не может.

Ну, позвонит он завтра же, этот бонвиван телевизионный. Назначит Маше свидание. Она потащится, конечно, потому что как же ей устоять, ведь красавец, и в магазине, где он покупает колбасу, поди, дамы бальзаковского возраста за автографами выстраиваются, а девицы возраста Джульеттиного в обморок хлопаются. Во второй раз он поромантичнее что-нибудь придумает, не просто ресторанчик в центре, а, скажем, приватную вечеринку. Она потащится и на вечеринку. Там они станут танцевать, и его шершавая и тонко пахнущая щека будет рядом с ее щекой, а пальцы что-то такое нащупают на спине, и ноги у нее начнут подкашиваться, и глаза закатываться, и от его близости она вся будто подтает, и...

Вот гадость какая. Какая гадость и, главное, бессмыслица!

Переспят они раз, другой, третий, потом вместо очередного свидания ей понадобится к детям, а ему станет скучно, и уже следующая Джульетта или, напротив, мадам Бовари замаячит на горизонте, и все.

Все!! Все!!!

Себя Родионов почитал куда как более честным мужчиной. Он романтики никакой не признает. Он завел себе Люду, к примеру, и спит с ней, когда время есть. Нет времени — не спит и не звонит, и ничего. Люде он тоже сразу объяснил, что досаждать ему звонками не нужно, что он сам, когда сможет, тогда и выберется, потому что время у него есть не всегда, а когда есть, тогда он сам даст знать... По крайней мере, в этом нет лжи и ханжества.

Это Дмитрий Родионов так думал, что их нет. Думал и очень гордился собой и собственной чрезвычайной честностью.

Веселовский еще долго расшаркивался, никак не

мог откланяться, все строил Маше глазке, а Родионов
в это время скучал, и наконец телеведущий ушел.

Столкнувшись с ним в дверях, вбежала Таня Табакова, похожая на Клаудию Шиффер, беловолосая,
длинноногая и высокая, принесла кучу каких-то бумаг, моментально рассовала всем участникам совеща-
ния по экземпляру, уселась и посмотрела вопросительно — приготовилась работать. Еще сказала, что
Сильвестр разгромил каких-то монстров и продвинулся на третий уровень.

Маша Вепренцева вдруг вспомнила о сыне, словно
могла про него забыть, и заторопилась. Надо бы еще
матери позвонить, узнать, как там Лера!..

— Значит, так, — начал Весник, когда вся его ко-
манда, а также великий писатель с секретаршей заня-
ли наконец наиболее подходящие каждому пози-
ции, — послезавтра у нас начинается визит в Киев.
Про то, что это стратегически важный для нас город,
мы уже говорили не раз, и всем об этом известно.
Дмитрий Андреевич, не знаю, рад ты будешь или не
рад, но в Киев с тобой лечу я.

Воцарилась тишина. Слышно было, как в приемной разговаривает народ, а в соседней комнате распе-
вает радио.

Родионов глянул на Машу, и напрасно, потому что
поддержки никакой не получил — она смотрела в сторону, а Весник его взгляд заметил.

— Ты на Марью Петровну не взирай, — сказал он
серьезно. — Она ничего не знает. Мы только вчера решение приняли.

Родионов понимал, что спрашивать, почему они
приняли такое решение, нельзя. Это неправильно.
В конце концов, именно он, Родионов, великий писатель Аркадий Воздвиженский, а Весник и его служба
работают на него, вернее на его имидж, и оправдываться ему перед Весником незачем и не в чем, но не
удержался и спросил:

— Илюш, ты же никогда сам не ездишь. Что случилось? Мы что-то делаем неправильно?

Весник помедлил с ответом, и Родионову показалось, что медлит он специально, ведет некую игру, смысл которой пока неясен:

— Я хочу посмотреть, как все это происходит, своими глазами. А то все рассказывают, рассказывают, как вас, великих, там на части рвут, а мне бы хоть одним глазком глянуть. Ведь и мы пахали!.. — Тут он тона не выдержал и захохотал.

Начальство, в лице Ильи Весника, в издательстве все любили, хотя и бывало, что из его кабинета выскакивали, как из бани, красные и взмыленные, а за стеной топало, гремело и орало так, словно туда ворвался боевой слон из войска Александра Македонского.

— Дмитрий, — начала Таня Табакова, — программу мы утвердили. Конечно, по ходу визита она может меняться, но только в частностях. Маше я все сказала, и билеты на самолет сегодня отдам, они уже куплены. Откройте, пожалуйста, первую страницу.

Все послушно открыли. Родионов тоже открыл, хотя он «неорганизованный» и ему без толку что-либо толковать. Он или все забудет тут же, или перепутает, или неправильно поймет. Но Таня Табакова говорила как-то так, что ослушаться ее не было никакой возможности.

— В Киеве немного другие книжные магазины. Не такие, к которым мы привыкли в Москве и вообще в России. Там нет книжных супермаркетов, а в основном книжные отделы в больших магазинах. У них есть только один специализированный книжный магазин «Олимп», он очень хорошо расположен, рядом с одним из самых крупных рынков, и метро там рядом.

— И директор душка, — подал голос кто-то из отдела рекламы.

Родионов их и не заметил. Они пришли и парой стали у двери, девочка и мальчик. Некоторое время великий рассеянно вспоминал, как их зовут, не вспомнил, поморщился и вновь стал вполуха слушать Табакову:

— ...называется «Квартира Бабуин». Это очень хорошее литературное кафе, стилизованное под коммунальную квартиру. Я ездила, смотрела все площадки, оно мне очень понравилось. И хозяева замечательные, и персонал, так что там все будет отлично. Там у вас практически целый день, в этом кафе.

— Как день? — неожиданно встрепенулась Маша, перелистывая программу. — Ты же мне говорила, что у нас в первый день телевидение!

— Машунь, мы тут все поменяли. У вас в первый день заявочная съемка, утренняя, где будет объявлено, что Воздвиженский приехал. Вот, видишь, как она называется... «Будинок», да? Потом вы до вечера в «Бабуине», а на следующий день у вас телевидение и радиостанции. Нам показалось, что так логичнее, чтобы с места на место не метаться.

— А машина большая?..

Табакова улыбнулась. Родионов со своими ста девяноста пятью сантиметрами не во всякую машину помещался. Особенно в японские. Видно, ни один нормальный японский автомобильный конструктор даже вообразить не мог, что бывают люди такого роста, и поэтому в любой японской машине Родионову приходилось сидеть не иначе, как высунув голову в люк, если таковой имелся.

— ...встречи с читателями. Дмитрия там хорошо знают и любят, у нас на этот счет проведено целое исследование, поэтому мы уверены, что они будут более чем многочисленные. Затем, двадцать восьмого, встреча с украинской литературной общественностью.

— Там массовая литература организована совсем по-другому, нежели у нас, поскольку, во-первых, много русскоязычных тиражных авторов, следовательно, мало украинских, а во-вторых, местных пиарщиков и рекламщиков всех надо перетопить, а новых нанять, — вступил в беседу Весник. — Мы работаем с Алексеем Фурманом, он, кстати сказать, отличный мужик! Под него бы целую службу создать, но у партнеров на Украине денег нет! Дим, ты послушай, послушай!..

— Да я слушаю.

— Ни фига ты не слушаешь!

— Все равно ты со мной летишь, — уколол его Родионов, — в случае чего подстрахуешь.

— Вот мерзавец какой, а? — сказал Весник с чувством, обращаясь к коллективу, и весь коллектив изобразил вежливые улыбки. Улыбаться во всю ширь было несколько опасно. Может, Илья Юрьевич и имел полное моральное право называть великого мерзавцем, но остальные-то его не имели!..

Родионова не слишком интересовал график, он все ждал, когда Весник перейдет к главному, то есть к Тимофею Кольцову и кандидатам в президенты, а он все тянул, и ясно было, что тянет неспроста.

— ...ужин в «Красном селе», это очень вкусное место. Правда, на ужин отведено всего полтора часа, потом еще один вечерний эфир, и все.

— Таня, а полтора часа с дорогой? Если с дорогой, то мы точно не успеем, и даже закладывать ужин в программу не нужно.

— Машенька, а как же иначе?.. Мы всегда стараемся, чтобы вам хоть поесть можно было нормально.

— Мы все равно нормально не поедим, если до этого «Села» еще придется сколько-то ехать. Мы же туда с «Авторадио» потащимся, да? А где там «Авторадио»? Далеко от ресторана?

Весник помалкивал и посматривал на Родионова. Тот думал о том, что рукопись надо сдать через две недели, и хорошо бы до этого ее закончить. Если еще задержать, Марков откусит ему по очереди оба уха, пожует и выплюнет.

Родионову не хотелось, чтобы ему откусили оба уха.

— ...и получается, что в субботу выходной.

Весник крутанулся в кресле, дотянулся до непочатой пачки сигарет и неторопливо стал ее разворачивать.

— На этот выходной были запланированы Лавра, днепровские кручи и все в этом духе. В общем, знакомство с достопримечательностями и прочая красота, но...

— Но, — перебил Табакову Весник, — мы программу изменили. В Киеве в это время будет Тимофей Ильич Кольцов. Все знают, кто это, объяснять не надо. Не надо объяснять, а, мальчики и девочки?

Мальчики и девочки вразнобой помотали головами — не надо, зачем же объяснять, когда и так все ясно!

— Он очень хотел познакомиться с Аркадием Воздвиженским. Или его жена, что ли? Потому что он сам вроде никаких книг не читает и вообще малограмотный. Марков ему обещал. Поэтому мы этот выходной проводим на даче у каких-то местных знаменитостей, которые с Кольцовым то ли дружны, то ли просто знакомы. Там же будет Борис Дмитриевич Головко, это кандидат в цари. То есть в гетманы. То есть кто там у них?..

— Президент там у них, как и везде, — сообщил Родионов мрачно.

— Кольцов с этим самым Головко бизнес имеет или только намеревается завести, но в общем все совпадает один к одному. На даче будет прием, и мы на него приглашены. И все это в обстановке строгой секретности, как все понимают.

— А когда об этом стало известно? — осведомилась Маша тихонько. — О том, что будет прием и Тимофей Кольцов?

— Да... на днях, — Весник закурил и пустил к потолку струйку дыма.

— Ты никому не говорил об этом, Илья Юрьевич?

— А что?

— Да ничего, — ответил Родионов, — только нам сегодня позвонили и сказали, чтоб я ни в какой Киев не ездил, сидел бы в Москве и не рыпался. Я Маркову об этом сообщил, и он обещал что-то выяснить. По крайней мере, Ушакова по следу отправить.

— А есть след? — спросил Весник серьезно.

Родионов пожал плечами:

— Ну, какой след, Илья! Определитель у нас не сработал, разговаривала Маша, да и разговора-то никакого не было, как я понял!.. Одни угрозы.

— Чем он угрожал? — деловито спросила Табакова.

Маша помолчала, рассматривая красиво отпечатанную страницу программы. Ей не хотелось об этом говорить, и странно и неприятно было, что Родионов как будто выставил ее, голую, на всеобщее обозрение.

Впрочем, тонкостью восприятия он никогда не отличался.

— Тань, он... что-то такое ужасное говорил про моих детей. Я не хочу повторять. Я уже Маркову повторила и потом Ушакову. Мне это... неприятно.

— Не говори, не говори, — быстро сказала Табакова, — конечно, не надо!

— Только я все думаю, — медленно произнес Родионов, — если встреча будет в обстановке строгой секретности, то откуда эта сволочь узнала, что я в Киев лечу? Вот что любопытно.

— Да, — согласился Весник задумчиво. — И в связи с Тимофеем Ильичом и этим... кандидатом в гетманы вся история приобретает другую окраску.

— Вот и Марков так считает, — вставила Маша. — И Ушаков. В Киев мы уже полгода собираемся, и сколько раз визит переносили?

— Раза четыре, — подсказала Табакова.

— Вот именно. И никаких звонков, и никаких угроз. А тут — на тебе!.. Как только выяснилось, что нас там будут принимать политики и олигархи, позвонил некий сумасшедший! — сказал Родионов.

— Спрашивается, — подхватила Маша и отодвину-
ла от себя пепельницу, которая невыносимо воняла.
На ее хрустальном дне морщились три коричневых
окурка диковинных сигарет, которые курил телевизионный красавец Веселовский. Отодвинув пепельницу,
она еще некоторое время с неодобрением рассматривала окурки. — Если он сумасшедший, то откуда узнал
про визит? Это первый вопрос.

— Второй, ясное дело, это как связаны звонок и
визит, — перебил ее Родионов. В конце концов, именно он писал детективы, а не его секретарша! — И связаны ли!

— Ну, это ты загнул, — задумчиво протянул Весник. — Совпадение, и все тут!

— Не знаю, — сказал Родионов. — Странное какое-то совпадение.

Расходились все задумчивые, словно отправляли
великого на войну, а не в мирную, теплую и добро-
душную Украину.

— Я сегодня на ночь заберу автомобиль, — проинформировал Родионов Машину спину, когда они подошли к джипу. Маша пристраивала на заднее сиденье
Сильвестра и его портфель. — Так что, если хочешь, я
вас довезу до дома и уеду.

— Завтра эфир на НТВ, — ответно проинформировала она его и вылезла из салона. Как оказалось, вылезла уже в темных очках. Вид у нее был совершенно
невозмутимый, и это обмануло его. Он так и не понял,
что ковыряется в старой ране, и она уже вовсю крово-
точит, и Маше больно, и обжигает почти до слез, а отшвырнуть эту жестокую грубую руку, которая делает
так больно, нельзя. Не получается отшвырнуть.

— У них запись в полвторого, мы должны быть в
час. Вы... прямо туда приедете или сначала домой?

— Я еще не знаю, — капризно сказал Родионов. —
Я тебе позвоню.

Она сосредоточенно кивнула.

Значит, все правда.

Значит, ей ничего не показалось.

Значит, на самом деле звонила дама его сердца.

Значит, у него свидание.

Маше Вепренцевой моментально стало неинтересно и незачем жить.

А зачем тогда все?! Зачем она так старается быть полезной, зачем она знает его вдоль и поперек, зачем она думает его мыслями и говорит его словами, если она просто... работник?! Очень хороший, грамотный, профессиональный и еще невесть какой, но всего лишь работник?!

Его личная жизнь ее не касается.

У него сегодня свидание.

— Давайте я пока за рулем поеду, — предложила Маша своим самым обыкновенным голосом, — а то вы же не любите!..

— Не люблю, — согласился Родионов. — Поехали, поехали!

Он не замечал, как из ее раны капает кровь — большими, горячими, красными каплями. Прямо на асфальт.

— Мам, ты чего такая грустная?

— Я не грустная, Сильвестр. Я просто устала.

— Ты отдохни, мам. Хочешь, я за Леркой сбегаю, и мы по дороге в булочную зайдем и сухариков купим? С дымком. Или с беконом. Ты какие больше любишь?

— Никакие не люблю.

— Да ладно, мам! Или с чесноком? Хочешь с чесноком? Они вонючие, ужас!

— Это точно.

— Дай мне рублей тридцать. Или пятьдесят. Мы еще можем за мороженым зайти. Хочешь мороженого, мам?

— Хочу.

Сильвестр деловито похлопал себя по карманам, что-то искал.

— Так я пойду за Леркой, мам?

— Подожди, — остановила его Маша. — Они сейчас с бабушкой сами придут. Я бабушку попросила, чтобы она Леру привела.

— Ну, тогда я в булочную, мам. Ладно, да? За сухариками? — Он вытащил из кармана связку ключей, посмотрел на нее и сунул обратно. Вытащил носовой платок, такой грязный, что невозможно понять, какого он был когда-то цвета, и тоже вознамерился сунуть его обратно, но Маша платок отняла. Сильвестр проводил его глазами. Потом он достал калькулятор с западающими клавишами, сложенный вчетверо листок в клеточку, два рубля и подушечку жвачки без обертки.

— А дохлая крыса где? — спросила мать рассеянно. — Или ты ее выложил где-то?

Сильвестр быстро отправил в рот завалявшуюся подушечку. Странно, как это он про нее позабыл?! Надо быстро съесть, пока мать не отобрала, а то скажет, что он всякую грязь в рот тащит, и не даст! А подушечка очень даже ничего, в крошках немного, потому что в кармане были сухари и до этого еще чипсы, Паштет их покупал, и они все поровну разделили, ну жвачка и растаяла слегка, жарко же в кармане-то!..

— Не было у меня крысы, — сказал он невнятно из-за жвачки, которая почему-то вязла в зубах, — а Христине хомяка купили. То есть не хомяка, а хорька!

— Крыса была у Тома Сойера, — пояснила мать, — а зачем Христине хорек?

— Ну как зачем, мам?! Так я за мороженым иду или не иду?!

— У нас все есть, — сказала Маша. — И мороженое есть, и сухари. Не жевал бы ты ничего, Сильвестр, сейчас ведь ужинать будем!

— Нет у нас сухарей, я вчера все съел. С Леркой.

— Есть.

— Нет!

— Есть.

— Нет!

Мать открыла выдвижной ящик, пошарила в глубине и вытащила три совершенно целых пакетика сухарей.

— О! — сказал Сильвестр и вытаращил на пакетики шоколадные глаза в длиннющих девчоночьих ресницах. — А я и не знал!

— Если бы знал, ты бы их съел все!

— Я без спросу никогда не ем!

— Я знаю, зайка. Это я просто так. Дразнюсь.

— Не называй меня зайкой! Какой я тебе зайка!

— Не буду.

— И мороженое есть?

— Ага.

Сильвестр не стал спорить — сухари-то объявились, хоть он был уверен, что они с сестрой вчера сгрызли все до одного!

Поглядывая на пакетики и прикидывая, разрешит мать открыть хоть один до ужина или лучше к ней и не приставать, он уселся на широкий подоконник и стал качать ногой.

Ногой почти сорокового размера.

Нога сорокового размера, взгляд томный, на День святого Валентина полон рюкзак красных дамских сердец — «тебя люблю я до могилы, так приходи ко мне, мой милый!», — и дополнительные сердца вываливаются из карманов и чуть ли не из рукавов, на майке «Рамштайн», в ушах плеер, в компьютере самая последняя версия «Андеграунда» — отличной «стрелялки»!

Сильвестр плачет, когда по телевизору показывают тонущих лошадей, или беспризорников, откусывающих от булки, или ничейных собак, греющихся на решетках метро. Он сразу начинает смотреть в потолок, или у него находятся неотложные дела в ванной, или ему срочно нужно собирать портфель. Он очень справедлив и прямолинеен и даст в ухо любому, кто обижает малышню или ведет себя неправильно. Высунув от усердия язык, он выпиливает лобзиком какую-нибудь трудно определимую ерунду, заданную на «труде», и потом ею очень гордится. Он любит кататься на машине, и любит, когда к чаю есть что-то вкусное, и еще любит, когда мать никуда не спешит и вечером дома. Еще он очень любит, чтобы бабушка пришла и читала им с Леркой книжку. Лерка маленькая, не понимает ничего, перебивает, спрашивает, но он готов все терпеть, лишь бы бабушка читала. Он учит стихи, монотонно повторяя: «В тот год осенняя погода стояла долго на дворе», при этом качается на стуле и косит глазом по сторонам, нет ли чего, на что можно было бы отвлечься. Он любит первым подходить к телефону и очень не любит быть один. Когда по телевизору умные дядьки и тетки рассуждают о подростковых проблемах и переходном возрасте, он слушает, сделав ироничное лицо, а потом говорит: «Мам, у меня не будет никакого переходного возраста. Что я, дурак, что ли?» Еще он любит новогоднюю рекламу и очень озабочен подарками ко всем праздникам, и задолго до них начинает переживать — вдруг не успеют купить, что тогда делать?!

И какой-то неизвестный идиот посмел сегодня ему угрожать! Да еще так... отвратительно и гадко!

Сильвестр выплюнул в ладошку жвачку, перестал качать ногой и спросил с интересом:

— Мам, а я твоего начальника вчера по телевизору видел. А мама Паштета спрашивала, можешь ли ты у него книжку подписать. Ты можешь?

— Могу.

— Тогда я завтра принесу.

— Давай, неси.

— А машина у него классная, да?

— Это точно.

— Мам, а у него дети есть?

— Нет, Сильвестр. У него нет детей.

— А откуда он тогда в компьютерах понимает?

Маша задумчиво насыпала в кипящую воду макароны. Она любила «Макфу», и дети любили, но за разное. Маша любила потому, что она готовится быстро и от нее не толстеешь — инструкция на пакетике была прочитана десять раз и практически выучена наизусть!.. Там говорилось, что эта самая «Макфа» сделана из «твердых сортов пшеницы» и есть ее можно сколько угодно. Дети любили ее за картинки на пакетах — мельница, поле и еще что-то такое летнее и приятное, и еще за то, что варить очень просто. Насыпал в кипяток — и готово дело, можно поражать материнское воображение своими хозяйственными успехами.

Сегодня «Макфа» была извлечена из шкафа под плохое настроение, ведь известно всем, что от плохого настроения самое верное средство — вкусно поесть.

— С чего ты взял, что он понимает в компьютерах? Ничего он в них не понимает!

— Он все понимает! Он в «Квейк-3» играет!

— Да ладно тебе!

— Точно, мам, — сказал Сильвестр и убежденно покивал головой. — Он мне сам признался.

— Пошутил, наверное, — рассеянно заметила Маша, — давай на стол накрывать, Сильвестр. Уже почти все готово.

— Как же готово, когда ты только поставила!

— Это на пять минут!

— Мам, а можно мне сухари открыть?

— Ну вот еще! Ужинать садимся, а ему сухари! Давай-давай, Сильвестр, лучше огурец помой и хлеба нарежь!

Закатив глаза, он вздохнул, изображая покорность судьбе и одновременно демонстрируя явную несправедливость жизни, однако с подоконника слез, раскопал в холодильнике огурец и спросил, нельзя ли и ему тоже хорька. Как у Христины.

Потом пришли бабушка с Лерой, и вечер покатился своим чередом, обыкновенный семейный вечер, и все было бы хорошо, если бы он не чувствовал постоянно, что мать чем-то обеспокоена.

Он все понимал, двенадцатилетний Сильвестр Иевлев, любитель хорьков. Он-то сразу заметил, что у матери испортилось настроение, когда ее начальник сказал, что должен забрать машину. Сильвестр поначалу решил было, что матери просто тоже хочется покататься на «бумере», а не толкаться в метро, но даже после того, как начальник сказал, что подвезет их домой, настроение у нее не улучшилось.

Значит, дело не в машине.

Значит, в чем-то еще. Он знал, что она ему не скажет — давно бы сказала, он же ее друг! — и потому волновался за нее.

Все-таки она девочка, а он мальчик, значит, он сильнее и за нее в ответе!

Бабушка тоже была какая-то взбудораженная и все посматривала на мать, и от ее взбудораженности Лерка вела себя плохо — все время куда-то лезла, что-то роняла, а потом прищемила себе палец и долго ревела. Надоела страшно. Сто раз ей говорили — не суй пальцы куда ни попадя, а она все не понимает!

Только в десять часов, когда проводили бабушку, а Лерку загнали спать, сели попить чайку вдвоем, отдохнуть от длинного и трудного дня, и тут Сильвестр вспомнил, что мать через день-другой должна уехать в командировку.

Вспомнил и страшно из-за этого расстроился. Он не любил, когда мать оставалась без его присмотра.

— Мам, возьми меня с собой?

Она насмешливо подняла брови и посмотрела на него самым-пресамым своим взглядом, которым пользовалась, когда хотела продемонстрировать Сильвестру, что он не прав. Он знал, что такой взгляд называется «ироническим».

— Сильвестр, ты же знаешь, что я еду работать!

— Ну и что? Я тоже буду работать. И я тебе не буду мешать!

Из чайника в синий горох Маша подлила чаю себе и ему и пододвинула сахар и плошку с вареньем, клубничным, как он любил.

Она все время думала о том, что кто-то посмел угрожать ее детям, и еще о том, что визит в Киев странным образом оказался связан с бизнесом и политикой, а также о том, что Родионов на свидание поехал. И еще она чувствовала себя виноватой перед Сильвестром, и Лерой, и мамой — она ведь так ничего им и не сказала, как будто скрывала опасность, как будто перед военной операцией так и не предупредила своих, что надо спасаться, бежать!

— Мам, я ведь уже взрослый. Ну, не буду я тебе мешать, это точно! Возьми меня, а?

— Сильвестр, мы будем проводить по двадцать часов на встречах и в книжных магазинах! Ни поесть, ни попить, ни пописать!.. Там уже жарко, я сегодня слышала, двадцать пять градусов! Ну и что? Ты будешь с нами мотаться или в номере целыми днями сидеть?

Сильвестр подумал. Он знал, что у матери трудная работа, и очень гордился тем, что она работает с человеком, о котором пишут в газетах и журналах, да еще его показывают по телевизору, но что ей приходится по двадцать часов шастать по каким-то там магазинам, он даже и представить себе не мог!

— Мам, а спишь ты когда?

— В каком смысле?

— Ну, если по двадцать часов работать, то спать-то когда?

Маша засмеялась:

— А... когда придется! Это, мальчик мой, закон жизни такой. Или работаешь, или спишь!

Сильвестр подумал немного.

— Не-е, я так не хочу. Работать, в смысле.

— Очень напрасно, — сказала мать серьезно. — Ты же мужчина. Хорошо, если тебе попадется женщина, которая будет работать и получать зарплату, а если нет? Если тебе придется за двоих работать?

— Я на такой не женюсь, — решительно объявил Сильвестр, — зачем она нужна, если не будет работать? И что она тогда делать будет?

— Может, детей растить! — Мать почему-то засмеялась. — Или тебе самому не захочется, чтобы она работала, а захочется, чтобы она тебя каждый день к ужину ждала! И тогда придется тебе вкалывать день и ночь, и спать неизвестно когда, и есть только когда телефон не звонит, и сто вопросов одновременно решать, и еще...

— Мам, — вдруг остановил ее Сильвестр. — Ты вот сейчас с кем разговариваешь?

Они посмотрели друг на друга и засмеялись.

— Ты же умный, — сказала Маша. — Ты все сам знаешь. В нашем мире можно выжить, только тяжело и много работая. Никакого другого пути нет. Никому нет дела до того, высыпаешься ты или нет! Мой начальник — знаменитый писатель. И когда он задерживает рукопись, наш издатель знаешь как его ругает?

— Как?

— Ужасно, хотя он не от безделья задерживает! — от души сказала Маша. — Так что трудиться нужно день и ночь, и тогда, может быть, все будет хорошо.

— Как хорошо?

— Тогда тебе не в чем будет себя упрекнуть. — Она посмотрела в свою чашку, и Сильвестр тоже вытянул шею, чтобы посмотреть, что именно там происходит.

Ничего такого там не происходило. А в упреках он все равно ничего не понимал.

Маша Вепренцева уложила его спать и еще — по просьбам трудящихся — долго сидела на кровати, чесала ему спинку, которая, ясно дело, ближе к ночи невыносимо зачесалась, потом мазала кремом пятки, потому что вчера на физкультуре «вот здесь и здесь ужжасно жгло!», потом выслушала историю про Христининого сурка, то есть хорька, которого Христинин папа увез на работу в портфеле, куда сурок, то есть хорек, случайно залез, потом фальшиво исполнила песню «И мой сурок со мною», потому что она вспомнилась к случаю. Песня оказалась жалостливой, и пришлось еще совсем напоследок рассказать смешной случай с попугаем, приключившийся на даче Ильи Весника.

Когда она наконец закрыла дверь в ребячью спальню, часы показывали уже двенадцатый час.

Она нальет себе чаю, ляжет и еще почитает бумаги на сон грядущий.

Нет, не так. Она загрузит стиральную машину, разгребет на кухне посуду, поставит чайник, смоет ногти — они уже совсем неприличные! — нальет себе чаю, ляжет и почитает на сон грядущий.

Нет, нет, даже не так. Она загрузит стиральную машину, разгребет на кухне посуду, смоет облупившиеся ногти, погладит кое-какие вещички — пододеяльники не станет, а Леркины любимые штаны защитного цвета под кодовым названием «спецназ», майки Сильвестра и свою любимую апельсиновую рубаху, в которой она просто неотразима, погладит, чтобы завтра ее надеть, — нальет себе чаю, ляжет и почитает на сон грядущий.

Вот теперь все так.

Завтра надо позвонить Кате, теннисной тренерше, и спросить о графике тренировок на лето. Летом Сильвестр тренировался каждый день. Лерке надо купить батареек в котенка — дернул ее черт привезти из очередной командировки этого самого котенка, который работал на батарейках, гнусно мяукал, махал хвостом и кивал головой, как припадочный! Лера котенка обожала и все время заставляла его мяукать, махать хвостом и кивать, и батарейки кончались примерно раз в два часа. Еще надо заехать в школу, поговорить с Ольгой

Викторовной, потому что учиться оставалось всего пять дней, и по всему выходило, что Маша будет еще в Киеве, когда ее сын перейдет в седьмой класс. Еще хорошо бы договориться с теткой, чтобы она побыла с детьми, пока мама съездит в санаторий. Тетка, конечно же, потребует компенсации, и некоторое время Маша придумывала, что бы такое ей посулить.

«Пообещаю в Египет ее отправить, — решила Маша, перемывая чайные чашки. — Тетке давно хочется, а денег нет. Вместе с дочкой отправлю». Двоюродные братья и сестры Маши Вепренцевой зарабатывали значительно меньше, чем она, и на семейных сборищах это всегда было темой номер один — почему некоторым везет, а другим ну никак не везет!..

Машина в ванной урчала и похрюкивала, сотрясала в своей блестящей утробе белье. Маша гладила, слушала ее хрюканье и была ей благодарна — стиральной машине! За то, что та делает важную работу, за то, что безотказная, и еще за то, что такой поздней ночью они работают... вдвоем, Маша и стиральная машина.

Она гладила майку, слушала машину и думала о Родионове.

Думала как-то странно, вяло, то ли от усталости, то ли от невозможности ничего изменить.

Он никогда не увидит в ней «женщину своей мечты», это точно. Он никогда не догадается посмотреть на нее по-другому, а если и догадается, то вряд ли из его рассматриваний выйдет что-то романтическое.

Однажды, подвыпив, он зачем-то рассказывал Маше про своих бывших жен, которых насчитывалось две или три штуки. Даже не столько про жен, сколько про самого себя, и все в том смысле, что он, Дмитрий Родионов, решительно не годится для существования в паре.

Ну, одиночка он, и все тут! Ну, не получается у него ничего из семейной жизни!

Он быстро устает от этой самой пары, какой бы

распрекрасной она ни была. Устает — и дальнейшее их сосуществование делается бессмысленным, потому что он думает только о том, как было бы хорошо закрыть за собой дверь и больше никого не пускать ни в свою постель, ни в свою комнату, ни в свою жизнь.

«Я даже с тобой не могу долго, — посетовал тогда подвыпивший Родионов, — то есть ты единственная, с кем я вообще могу быть, но при всей моей к тебе любви, когда ты уходишь, я просто счастлив!»

Маша Вепренцева про любовь ничего не услышала, а услышала про то, что он счастлив, когда она уходит.

Она уходит вечером из его жизни, и он счастлив.

Вот сегодня, выпроводив ее, он поехал на свидание, и Маша изо всех сил старалась не думать о том, что именно он на этом свидании делает.

Впрочем, что он там делает, и так понятно.

Она гладила майку и думала о Родионове.

Что станет с ней, если в конце концов он все-таки встретит распрекрасную девицу и женится на ней, и у них будут дети и вообще счастливая жизнь?! Или какая-нибудь из уже имеющихся распрекрасных наконец сообразит, как можно его на себе женить?!

Он богат, знаменит, молод — такие не то чтобы нарасхват, таких помещают во главе списка «Лучшие женихи России» в каком-нибудь пошлом гламурном журнальчике! Впрочем, гламурный журнальчик — это что, а вот когда в «Аргументах и фактах», да еще на первой полосе, да еще под каким-нибудь броским заголовком, типа «Известие о смерти русской литературы решено считать преждевременным», да еще с серьезным и остроумным текстом!..

Что я стану делать без него?! Как я буду жить?!

Ведь он — это не просто он, вернее, не только он! Это кипение и блеск жизни, интересные люди, важные события, великое чувство Сопричастности Важному Делу или даже так — Великому Делу.

Это отличное, очень правильное, очень красивое дело — литература. Пусть говорят «бульварная», пусть говорят «недолговечная», пусть «массовая», да пусть какая угодно, все же это лучше, чем продажа нефти собственным согражданам по спекулятивной цене, или горлодерство в парламенте, или обворовывание стариков в каком-нибудь фонде!

Однажды у Каверина в «Освещенных окнах» Маша прочла, что медленно пишущий араб отличается от быстро пишущего, как неграмотный от грамотного, и с тех пор считала, что читающий человек отличается от нечитающего точно так же! Она была уверена, что вовсе не красота, а именно книжки спасут мир, и если приучить людей читать — хоть детективы! — они и привыкнут потихоньку, и втянутся, а потом уже и прожить без книжек не смогут, а ведь только это и надо, потому что в книжках все есть, ответы на самые трудные вопросы и решения самых запутанных задач, на все времена!..

Маша Вепренцева очень гордилась делом, к которому была причастна, и очень гордилась человеком, который его делал — упорно и ежедневно, не признавая выходных и праздников, не давая себе никаких скидок и послаблений, не ссылаясь на свою творческую натуру. Он не уходил в запои, не нюхал кокаин, почти не посещал вечеринок, разве уж совсем какие-то судьбоносные, которые никак нельзя было пропустить, не спускал денежки в казино — святой, святой!.. Его романы раскупались в мгновение ока, и в метро Маша ревниво считала, сколько человек читает Донцову, а сколько Воздвиженского. Донцовой всегда выходило немного больше, и Маша слегка расстраивалась из-за этого.

Как она была счастлива, когда он понемногу начал ей доверять и стал брать ее в командировки и на выставки, а в прошлом году даже в Турцию свозил, потому что тогдашняя его подруга куда-то запропастилась, а лететь одному ему было скучно! Кроме того, кто стал бы там, в «золотом Эльдорадо», заниматься его досугом — поездками, арендой машины, экскурсоводом «поприличнее», теннисным расписанием и массажистом?!

Маша полетела, и радостно всем этим занималась, и была счастлива, и обожала это огромное, пахнущее арбузом, очень соленое море, которому было лень шевелиться под круглым и жарким солнцем! И от лени оно просто покачивалось в своем песчаном ложе, плескало на берег, сверкало лакированной плотной волной, ерошило камушки, иногда брызгало в лицо соленой теплой водой — заигрывало.

Невыразимая легкость бытия, не прочитанная в книге, а вполне реальная, тогда так поразила Машу Вепренцеву, что все десять дней в этой южной, странной и древней стране она чувствовала себя как будто немного на небесах. Слишком много всего, вот как она определила свое тогдашнее состояние.

Слишком много черной и теплой южной ночи, слишком много звезд, слишком крутобок полумесяц, повисший над шпилями минаретов древнего города Денизли. Слишком много сверкающего под солнцем золота, не только на пляже, где это самое золото, разогретое и тягучее, переливалось и жгло ступни так, что невозможно было дойти до воды без шлепанцев, но и в ювелирных лавках, где оно было завлекательным, тревожным и каким-то чрезмерным, как все в этой стране. Слишком много свободы, вольного ветра, воды, треска цикад, к которому она никак не могла привыкнуть, все ей казалось, что рядом работает электростанция, и Родионов очень сердился на эту самую «электростанцию» — цикады казались ему куда романтичнее!

И это ощущение жары, и запах моря и хвои, и горячий ветер, играющий подолом платья, и вечно мокрая голова, и темные очки на носу, и осознание собственного тела, словно от мизинцев до макушки наполненного радостью бытия. И очень отдаленная мысль о том, что где-то остались Москва, работа, проблемы — как комариный писк, смешные и неважные, ведь есть только это, только здесь и только сейчас!..

С Родионовым они жили в разных номерах, мало того, еще и в разных корпусах, и, кажется, Родионов, идиот, очень гордился тем, что и «на свободе» он остается верен своим принципам — с «персоналом» ничего, никогда, ни под каким видом! А может, и не гордился, а просто, как всегда, замечал Машу, только когда ему требовались ее услуги — кофе, машина, телефон, корт, массажист, и все сначала!..

В ковровом центре они купили ковер — озеро неяркого, будто чуть выцветшего шелка. Мастерица ткала его пятнадцать лет, объяснил им пожилой турок-«эфенди». За это время у нее подросли дети, состарился муж, сухой карагач упал на дом и проделал дыру в крыше, похоронили кого-то из соседей, а ковер все оставался на станке, и его рисунок прибавлялся медленно, по миллиметру, и так год за годом. Маша относилась к ковру как к живому существу, свидетелю и участнику совсем другой жизни, и вряд ли он завораживал бы ее больше, если бы был привезен из созвездия Гончих Псов!..

Она гладила Леркины штаны под кодовым названием «спецназ» и поняла, что плачет, когда слеза упала на пятнистую ткань и, зашипев, испарилась, как только Маша наехала на нее утюгом.

Нельзя плакать. Совершенно не из-за чего плакать. Все так было и так же и останется, и никогда у них ничего не будет, и вообще он сегодня на свидание поехал!..

Звонок в дверь остановил равномерные движения ее утюга. Она вздрогнула, двинула рукой и сильно прижгла себе палец. Слезы моментально высохли, и Маша замерла, сунув палец в рот.

Кто это может быть? Кто может звонить ей в дверь почти... она оглянулась и взглянула на часы... почти в час ночи?!

Звонок повторился, настойчивей и длинней, и Маша Вепренцева, насторожившаяся, как овчарка, дернула и вытащила из розетки хвост утюга. Держа утюг наготове, осторожно и неслышно ступая, она подошла к двери и посмотрела в глазок. В эту секунду звонок прогремел в третий раз.

На площадке ничего не было видно, лампочки уже три дня не горели, только сумрачная мутность, слегка разбавленная уличным фонарем из лестничного окна, внутри которой колыхался чей-то силуэт.

Маша покрепче перехватила утюг.

В дверь сильно ударили, и она вздрогнула.

— Открывай! — закричали с той стороны. — Открывай давай! Я знаю, что ты дома, свет горит!

— Уходи, — приказала Маша. — Или я вызову милицию!

На площадке хрипло засмеялись:

— Вызывай! Давай, давай, вызывай! Мне так даже лучше! Правда-то на моей стороне!

Маша перевела дыхание и сунула на полку утюг, который все ехал и ехал из пальцев.

И открыла дверь.

— Давай собирай их! — приказал вошедший. — Попользовалась, и хватит!.. Час расплаты настал!

— Тимофей Ильич, к вам Катерина Дмитриевна.

Он оторвался от бумаг — чтение было трудным, он даже губами шевелил, когда читал, и еще помогал себе лбом, — и посмотрел на селектор.

— Где?

Секретарша знала все его интонации, как свои собственные, и именно в этой не было ничего хорошего.

— В... приемной, Тимофей Ильич. Рядом со мной.

— Я ее не вызывал.

В селекторе послышался какой-то шум, шевеление и возня — дрались они там, что ли? — и голос его жены сказал:

— До чего ты противный мужик, Кольцов! Ну, не хочешь, и не надо!

И все смолкло.

Тимофей Ильич еще некоторое время смотрел на селектор, потом пожал плечами и вернулся к чтению.

Читал долго.

Когда дочитал, понял, что ничего не понял, и обозлился. Его жена обладала удивительной способностью отвлекать его от любых занятий, даже когда он и не собирался отвлекаться и даже когда она ничего особенного для этого не делала.

Интересно, зачем она приходила?..

«Ни за что не буду звонить, — решил он. — Буду соблюдать себя. Буду равнодушным и сильным. Что я ей, на самом деле, мальчик, что ли?! Если хочет поговорить со мной, пусть говорит вечером. Или мы вечером куда-то собирались?»

Он наморщил лоб, потом побарабанил пальцами по столу. Обнаружил заусенец и тут же расковырял его, очень неудачно, потому что сбоку сразу закровоточило.

«Подумаешь, она пришла!.. И что теперь? Я из-за нее должен работу бросить?»

Рассуждая таким образом, Тимофей Ильич Кольцов, олигарх, губернатор, судостроитель, вершитель судеб и практически бог-отец и бог-сын в одном лице, потер заусенец, встал из-за стола, решительно распахнул дверь в приемную — на взволновавшуюся секретаршу даже не взглянул, прошагал мимо охранника — тот вскочил и сделал «в ружье» — и вырулил в коридор. Там никого не было, на его персональном этаже в компании помещалась только служба безопасности, а больше никого, дошел до двери на лестничную клетку и распахнул ее. Сразу за стальной дверью начинались шум, гул голосов, запах сигарет и духов — компания жила, дышала, работала, будто отделенная от хозяина не только стальной дверью, но и незримой стеной, за которую не проникали мелкие человеческие проблемы и страстишки, карликовые карьерные соображения, дурацкие мысли о повышениях и зарплатах.

Офисы, хоть бы и свои, Тимофей Ильич не слишком любил. Он любил производства и людей, которые работают на них. Он, конечно, лучше в них разбирался и лучше их понимал.

Он сбежал на один пролет, касаясь рукой деревянных полированных перил. Офисы он отделывал только своим деревом, с собственных лесопилок, и в этом был определенный шик, что-то вроде купеческой гордости — мол, у нас все свое, и мануфактурка, и заводишко железоделательный, и лес свой, и паровой катер. Даже лосось в тарелке свой, открыли лососевую ферму, а что же делать, норвежский, что ль, покупать, деньги тратить?!

При его появлении — лоб государственно нахмурен, на людей не глядит, за спиной пристроившийся охранник — все разговоры на площадке смолкли, курящие одномоментно и даже несколько кучно кинулись к урне, затолкали в решетку свои бычки, побежали к двери, возле которой произошел некоторый затор. Кольцов наблюдал совершенно равнодушно.

— Добрый день, Тимофей Ильич!

— Здрасти.

Так или иначе, сотрудники все протиснулись, только одна осталась, длинноногая и длинноволосая, с длинным мундштуком. Она наблюдала за исходом коллег с лестничной площадки с загадочной улыбкой. Она попадалась Тимофею в коридорах и на лестницах не один раз, и ему казалось, что она пытается с ним заигрывать.

Дура.

Он прошел по коридору, открыл одну дверь, вторую, кивая направо и налево и слушая, как за его спиной привычно смолкает шелест голосов, перед третьей чуть задержался, чтобы охранник смог притормозить и остаться, и вошел один.

Его жена сидела за столом, прихлебывала из кружки, нетерпеливо болтала ногой и одним пальцем что-то печатала.

— Тим, — сказала она, едва завидев мужа и ничуть не удивившись его приходу, — ты знаешь, как фамилия хозяйки дома, у которой мы будем гостить в Киеве?

Тимофей Ильич моргнул, помедлил и почесал за ухом свернутыми в трубку бумагами, которые он зачем-то прихватил со своего стола.

— Как?

— Цуганг-Степченко! — провозгласила Катерина. — Мирослава Цуганг-Степченко! Поэтесса.

— Ну и чего?

Катерина оторвалась от компьютера и передразнила олигарха и губернатора:

— Да ничего! Смешная фамилия!

— А мне-то что за дело, какая там у нее фамилия!

— Да тебе-то никакого, а мне смешно!

— Ну и чего?

— А ее мужа зовут Казимир. Мирослава и Казимир Цуганг-Степченко! Звучит?

Тимофей немного подумал.

— А он кто? Поэт, что ли?

— Он не поэт. Он торгует водкой. По-украински, значит, горилкой. Он торгует горилкой, а она сочиняет стихи. Прелестно.

— Ты думаешь?

— Да ну тебя, — сказала Катерина. — От тебя можно с ума сойти. Ты чего притащился?

Ну вот! Он же еще и притащился! Это она притащилась, а он решил, что разговоры разговаривать они будут дома, а на работе нужно работать, только потом на почве недовольства собой заусенец обгрыз и пришел спросить, что она хотела спросить, когда приходила, а он ее не принял и теперь не знает, зачем Катерина приходила!

Вдруг осознав, что все десять лет после женитьбы он ходит вокруг нее, как бычок на веревочке, и, в сущности, демонстрирует полную покорность, зависимость и предсказуемые реакции, Тимофей Ильич рассвирепел. Он всегда свирепел, когда это осознавал.

Однако его жена, знавшая его как свои пять пальцев, взъяриться ему не дала.

— Тим, — быстро сказала она, глядя, как олигарх медленно и неотвратимо краснеет и вот-вот начнет изрыгать из ноздрей дым, а изо рта, подобно Змею Горынычу, испускать языки пламени, — я хотела у тебя спросить, идем мы сегодня тусоваться или не идем?

— Куда еще нам тусоваться, блин!

— Мне надо со Светой Астаховой увидеться, а ты, по-моему, с Павлом хотел переговорить. Или я ошибаюсь?

Павел Астахов, знаменитый адвокат, время от времени работал вместе с Егором Шубиным, штатным и постоянным адвокатом холдинга «Судостроительные заводы Тимофея Кольцова». Вдвоем Астахов и Шубин были решительно непобедимы, и противники Тимофея Ильича мрачно пошучивали, что в договоры с Кольцовым, в графу «Обстоятельства непреодолимой силы» следует вписывать, что интересы его защищают Астахов и Шубин.

Лучше не соваться. Обстоятельства непреодолимой силы.

Катерина права. С Павлом нужно было бы увидеться, и... не дома и не в офисе.

Черт побери, опять права Катерина!

— Хорошо, — сказал олигарх и напоследок пыхнул в ее сторону пламенем из ощеренной Змей-Горынычевой пасти. — Мы пойдем. И куда?

— Тим, я не знаю. Помощники в курсе. Зачем нам география, нас кучер куда хочешь довезет!

Тимофей Ильич посмотрел с подозрением:

— Ну и чего?

— Чего?

— Да это вот, про кучера-то? Шутка новая, что ли?

Катерина вылезла из-за стола, подошла к губернатору Калининградской области, крепкой рукой взяла его за затылок и поцеловала в губы:

— Это старая шутка, темнота! Это Фонвизин. Комедия «Недоросль»!

Тимофей Ильич посмотрел на нее сверху вниз. От поцелуя у него стало тяжело в голове, и внизу тоже начались оживление и взбрыкивание, и он с тоской подумал, что до ночи, когда они наконец останутся одни, еще полжизни пройдет!

Все ему казалось, что они женаты десять минут, а не десять лет.

— Только ненадолго, — распорядился он, глядя на ее рот, — приедем, поговорим и уедем. И вообще ты плохая мать, Катька! Про детей ни фига не помнишь. Все бы тебе по балам разъезжать!

Это была неправда, маленькая месть за то, что он притащился к ней, не выдержал характер. Не то чтобы он хотел ее обидеть, но последнее слово всегда должно оставаться за ним. Пусть попереживает малость, ей на пользу пойдет.

Тут ему пришло в голову, что он играет по правилам именно молодожена, а не умудренного семейным опытом мужа, и это несколько отравило радость осознания «последнего» оставшегося за ним слова.

— Охота тебе всякую ерунду говорить, — сказала Катерина и хладнокровно пожала плечами. — У нас самые лучшие дети в мире! Вот сколько детей на свете ни есть, а наши все равно самые лучшие, а я самая лучшая в мире мать!

— Это точно, — внезапно для себя подтвердил совершенно раскисший от мыслей о детях промышленник, политик и олигарх.

Он вырос в детском доме, и этот самый детский дом был самым крохотным испытанием из тех, что ему пришлось пережить в детстве. Можно даже сказать, что и не испытанием вовсе. В детдоме кормили — каждый день, ей-богу, каждый божий день он получал миску еды! Он долго не мог в это поверить, но по правде получал! А еще там был повар дядя Гриша. Добрый, пьющий, с носом, скособоченным на одну сторону, в переднике в сальных пятнах. Дядя Гриша очень жалел маленького Тимофея, который в те времена не умел даже говорить. Ему было десять лет, а он не говорил. Он целыми днями сидел на своей койке, с головой накрывшись одеялом, и молчал. Когда его пытались вытащить, а одеяло сорвать, он дрался, и выл, и кусался до крови, и его оставили в покое. Себе дороже такого тащить! Волчонок, а не человек!

Дядя Гриша приходил из кухни, садился возле Тимофеевой койки и жалостливо смотрел на холмик под серым солдатским одеялом. Тимофей подсматривал в дырку, проделанную в одеяле. Он ненавидел и боялся всех, весь мир, и дядю Гришу ненавидел и боялся тоже, и даже однажды сильно лягнул ногой, когда тот попытался его погладить.

Но дядя Гриша не ударил его в ответ, хотя Тимофей, скрючившись под одеялом, ждал этого и уже пытался подставить коленку или ногу, а не беззащитный бок, чтобы в коленку или в ногу в случае чего пришелся удар рассвирепевшего дяди Гриши! Но тот не рассвирепел и не стал его бить. Никуда — ни в коленку, ни в бок. С тех пор он стал приносить Тимофею картошку на тарелке.

Тарелка была щербатая, толстая, с потрескавшейся

эмалью и синей полосой по ободку. На полосе было написано загадочное слово «минпрос». Намного позже Тимофей узнал, что это означает «министерство просвещения», и тарелки, из которых ели беспризорники, принадлежали именно этому могущественному ведомству. Картошки в ней была целая гора, и сбоку еще лежал изрядный шматок сливочного масла, который подтаивал и потихоньку съезжал в тарелку, оставляя за собой желтую полосу. А с другого бока была щепотка соли — солить, если мало покажется. Картошку дядя Гриша приносил огненную, только что сваренную, и сразу уходил, наверное, чтобы Тимофей не стеснялся.

В первый раз Тимофей решил, что есть ни за что не станет — вот еще, не надо нам вашей поганой доброты, знаем мы ей цену!.. Но из тарелки так пахло, и пар щекотал его волчьи ноздри, и слюна уже не помещалась во рту, и он шумно глотал ее под одеялом, и картошка, предназначенная именно ему, ему одному, пересилила гордость и страх.

Он стянул с головы одеяло, давясь и обжигаясь, съел все до крошечки, без масла и соли, и еще донышко вычистил пальцем, и палец тоже облизал, и нырнул под свое одеяло, и вдруг заснул, оттого что в животе было тепло и сытно. Он спал, должно быть, совсем недолго, потому что его разбудил дядя Гриша, вернувшийся за тарелкой, но все же спал, и это было чудом, потому что спать он перестал еще в подвале.

В подвале содержали таких, как он, — проданных в рабство, приготовленных на убой. Маленький Тимофей каждую ночь ждал, что придут его убивать, и не спал, готовился дорого продать свою никому не нужную жизнь. Его не убили случайно, он сбежал и долго слонялся по холодным улицам, искал еду, ничего не нашел и пристроился под каштаном помирать. В Калининграде тогда было много каштанов. Его нашли и отправили в детский дом, и стали давать еду, и понемногу он даже начал говорить и спать, и перестал кусаться и бояться любых прикосновений.

А дядя Гриша изо дня в день приносил ему картошку в тарелке с надписью «минпрос», и ничего вкуснее Тимофей Кольцов не ел больше никогда и нигде.

Едва заработав первые деньги, он нашел дядю Гришу, постаревшего, совсем спившегося, кое-как тянувшего лямку на свои скудные пенсионные, и валандался с ним, и лечил, и сделал ремонт в его однокомнатной «малогабаритке» на Советском проспекте. Всего этого Тимофею Ильичу казалось мало, все это не шло ни в какое сравнение с той картошкой, которая так упоительно пахла, и ее было так много, что первый раз в жизни он наелся досыта именно ею, дяди-Гришиной картошкой!

Кольцов похоронил детдомовского повара на самом лучшем городском кладбище, на самом «козырном» месте, среди местной братвы и криминальных авторитетов, которые и на кладбище оставались исключительно «авторитетными» — кругом черный полированный мрамор, гранитные глыбы, надписи золотом с непременными вензелями. Дяде Грише он тоже соорудил гранитную глыбу и надпись золотом написал, и все равно этого казалось мало, мало, а он так хотел... заплатить и маялся от сознания, что заплатить не может.

Его выручила Катерина. Она всегда его выручала.

Откуда-то она проведала про дядю Гришу, хотя — вот ей-богу! — он никогда не рассказывал ей о нем. Они тогда только поженились, и на Пасху она потащилась за ним на кладбище. Впереди он, раздосадованный тем, что тащилась чуть позади него новоиспеченная жена, а еще чуть позади охрана, без которой он, ставши олигархом, даже в сортир не ходил. Охрана волокла веночек и букетик, предназначенные для повара.

Они дошли до «аллеи звезд», как в народе именовалось «козырное» кладбищенское место, и Тимофей Ильич зашел за оградку. Он понятия не имел, что должно делать на кладбище. Вспоминать, что ли, и что-то говорить, но как разговаривать с покойниками?! И никакого дяди-Гришиного присутствия поблизости он не чувствовал, и что говорить — не знал. Что еще один завод купил? Что после того, как он заработал первый миллиард, перестал считать миллионы? Какое дело до этого могло быть покойному детдомовскому повару?!

Кольцов понятия не имел, что должен делать возле мраморного дяди-Гришиного монумента с вензелями и позолотой, и поэтому просто стоял и выжидал время, когда уже можно будет уйти отсюда, вернуться в машину и там, в машине, начать зарабатывать следующий миллиард, и тут в оградку вошла Катерина, на которой он недавно женился.

Она потеснила Тимофея от монумента — он с неудовольствием посторонился, — вытащила из холщовой старомодной сумки совочек и три кустика анютиных глазок. Корни были заботливо обернуты в мокрую газету и прикрыты целлофановым пакетиком. Катерина деловито развернула немудрящие цветочки, раскидала гравий и совочком выкопала лунки. Тимофей стоял и смотрел, как она сажает цветы, как весенний ветер треплет ее волосы, как она отряхивает грязные ладошки и жмурится от солнца. Из пластмассовой бутылки из-под колы она полила каждый кустик, очень трогательный в своей поникшей сиротливости среди гранита и мраморной крошки. Потом достала общепитовскую глубокую тарелку и широкогорлый термос — откуда он взялся у нее в сумке?!

Она открутила крышку, из термосного нутра пошел пар и поднялся сытный картофельный дух, и на тарелке оказалась гора вареной картошки.

Как когда-то.

Катерина тихонько поставила тарелку на гравий, поднялась и отошла, старательно на Тимофея не глядя.

Ему вдруг стало трудно дышать, галстук впился в шею и начал душить. В глазах все странно подернулось дымкой и поплыло, и больше ничего он не видел, ни Катерины, ни охранников, ни синего холодного весеннего прибалтийского неба. Он смотрел только на тарелку картошки в окружении поникших анютиных глазок, и слезы текли по его щекам, и он утирал их кулаком, и ему становилось легче, и он даже думать забыл о том, что недавно мучился от стыда.

В тот день он понял, что больше не должен платить. Как будто дядя Гриша сказал ему об этом.

Он не должен платить, потому что детдомовский повар жалел его и кормил не «за что-то», не по долгу службы, не из корысти, а от доброты. И еще он вдруг понял, что есть чувства, за которые нельзя заплатить. Нельзя, даже если очень хочется!

Доброта. Любовь.

Можно быть благодарным, а заплатить — нельзя.

С тех пор Катерина всегда приходила с ним к дяде Грише и картошку приносила, и Кольцов перестал мучиться оттого, что никак не может расплатиться.

Тимофей Ильич вспомнил все это в одну секунду и в очередной раз жарко поклялся себе, что никогда, ни при каких обстоятельствах его дети не останутся без него. Он твердо об этом знал, как будто посоветовался с богом и тот шепнул Тимофею на ухо нечто ободряющее и утешающее: ничего, обойдется.

— Тимка, ты что? — спросила рядом жена, которая всегда как-то умудрялась почувствовать его состояние. — Ты что? Тебе плохо?

— Мне хорошо, — громко сказал Тимофей Ильич. Специально так громко, чтобы громкость она слышала, а больше ничего не слышала. — Значит, так. Мы едем на эту самую тусовку, куда нас кучер везет. Будем там столько, сколько мне нужно, чтобы с Астаховым поговорить. Потом едем домой и... сидим с детьми. Поняла?

— Поняла, — согласилась Катерина. — Что ж тут непонятного? Тим, а Воздвиженский Аркадий, большой русский писатель, на той даче под Киевом будет? Ну, с которым ты все хотел познакомиться! Или мне как-то по-другому организовать ваше с ним рандеву?

— Да наплевать мне, как ты все организуешь! Мы чего, там жить, что ли, собираемся, на даче этой?! Приедем, уедем, и все дела!

— Нет, не все. Тебе же с Головко придется какие-то долгие разговоры вести, правильно я понимаю?

Тимофей присел на стол, взял ее кружку и отпил из нее. На краю остался след от губной помады, а помаду он терпеть не мог, особенно на Катьке. Впрочем, на кружке она ему тоже не особенно нравилась. Пальцем он стер розовый след и еще отпил.

— Кать, какие там у меня с Головко могут быть долгие разговоры?! Все разговоры с ним Абдрашидзе будет вести. — Так звали его первого зама. — А мне-то что? Я ему денег дам, и он знает, что дам. Он меня должен клятвенно заверить, что деньги не пропьет-прогуляет, а вложит в предвыборную борьбу. Что он на мои деньги победит, а как иначе-то? Ну, а как победит, так, значит, мы с ним бывшую братскую республику поровну поделим. Ему, значит, меньшую половину, а мне большую!

— Зачем тебе большая половина бывшей братской республики, Тим?

— Да пригодится на что-нибудь, — сказал ее муж совершенно серьезно. Подумал и добавил: — Буду из нее Европу делать. В Евросоюз отдам, экономику... того... налажу. Работать всех заставлю. Ну, курорты какие-нибудь открою. Чего там у них, в смысле курортов?

— В смысле курортов у них там Крым, Тимофей.

— Ну, хоть Крым. Дыра, конечно, но при желании и грамотном подходе можно этот самый Крым в черноморское побережье Турции переделать. Да они хорошие ребята, хохлы-то! Их только надо повернуть правильно, они и потянут, и вытянут! Что же все на самотек пускать!

Катерина смотрела на него во все глаза. Ну никак она не могла привыкнуть к своему мужу и его имперским амбициям. И до сих пор иногда не знала, когда он шутит, а когда говорит серьезно.

— Если на самотек пустить, они, пожалуй, выберут... бандюка, который догадается водки на всех поставить! Будет вторая Белоруссия. Два кольца, два конца, а посередине гвоздик! Два болота, три уезда, а посередине батька!

— Да тебе-то что за дело до этого, Тимыч!?

— А мне такое дело, что я в Европе хочу жить.

— Да ты со своими миллионами уже на Луне можешь жить!

— Да пошла она, Луна эта!

И они посмотрели друг на друга.

— Я тебя люблю, — сказала Катерина. Подошла, оперлась руками о его колени и заглянула ему в глаза.

— И я тебя люблю, — признался Тимофей Ильич. — Давай, может, Мишку с собой возьмем в Киев-то? Что, блин, мы не видимся совсем!

Мишке недавно стукнуло девять, а Машке семь.

— Легко! — весело согласилась Катерина. — И давай, иди уже, у меня работы полно!

Они еще раз поцеловались, потом подумали и поцеловались еще раз, и потом еще, самый последний раз.

Он ушел было, но из-за двери вернулся.

Возле ксерокса в большой комнате, где размещались основные силы его пресс-службы, маячила давешняя длинноволосая симпапуля.

Хорошо, что он ее увидел.

— Кать, — сказал Тимофей Ильич громко, на весь отдел, и все замерли, прислушиваясь, и охранник вывалился из-за шкафа, где он как пить дать кофей кушал, поджидая, пока шеф кончит амурничать с супругой. — Кать, ты новых сотрудников инструктируешь, когда на работу берешь?

Его жена в дверях молчала и смотрела выжидательно.

— Ты их, Кать, инструктируй, а? Я в университетах не учился и антимоний никаких не понимаю! Я если вижу, что штатная единица без дела болтается, на лестнице курит и глазки напропалую строит, я ведь ее в два счета уволю и с отделом кадров консультироваться не стану! Ты, Катя, доведи это до сведения общественности, лады?

Симпапуля возле ксерокса стояла вся красная.

— Хорошо, — обреченно сказала Катя. — Доведу. Придется теперь бедную девочку валерианой отпаивать!

— Я пошел, — объявил олигарх и на самом деле пошел.

За ним пристроился охранник.

В комнате все молчали.

— Катерина Дмитриевна, — пропищала секретарша, — вам с телевидения звонят. Говорят, из какого-то ток-шоу. Будете разговаривать?

Катерина ни за что не взяла бы трубку, если бы голова у нее не была занята Тимофеем, дачей Мирославы Цуганг-Степченко, превращением Украины в Европу и, напротив, непревращением ее в Белоруссию, оскорблением, которое ее муж только что нанес молодой сотруднице, и поэтому трубку она взяла.

— Да!

— Не ездила бы ты в Киев, — шепнула трубка трудноопределимым голосом. — Там свои законы.

— Что? — помолчав, переспросила Катерина.

— Неровен час в гробу придется в Москву везти твоего Кольцова.

Дмитрий Родионов среди ночи вдруг вспомнил: он забыл что-то напомнить Маше Вепренцевой.

Только вот что?..

После кофе, красного вина, щебетания с подругой, которая честно пыталась увлечь его рассказами о своей жизни или самой увлечься рассказами о жизни писателя Аркадия Воздвиженского, все как-то в его голове затуманилось.

Аркадий Воздвиженский о своей жизни ничего не рассказывал, томно покуривал и говорил, что устал, хотя Люда очень-очень настойчиво выспрашивала его о «жизни знаменитостей», в которую Аркадий был ввергнут в силу того, что и сам знаменитость.

Про подругу Андрея Малахова, знаменитого телеведущего, он ничего не знал, про мужа Дарьи Донцовой, знаменитой писательницы, знал и того меньше, про увлечение Александры Марининой горнолыжным спортом слышал первый раз в жизни.

— Ты все врешь! — в конце концов догадалась Люда. — Ты все-все врешь! Я-то знаю! Маринина тебе звонила при мне, и ты называл ее Машенька, а теперь говоришь, что ничего про нее не знаешь!..

— Умница ты моя, — похвалил Воздвиженский Аркадий, — до чего ж ты молодец!

От таких его хвалебных слов Люда оказалась в тупике.

— Почему я молодец, Дим?

— Все-то ты понимаешь, — расшифровал Аркадий, — что тебе ни скажи, какую загадку ни загадай, ты все сразу понимаешь и отгадываешь!

— Смеешься, да? — спросила Люда и отвернулась, обиженная. Впрочем, обижалась она недолго, повеселела и пристала к нему с рассказами о собственной жизни.

Родионов слушал.

С некоторых пор он был совершенно уверен в том, что любые союзы, участники которых никак не связаны друг с другом *по работе*, обречены на скоропостижную и неизбежную кончину. Что-то должно быть общим — если общим не может быть офис, то хотя бы образование, или знакомства, или связи, или, допустим, направление движения. Другими словами, в продолжительную любовь учительницы и сталевара Родионов верить перестал.

Сталевар ничего не знает о том, как завуч обошелся с географичкой и какие выгоды извлекла из этого Роза Львовна, вновь пришедшая химичка. Учительница ничего не знает о том, как на седьмой домне закозлило и пришлось выбивать шлак, чтобы чугун пошел без флокенов[1].

И самое главное: учительнице неинтересно про флокены, а сталевару наплевать на географичку!

Вот как организовать такой союз, думал Родионов, призывая на помощь свое писательское воображение, если организовать его решительно невозможно?! Допустим, приходит сталевар домой и говорит: «Иду я нынче в сторону разливочной, а на ковше сегодня Зуев. Вот Зуев мне оттуда, значит, с ковша, кричит, что по разнарядке восьмому цеху уже выдали, а Орехов задерживает! Задерживает Орехов, и все тут!..»

Какой Зуев?.. Какой Орехов?.. Кто эти люди? Что выдали? И хорошо это или плохо, что Орехов задерживает?..

Вот поэтому Люду он слушал вполуха или даже в четверть уха и ничего из того, что она рассказывала, не задерживалось у него в голове, насквозь просвистывало.

Люда училась на психолога.

_____

[1] Ф л о к е н ы — дефекты.

Родионов знал, что теперь в любом вечернем институте на базе средней школы № 237746398276 можно запросто выучиться на психолога. Особенность именно этой специальности заключалась в том, что никто — ни обучающие, ни обучаемые — толком не знали, в чем должны состоять обучение и дальнейшая трудовая деятельность. Некоторые, особо увлеченные, слышали о том, что бывают такие психологические тесты, и даже сами видели их в журналах и отмечали кружочком правильный ответ: «Что вы будете делать, если, зайдя в кабинет к шефу, обнаружите его сидящим верхом на секретарше? А. Завизжите и броситесь прочь. Б. Дадите им ценный совет из личного опыта. В. Спокойно пожелаете ему доброго утра и осведомитесь о планах на день».

Люда очень любила тесты и заставляла Родионова отвечать на вопросы, и рисовать человечков, и закрашивать круги, и он отвечал, рисовал и закрашивал, но от подозрения в том, что психология состоит все же в чем-то другом, не избавился.

— ...только если практика будет успешной, а для этого мне нужно поработать по специальности. Слышишь, Дим?

— А?

— По специальности поработать!

— А-а!

— Дим, устрой меня на работу! По специальности.

— А?!

Люда вылезла из кресла, где сидела с ногами, — героини модных сериалов сидят в кресле с ногами, греют в ладонях бокал с вином и с загадочной улыбкой посматривают на молодцов-удальцов, сидящих напротив, в образе роковых мужчин. Если артистка представляет женщину деловую, на коленях у нее еще должен стоять лэптоп, даже если дело происходит ночью на даче. Если женщину романтическую — значит, она должна быть в его рубашке, даже если дело происходит в гостинице и ему, бедному, с утра в этой рубашке на работу отправляться.

Люда сделала круг по комнате и вернулась к дивану, на котором полеживал Родионов:

— Дим, ну тебя все-все в этой стране знают!

— Ну и что?

— Ну устрой меня куда-нибудь! К политику какому-нибудь в штаб или в ваше издательство! Я в прошлом году работала у нашего депутата, и мне практику зачли, и даже декан меня хвалил, что я по специальности все лето отработала.

— Ну и что?

— Я листовки писала и советовала, где их развешивать, и какие встречи проводить, и еще много чего! А лучше бы ты меня взял на работу вместо твоей Каллистраты. Я бы тебе все грамотно организовала и со всеми разобралась, и ты бы у меня работал по расписанию и никогда рукописи не задерживал!.. А рекламу бы я тебе совсем другую сделала, потому что тут нужен научный психологический подход. Если ты ассоциируешь себя с большинством, это еще не значит, что ты и есть это самое большинство! Но если ты ассоциируешь себя с меньшинством, это значит, что у тебя комплекс адмирала Нельсона и тут нужен совсем-совсем другой подход!

В этот момент Родионов вдруг разозлился.

Что эта самая Люда могла знать про его работу, комплексы и адмирала Нельсона?! Как это ей в голову пришло, что она сможет организовать его жизнь?! Даже Маша Вепренцева иногда не справлялась, особенно когда он капризничал, или болел, или требовал повышенного внимания, или злился, или опаздывал, или не мог сладить с героями!

— Какие еще листовки?! — он раздраженно сел и подбил себе под спину подушку.

Красное вино было куплено в дорогом магазине, и он даже изучил этикетку — виноградники, сорта, купажи. Но он совершенно не разбирался в вине и не умел его пить! Понятия не имел, как это можно пить и получать удовольствие, изжога у него делалась от дорогого красного вина! Поэтому допивать его он не стал, а отломил кусок шоколадки и стал тоскливо жевать.

— Господи, ну на выборах я писала листовки для нашего кандидата в депутаты! Их потом по автобусным остановкам расклеивали, а сначала составляли психологический портрет кандидата! Только это не я составляла, а наш руководитель! Там было все-все, и комплексы, и самосознание, и всякие синдромы, словом, все-все, а я печатала!

Шоколадка увязла у Родионова в зубах, и теперь их невыносимо ломило. Маша Вепренцева сто раз записывала его к стоматологу, а он все не шел, все ломался, все некогда ему было. От отвратительной ломоты, сковавшей челюсть, он схватил бокал с красным вином и опрокинул его в рот. Во рту сделалось кисло и совсем невыносимо. Родионов взял себя за щеки и застонал.

Люда, будущий психолог, погладила его по голове, почмокала губами в воздухе, как будто целуя бедняжку, и продолжила про свою практику.

— Возьми меня в Киев, Димочка! Я тебе пригожусь. Я там все так организую, что все твои закачаются!

Родионов отрицательно помотал головой, изумленный тем, что она явно не шутит.

— Димочка, ну ты же никогда и никуда меня не берешь! Никогда и никуда! Я тебе что, не человек?!

— Э-а-эк, — согласился Родионов, не разжимая зубов.

— А раз человек, то и веди себя по-человечески! Я хочу с тобой в ресторан, я хочу с тобой в люди выйти, а ты приезжаешь только спать! Димочка, я не хочу быть просто приложением к тебе!

Родионов перепугался.

С чего она вообще взяла, что может быть к нему... приложением? Нет у него никаких приложений! У него куча работы, Марков, недовольный тем, что он в очередной раз задерживает роман, Маша Вепренцева, визит в Киев, Тимофей Кольцов, Илья Весник, Таня Табакова — чудесный, привычный, деловой, знакомый и такой важный для него мир! Люде нет и не может быть в нем места!

— Люд, я не понимаю, о чем ты говоришь. Не понимаю, и все тут. Твоей практикой я заниматься не буду. Со мной в Киев ты не поедешь. Это работа, а не тру-ля-ля!

— А я и буду работать!

— Да не будешь ты работать! — неожиданно для себя вдруг жестко сказал Родионов. — Все это ясно и понятно. Сколько тебе лет?

— Двадцать... один.

— Вот именно. У тебя образования нет и не будет. В институт ты ходишь, просто чтобы время отбыть, и преподаватели ваши ходят за тем же! Я все понимаю в жизни и в карьере тоже, Люда! Ты еще год проваландаешься со своими тестами, потом напишешь диплом «Зигмунд Фрейд как зеркало мирового психоанализа», потом устроишься на работу в школу. Будешь психологом младших классов. Нарисуйте, дети, картинку, как ваша семья сидит за обедом в выходной! Вот и вся твоя работа.

Глаза у нее налились слезами, но Родионова уже несло, штормило, качало, и он ничего не хотел замечать.

— Димочка, как ты можешь?

— А так, что я знаю, как делаются карьеры. День и ночь, двадцать четыре часа в сутки! Какой тебе штаб, Людочка?! Ты писать сначала научись без ошибок, а потом уже в штаб! И расписание мне составлять не надо, я в этом не нуждаюсь!

— Не нуждаешься?.. — переспросила Люда и широко раскрыла глаза, как-то даже выпучила их, как Мишель Пфайфер в фильме про маньяков.

— Ты вот сидишь в своем психологическом институте и сиди себе, только не смеши людей тем, как ты станешь замечательно работать! Для того чтобы работать, мозги нужны, дорогая моя, мозги и желание пробиться наверх!

Должно быть, все это было несправедливо и не слишком красиво, и уж точно совсем не умно, но Родионов, что называется, разошелся. Ему теперь непременно нужно было довести ситуацию до точки кипения.

— И помогать тебе я не буду, потому что нечему помогать! Помогать в твоем понимании — это значит все сделать за тебя, а я не понимаю, почему я что-то должен за тебя делать! И не буду, и не хочу!

— Я тебя ненавижу, — вдруг отчетливо выговорила Люда и взялась обеими руками за спинку кресла. — Я тебя уничтожу.

— Валяй.

Родионов поднялся с дивана и стал одеваться. Давно бы ему догадаться одеться! Общественный обвинитель без штанов — это смешно. А ему не хотелось быть смешным, ему хотелось быть величественным.

— Ты возомнил себя гением, — продолжала Люда. Родионов мельком на нее взглянул. Вид у нее был немного сумасшедший. — А на самом деле ты никто, бульварный писака! Кому нужны твои дерьмовые книжонки?! Никому! Да о тебе все забудут через год, через два, и ты умрешь под забором, нищий, старый ублюдок!

— Я пошел, — сказал Родионов. Она сидела в его рубашке, и красиво уйти никак не получалось. Или уходить без рубашки, или требовать ее вернуть — и то, и другое не слишком красиво. Он несколько секунд соображал, и напрасно.

Люда вдруг бросилась на него, стул опрокинулся, загрохотал, и винная бутылка закачалась на столике, опрокинулась и повалилась на ковер, из нее потекла тоненькая алая струйка, как кровь.

— Ты ничтожество, высокомерная тварь, ублюдок!! — Она сильно ударила его в скулу острым кулачком, а левой рукой двинула в ребра. Родионов не успел ее перехватить. Он вообще ничего такого не ожидал, когда начинал свою обличительную речь. — Ты думаешь, что меня так просто бросить, да? Ты думаешь, что я никто?! Да я тебя... уничтожу, я с тобой разделаюсь, с тобой и с этой твоей шлюхой!

Люда царапалась, кусалась и дралась, и в какой-то момент Родионов перепугался, что не сможет с ней совладать. Не бить же ее, на самом деле! Он отступал к двери, а она наскакивала на него, клевала, щипала, и глаза у нее были безумные.

— Остановись, — приказал Родионов, когда потасовка уже грозила перейти в драку, — остановись сейчас же!

Ничего не помогло. Кое-как, придерживая ее одной рукой, он нашарил на столике ключи от машины, и теперь нужно было еще открыть дверь. Спиной он чувствовал замок и дверную ручку — спасение было уже совсем близко! — но он никак не мог изловчиться и открыть.

Да что ж это такое, а?!..

— Я тебе отомщу, тварь, ублюдок недоделанный! Ты еще узнаешь, чего я стою, недоносок поганый!.. Я тебя... Я... я тебя убью!

В этот момент замок, который Родионов судорожно дергал, наконец открылся, он вывалился на лестничную клетку, где было темно и пахло кошками, и прямоугольник света из Людиной прихожей вырвался вслед за ним, и Родионов увидел приоткрытую дверь квартиры напротив. Кто-то оттуда, из той квартиры, привлеченный шумом на лестнице, следил за ними!

Он затолкал Люду обратно, захлопнул дверь и побежал вниз, сжимая в кулаке ключи от машины. Побежал так унизительно и мешкотно, как не бегал никогда в жизни, и вся эта история с дракой и идиотскими разговорами была гадостью, и он чувствовал эту гадость так, словно она была у него во рту.

Он доехал до дома, влез под душ, очень горячий, такой, что едва можно было терпеть, долго тер себя мочалкой, стараясь оттереть гадость, потом вылез, не вытираясь, пошел на кухню и залпом выпил полстакана водки. Потом подумал и выпил еще полстакана.

На Люду наплевать, подумал он. Наплевать. Я-то как попался?! С чего меня-то понесло?! Нервы ни к черту стали из-за этой проклятой работы. Надо в отпуск ехать. В Турцию, покупать очередной ковер.

Вспомнив про ковер, он вспомнил и про Машу, водку спрятал и стакан ополоснул. Завтра она его увидит на столе, обо всем моментально догадается, а Родионову не хотелось, чтобы Маша знала, из-за чего он пил.

Гадость какая! Гадость и глупость.

Надо же было так вляпаться.

После водки он быстро уснул, но часов в пять проснулся и больше уже не спал, маялся, ворочался, пытался даже телевизор смотреть, но не смог и засел за компьютер. К тому времени, когда пришла Маша, он под горячую руку написал уже страниц восемь и теперь раздумывал, переписывать или и так сойдет.

Почему-то она не спешила подняться к нему, тихо возилась внизу. Он слышал, потому что дверь из его кабинета на площадку была приоткрыта. Через несколько минут оттуда, снизу, потянуло запахом кофе.

Он перечитал написанное, в одном месте поморщился, в другом засмеялся, в третьем быстро дописал и решил, что все пристойно. Можно и так оставить.

Правда, действие на этих восьми страницах решительно никак не развивалось, одни умные рассуждения, но это ничего. Ладно. Дальше пойдет веселее.

— Доброе утро, Дмитрий Андреевич.

Не поворачиваясь, он буркнул:

— Привет. Свари мне кофе.

Несколько секунд было тихо, а потом прямо перед его носом на столе возник подносик, а на нем кружка, от которой остро и сладко пахло, а рядом жесткая от крахмала салфетка, и серебряные ножик и ложка, и еще тарелочка, а на тарелочке два золотистых тоста, сыр и еще что-то вкусное, утреннее, символизирующее радость бытия.

— Спасибо.

— Дмитрий Андреевич, мне нужно с вами поговорить.

— Валяй.

Он взял тост, намазал на него паштет, откусил, засыпал крошками майку, стал стряхивать их пятерней и стряхнул — на клавиатуру.

— Маша!

Она нагнулась через его плечо и дунула на клавиши. Крошки разлетелись.

— Теперь все бумаги будут в крошках, — пробурчал Родионов недовольно, и еще откусил, и отхлебнул кофе, и в желудке стало тепло и хорошо, а на душе светло, и даже задержанная рукопись показалась неважной. Что там рукопись, когда есть бутерброд и кофе с молоком!

— Дмитрий Андреевич, мне нужно с вами поговорить.

— Ну, валяй, валяй!..

Она вышла из-за его плеча, обошла стол и села почему-то далеко, у самого окна, в неудобное кресло с высокой спинкой.

Кресло было найдено на помойке родионовским другом Григорьевым, который, будучи парижанином той самой «третьей волны» эмиграции, то есть уехавшим не слишком давно, чтобы все забыть, и не слишком недавно, чтобы не успеть соскучиться, очень любил русскую старину.

Григорьев, как все порядочные французские эмигранты, имел в дедушках русского академика, половину леса в Луцине, которая ошибочно была принята за дачный участок и выдана дедушке Академией наук именно в качестве участка. Как все французы, он очень любил Москву, разумеется! Едва только стало возможно, он открыл здесь отделение своей французской фирмы, завел приличную квартирку и приютил собаку Полкана. Полкан, будучи беспризорным, таскался по Луцину, попрошайничал, а на Новый год наедался так, что застревал в заборе, и приходилось выламывать ветхие колья штакетника, потому что Полкан не проходил. Время от времени Григорьев находил где-то то часы, то креслице николаевских времен и свозил это все на Ленинский знакомому антиквару Исааку Израилевичу. Исаак Израилевич реставрировал находку, и Григорьев получал совершенно ожившую, хотя подчас и не слишком удобную, вещицу.

Кресло, в которое зачем-то села Маша, дожидалось в кабинете у Родионова отправки в Париж, но дело застопорилось. Родионов подозревал, что друг его Григорьев пребывает в мучительных противоречиях с собой — неожиданно для себя он вдруг открыл, что в Москве... интереснее, чем в Париже.

В Москве есть *нерв*, напряжение жизни и, главное, есть то, чего так не хватает за любой границей. Здесь есть те, чье воображение можно поразить, а это так важно! Весник на своем особенном вороньем языке сказал бы, что это самое поражение воображения — одна из важнейших мотиваций! Здесь есть друзья, коллеги по бывшей работе, бывшие и настоящие жены, соученики, подруги, родственники, давние знакомые, недавние знакомые, знакомые родителей и родители знакомых — и всем есть до тебя дело, и всем до ужаса любопытно, кем ты стал, и страсть как хочется узнать, на что ты годен!

Родионов знал это по себе. Когда он стал знаменит

и узнаваем, приятельницы его матери, дружившие с ней по сорок лет, поначалу с деланым недоумением спрашивали, чем же на самом деле занимается ее сын — пишет книжки? Какое странное занятие, ей-богу! А почему он при этом на работу не ходит?! Потом они лишь поджимали губы, а потом и вовсе перестали с ней здороваться, и тут Родионов понял, что у него все хорошо! Все просто отлично! Барометр показывает «бурю», а это гораздо лучше, чем «великая сушь»!

— Великая сушь, — пропел Родионов на мотив из оперы «Князь Игорь». — Великая, великая сушь!..

— Дмитрий Андреевич...

— Я не слышу, что ты там мяукаешь, — сказал он громко, — и зачем ты туда села? Мне тебя не видно. Пересядь и говори, в чем дело.

Маша помедлила и не пересела. Что-то с ней странное сегодня!

— Дмитрий Андреевич, я не могу ехать с вами в Киев. Простите.

Родионов сосредоточенно дожевал тост, а потом допил кофе.

— Я могу спросить, почему?

— По семейным обстоятельствам, Дмитрий Андреевич.

— Что это такое за обстоятельства?!

— Я... не могу вам сказать.

— Понятно.

Он зачем-то вытер руки о джинсы, вылез из кресла, пнул его ногой, так что оно шустро покатилось в сторону, и стремительно подошел к Маше. Когда ему было надо, он умел двигаться очень быстро.

Она вскочила и забежала за кресло.

— Так, в чем дело? Нам завтра лететь, а ты такие... фортели выкидываешь!

— Я не полечу, Дмитрий Андреевич. Я не могу.

Тут он заметил, что у нее какое-то странное лицо, как маска. И еще сбоку какая-то полоса, то ли желтая, то ли красная, не зря она села спиной к свету, как в детективе!

Родионов взял ее рукой за подбородок, повернул к свету и все увидел, хотя в следующую секунду она вырвалась. У нее стали злые и несчастные глаза.

— Ты что? Подралась? — спросил Родионов первое, что пришло ему в голову, потому что он сам подрался. Вот совпадение какое! — И с кем?

— Я ни с кем не дралась, Дмитрий Андреевич. Но у меня... проблемы, и ехать я никуда не могу.

— Маша, что случилось?! Тебя что, вчера в КПЗ забрали? Били? Издевались?

— Никто надо мной не издевался и не бил, Дмитрий Андреевич. Мне нужно... уладить свои дела. Я вас отвезу сегодня на НТВ и завтра на самолет, но сама лететь не могу.

Родионов подумал и ляпнул:

— Я тебя уволю.

— Нет, — быстро сказала Маша Вепренцева. — Не надо меня увольнять!

— Тогда объясни мне толком, в чем дело, и все! Я не могу тут... антимонии разводить, у меня дел по горло! Марков меня вчера, как лягушку, препарировал, потому что я книжку не сдал, и еще ты мне тут нервы треплешь! Говори быстро, ну! И царапина откуда?! С самосвала упала? Тормозила головой?

Маша засопела, отвернулась, и Родионов решил, что она сейчас заплачет. Что он станет делать, если она заплачет?! Она не должна плакать, потому что он совершенно не знает, что ему делать с ней, плачущей! Он тогда тоже раскиснет, а он не должен и не может раскисать, потому что у него роман, сроки, командировка и всякое такое! И вообще он равнодушный!.. И еще подруга Люда вчера вечером вывела его из состояния душевного равновесия! А теперь и Маша, от которой он не ждал никакого подвоха, пытается уничтожить остатки его покоя! А покой, между прочим, необходим для работы!

— Дмитрий Андреевич, простите, что я вас так подвожу, но... я должна остаться в Москве.

— Зачем?! И как ты можешь остаться, если у нас... у тебя в Киеве работа?! Ты же не на прогулку едешь!

— Дмитрий Андреевич...

— Говори быстро, в чем дело!

Она заплакала и закрыла руками лицо. Наверное, с той стороны, где была длинная воспаленная царапина, ей стало больно, потому что она отдернула ладонь.

— Это мои... семейные проблемы. Это... не имеет отношения к вам.

Родионов замычал сквозь стиснутые зубы.

— Тебя чего, мама в угол наказала? Или розгами секла? Почему морда вся расцарапана?

Она молчала и плакала.

— Хорошо, — отрезал Родионов. — Отлично. Можешь идти, ты свободна.

Маша перестала плакать и посмотрела на него внимательно:

— В каком смысле свободна?

— Абсолютно во всех, — уверил ее великий писатель, — на НТВ я съезжу сам. Веснику только позвони, скажи, что ты не летишь. Встретимся после командировки. Постарайся за это время прийти в себя.

— Хорошо, — тихо сказала Маша Вепренцева.

Родионов вернулся за стол, дернул «мышь» и уставился в монитор.

— Да, — как будто вспомнил он, приготовляясь ударно печатать, — свой билет тебе придется переоформить, но я думаю, что это быстро. Или Табакову попроси, она же билетами занимается!

— Как... переоформить, Дмитрий Андреевич?

— На другое имя. Раз ты не летишь, я подругу с собой возьму. Подожди, я ей позвоню, спрошу паспортные данные. Или нет, ты ей сама позвони. Где моя записная книжка?..

Это был чистой воды блеф, но он отлично сработал. Неизвестно, поверила ли Маша, но она тут же сказала:

— Нет.

Чего-то в этом роде писатель Воздвиженский и ожидал. Он все про нее знал.

— Что нет? — спросил Родионов участливо. — Ты не знаешь, где моя книжка?

— Дмитрий Андреевич, я не хочу вам рассказывать, потому что это... просто семейное дело.

— Семейное дело с криминалом? — сухо поинтересовался Родионов и кивнул на ее щеку. — В процессе этого дела тебя били?

Она тоскливо посмотрела в окно, за которым было радостно, солнечно, весело, как бывает только в мае, когда все впереди.

«Да уж, — подумал Дмитрий Андреевич, — вот беда. Еще, боже избави, придется мне ее делами заниматься, а я не умею. И не хочу!»

— Хорошо, — произнес он, раздражаясь. — Если ты не хочешь говорить, тогда просто скажи, что нужно сделать, чтобы ты поехала со мной. Я все сделаю, и ты поедешь. Только не думай, пожалуйста, что я... такой благородный. Просто мне без тебя неудобно. Очень.

Маша опять села в григорьевское кресло, и лицо у нее приняло сразу несколько выражений, как будто на это самое лицо вдруг опрокинули кувшин с разными чувствами. Кажется, был такой кувшин в греческой мифологии. Или не кувшин, а ящик. И не с чувствами, а с болезнями и несчастьями.

— Мне нужно быстро увезти из Москвы детей.

Родионов насторожился.

— Тебе опять... звонили?

— Нет!

— Не звонили?

— Дмитрий Андреевич, это никак не связано с тем звонком, клянусь вам! Это... совсем другое дело, но мне правда нужно!

— Да что такое случилось-то?! — заорал Родионов. — Почему второй день подряд мы должны заниматься твоими детьми?!

— Вчера звонили и угрожали моим детям, если вы поедете в Киев! И все! То, что мне их нужно увезти, с Киевом никак не связано!

— Дьявол!

Оба замолчали и молчали довольно долго, изредка посматривая друг на друга.

— А дочери твоей сколько лет? — вдруг спросил Родионов.

— Пя... то есть шесть. Лерке шесть, конечно же.

— Молодая еще, — оценил великий писатель.

Маша Вепренцева кивнула.

— А муж? Может, ты его привлечешь к участию в эпопее?

— Нет! И его... вообще нет и... не было никогда.

Родионов поднял брови:

— Непорочное зачатие?

Маша пропустила богохульную и неуместную шуточку мимо ушей.

— Хорошо. А что, если мы твоего Сильвестра возьмем с собой в Киев, а молодую девушку ты куда-нибудь временно пристроишь? Ну, хоть жене Маркова!

— Кому?! — оторопело спросила Маша Вепренцева.

— Юле Марковой, — терпеливо объяснил великий. — Ты же с ней знакома!

— Знакома, но не настолько, чтобы она брала моих детей на временное содержание!

— Зато я знаком достаточно! Она изумительная женщина, и у нее своих двое. Старшая большая совсем, а младшая еще маленькая, вроде твоей. У них на даче охрана, в машине охрана, на озере охрана, и вообще жизнь организована хорошо, не то что у нас.

Это был увесистый камень в Машин огород, который просвистел впустую, Маша его даже не заметила.

— Ну что? Я звоню Юле?

От целого кувшина чувств осталось одно смятение, и Маша немедленно в него нырнула.

Отдать Лерку Юле Марковой, жене владельца самого крупного и знаменитого в России издательства?! А самой в это время лететь в деловую командировку с другим ребенком?! Продолжать «игру втроем», начатую вчера в пиар-службе?! Вовлечь начальника в свою семейную жизнь уже окончательно и бесповоротно?! Заставить его разбираться с ее проблемами?!

— Не-ет, — протянула она, — нет, Дмитрий Андреевич, это же совсем неудобно!

— Я не знаю, насколько это неудобно, потому что я вообще не знаю никаких подробностей, — сказал он язвительно. — Ты же мне ничего не объяснила!

— Я не могу...

— Вот именно. Я предлагаю тебе вариант решения вопроса. Если он тебе не подходит, оставайся в Москве и меняй свой билет. Я тебе уже говорил.

Они посмотрели друг на друга.

Аркадий Воздвиженский был чертовски наблюдателен, когда имел дело с посторонними людьми. Он замечал все — сигареты, галстуки, манеру говорить по телефону, курить или облизывать губы. Он знал, кто и как садится в машину, кто как ест, кто сколько пьет, и все это шло в дело, безостановочно, постоянно, недаром он писал свои истории так давно и столь успешно. Он все умел замечать, но только в том случае, когда дело не касалось его лично. Вот здесь он становился слепым, как крот.

А не посчитать ли нам, господа состоятельные кроты?

Ну что ж! Посчитаем!

Раз — он понятия не имел, что Маша в него влюблена.

СAKBОЯЖ СО СВЕТЛЫМ БУДУЩИМ

Два — он думал, что она просто такой хороший работник и вообще толковая девушка, как называл всех тридцатилетних дам великий классик английской литературы Джон Голсуорси.

Три — он везде таскал ее за собой и был уверен, что Маша так восторженно на это соглашается просто потому, что ей нравятся работа и мир, который открывается перед ее глазами благодаря ему.

Четыре — он ходил с ней на балы и банкеты, и ему в голову не приходило, что окружающие могут относиться к ним как к «паре», и он неустанно осуществлял поиск новых девиц для личного пользования и знать не знал, что эти его поиски для нее мучительны, как самые изощренные пытки.

Пять — он считал ее ревность отчасти профессиональной, отчасти карьерной, ну, вроде того, что она боится, как бы не появился кто-то третий, кто вдруг оттеснит от нее шефа, и все. Все!

Вот сколько всего насчитали господа состоятельные кроты!

Маша Вепренцева не допустит, чтобы с ним летела «другая», и именно из своих карьерных соображений, так ему казалось.

Впрочем, люди всегда слышат не то, что им говорят, и видят не то, что им показывают, а то, что им удобнее или приятнее видеть или слышать!

Показывают, к примеру, бандитов. Да не тех, которые когда-то скакали по Шервудскому лесу, а вполне реальных, которые нынче скачут в «Лендкрузерах» между казино «Метелица» и казино «Голден Пэлэс». Показывают бандитов, а зрители видят чудесных молодых людей в чудесных автомобилях и в окружении чудесных красоток. Молодые люди любят детей и собак, родителей любят и жен, несправедливость мира приводит их в негодование, и благородная борьба парней за хорошую жизнь кажется как раз робингудовской, и в конце все плачут, потому что злые и продажные люди убивают их, светлых и благородных. И уже никто не слышит режиссера, который пытается объяснить собравшимся, что он имел в виду совсем не это, что он хотел продемонстрировать миру губительность насилия и беззакония, что вся внешняя красота жизни героев — это миф, блеф, утренний туман, а впереди только опустошение и гибель. Да и уверения эти кажутся по меньшей мере странными, и зрители как будто снисходительно похлопывают режиссера по плечу: ладно, ладно, мы все понимаем, не маленькие! Они же чудесные парни, особенно вот этот, который в следующем фильме уже играет Христа, и перевоплощение это загадочно, странно, немыслимо, но у кинематографа свои законы!

— Ну что? — спросил искуситель Родионов. — Звонить Юле или нет?

И Маша Вепренцева согласилась.

Конечно, звонить. Она не может остаться, и ей даже подумать страшно, что ее шеф полетит в командировку не с ней, а с подругой.

Она сдаст Лерку Юле — если та согласится, — купит билет Сильвестру, и как-нибудь все обойдется.

Только как?! Как?!

Беда пришла с той стороны, про которую Маша совсем забыла, и по сравнению с тем гадким телефонным звонком оказалась настоящей катастрофой, и тревога, которую невозможно было унять, накрыла ее с головой.

Она все думала: «Что мне теперь делать?» Маша думала так в метро, когда ехала на работу. Думала, когда варила кофе, думала, когда разговаривала с Родионовым.

«Что мне теперь делать?»

Да, да, сейчас она их спасет, обезопасит, а потом? Что они все станут делать потом, когда неизбежно придется возвращаться?!

Она останавливала себя, потому что точно знала,

что все равно ничего не придумает, и начинала думать сначала, и это было мучительно и трудно.

В конце дня с извинениями, книксенами, приседаниями и лепетанием благодарственных слов она отвезла Леру на дачу Марковых, где ее приняла немного недоумевающая Юля, впрочем, вполне доброжелательная. Лерку тут же увели в дом, и она, как образцовый детсадовский ребенок, сразу пошла туда и даже оглянулась и помахала ладошкой, все еще пухлой, все еще младенческой, и Маша чуть не зарыдала, словно прощалась с ней навсегда.

Юля, удивившись еще больше, уверила ее, что с девочкой ничего не случится, и пригласила Машу на чашку чаю, и все это было так далеко от Машиной собственной жизни: устроенный и давно налаженный быт, ухоженный яблоневый сад, газоны, большая добродушная собака, которая, прислушиваясь к их разговору, задрала и смешно наставила одно ухо.

А на следующее утро они улетели в Киев — мрачный Родионов, похохатывающий Весник, подавленная Маша и ликующий Сильвестр Иевлев, которого взяли в «большое путешествие».

Если бы Маша Вепренцева знала, что ждет их в этом самом путешествии, она заперла бы своего сына на замок в квартире, где летом всегда было жарко, а зимой холодно.

Но она не знала и только десять раз повторила сыну, чтобы он «вел себя прилично»!

Комната оказалась огромной — зал, а не комната! — и в ней было как-то слишком «ампирно», как на ухо Маше заметил Родионов. Позолота на потолке, позолота на штофных обоях, на резных спинках стульев, на рамах внушительных картин. Ничего, кроме внушительности, картины не отображали, и художников, чьими фамилиями они были подписаны, Маша не знала.

Один попался смешной. Его звали Григорий Пробей-Голова.

Маша долго рассматривала его картину, прислушиваясь к голосам, которые то нарастали, то утихали у нее за спиной. Народу было много, и все сплошь — местные и столичные знаменитости. Картина висела на стене полукруглой веранды, примыкающей к залу.

Григорий же Пробей-Голова отобразил на своем полотне белостенную хату с подсолнухами и мальвами в палисаднике. На лавочке перед хатой стояли горшки и крынки, пузатые и вытянутые, покрытые чистыми марлицами и простоволосые, всякие. Картина Маше нравилась. Конечно, она была несколько... тяжеловата, но там было так много тягучего и теплого, как мед, солнца, так осязаемо была нагрета лавочка, так весело побелена хата, так живописны подсолнухи и мальвы, что в нее хотелось нырнуть. Сидеть на теплой лавочке, свесив босые пыльные ноги, жмуриться, слушать гудение пчел над ухом, лениво отмахиваться от мух, лузгать семечки, выковыривая их из улыбающейся подсолнуховой морды. И больше ничего, ну ничего не надо!..

— Да в том-то и дело, что я не знаю, — послышался вдруг громкий шепот. Маша посмотрела в сторону резной двери, возле которой висела сказочная картина. Шепот доносился оттуда. — Понятия не имею. Когда ее представляли, я не расслышала, но, по-моему, это прислуга. Да не знаю я!.. Вот как теперь быть?! За общий стол ее сажать или нет?.. Лидочка, как бы узнать, а? И главное, у него не спросишь, он же писатель, вдруг обидится!

Маша Вепренцева, сообразив, что речь идет о ней и именно про нее не знают — «прислуга» она или нет, покраснела до ушей, до корней волос. Картина с ухмыляющимся подсолнухом была забыта. Кровь вдруг с шумом ударила в барабанные перепонки, как морской прибой. Она и не знала, что кровь может так шуметь!

Нужно найти Сильвестра и уйти в свою комнату. Она не станет ничего объяснять, она быстро уйдет, и все.

Маша пощупала руками щеки. Шепот за дверью все продолжался, и ей хотелось дослушать из каких-то мазохистских, уничижительных соображений, но дослушать ей не дали.

— Как вам картина? — спросили за спиной, и Маша быстро обернулась. Позади нее стояла Катерина Дмитриевна Кольцова, жена олигарха и губернатора, и, говорят, даже будущего кандидата в российские президенты, которого Маша еще не видела. Про олигарха, как и кандидата в украинские президенты Головко, гостям было сказано, что «они заняты и будут только к ужину».

— По мне, так слишком много краски. А вам как?

— Мне нравится, — сказала Маша быстро. — Извините меня, Катерина Дмитриевна. Я должна найти своего сына.

— А что его искать? Ваш сын на лужайке за домом гоняет мяч вместе с нашим сыном, — безмятежно ответствовала Катерина. — Они там морс пьют. Я сама видела, как его понесли. Хотела побежать и тоже выпить, такая жара! А здесь почему-то одно спиртное.

И она кивнула в «зал», где, как в большом аквариуме, неторопливо плавали гости. От рыб они отличались тем, что еще разговаривали, шептались, смеялись, пожимали плечами и закатывали глаза.

«Нужно быстро изобрести какой-то предлог, чтобы уйти, — сказала себе Маша. — Сейчас же, ну!»

— Хотя подсолнухи хороши, — как ни в чем не бывало продолжала жена олигарха, — особенно вон тот, здоровый. Аркадий Воздвиженский ваш муж?

— Нет, — резко ответила Маша. — Он мой начальник.

— Да ну? — удивилась жена олигарха. — А похож на мужа.

Спрашивать было нельзя, но Маша — черт тебя подери, Маша! — все-таки спросила:

— Почему на мужа?

Катерина Кольцова очертила в воздухе неопределенный круг бокалом, который держала в руке:

— Не знаю. Он все время смотрит в вашу сторону и делает бровями вот так. — Она показала, как Воздвиженский «делает бровями». — Мой тоже всегда так делает, когда на приемах не знает, чем заняться. Мы называем это «невещественные знаки». Это из Гончарова, помните?

Маша метнула на нее быстрый взгляд.

Жена олигарха была в льняных брючках и какой-то финтифлюшке, до того простой и незатейливой, что становилось абсолютно ясно, каких денег стоит ее скромный летний наряд. Маша Вепренцева в пиджачной паре чувствовала себя рядом с ней как текстильный комбинат по производству солдатского сукна рядом с витриной брюссельских кружев. Еще ей казалось, что она красная и распаренная, как сахарная свекла в горшке, а эта самая жена олигарха была прохладной и свежей, как летний бриз.

Или бриз — морской? А что тогда бывает летним? Ветерок, дуновение, порыв? Пассат, муссон, торнадо, ураган «Гретхен»!

— Ма-ам, — завопил где-то поблизости Сильвестр Иевлев, — мам, можно мы с Мишкой в настольный теннис поиграем?!

Маша не видела Сильвестра и не могла понять, откуда он вопит, поэтому закрутила головой во все стороны, пытаясь его обнаружить, и не обнаружила.

— Они за кустами, — сказала Катерина Кольцова, — там вроде бассейн.

Она пристроила на перила свой бокал, сбежала по широким и гладким ступеням в сад и моментально полезла в кусты.

Маша Вепренцева вдруг подумала — как хорошо,

наверное, быть Катериной Кольцовой. Как хорошо быть настолько уверенной в себе, чтобы не обращать совсем уж никакого внимания на то, как ты выглядишь со стороны и что о тебе подумают окружающие!

Следом за Катериной Маша вышла на английский газон и зажмурилась — здесь было очень много солнца, гораздо больше, чем на прохладной полукруглой веранде, и оно сразу приятно и нежно защекотало шею, и спине стало жарко под бронетанковым пиджачным сукном.

— Ма-ам, ты где?!

— Я здесь.

— Мам, я тебя не вижу!

— Я тоже тебя не вижу.

— Да вот же я, вот!

— Лезьте к нам, — подала голос Катерина Кольцова, — прямо через кусты, они не слишком густые.

Маша покорилась и полезла. Кусты затрещали, как ей показалось, очень громко, листья полезли в глаза, и она проломилась на ту сторону живой изгороди как раз в тот момент, когда на веранду вышла хозяйка дачи Мирослава Цуганг-Степченко, которая никак не могла решить, прислуга Маша или нет, и сильно из-за этого переживала. С ней были две прекрасные дамы и один джентльмен, значительно менее прекрасный. Все трое с изумлением уставились в пролом в кустах, который устроила Маша Вепренцева.

— Господи, — с громким недоумением сказала одна из дам, — что там такое?

— Это я, — зачем-то откликнулась Маша и из-за кустов глупо помахала рукой, — извините меня, пожалуйста!

Дама пожала плечами и приподняла безупречной формы брови, впрочем, быстро их опустила — как пить дать косметолог запрещал мимические ужимки во избежание ранних морщин.

Ее звали Лида Поклонная, и она была актрисой.

Никто не знал, в каких фильмах и спектаклях она играла, зато все знали, что она жена знаменитого Андрея Поклонного, героя многочисленных телевизионных сериалов, концептуальных и массовых кинокартин, спектаклей, постановок, шоу и даже новейших эпопей. Про «звездную пару» писали газеты и журналы, их фотографии помещали на обложках, об их личной жизни судачило и за них переживало большинство населения державы, которое хлебом не корми, дай за кого-нибудь попереживать.

Остальных Маша не знала.

Катерина Кольцова с лужайки махала ей рукой, звала к себе, и Маша, оглянувшись на квадригу на ступеньках, пошла все быстрее, а потом побежала, словно за ней гнались.

— Мам, смотри, как тут здорово! А можно мы искупаемся?

— Нет.

— Да.

Это жена олигарха сказала.

Бассейн, со всех сторон загороженный буйно разросшимися розовыми кустами, скрытый и от дома, и со стороны лужайки, посверкивал так соблазнительно и заманчиво, так плескал водой на чистейший кафельный бережок, такой безупречной стопкой лежали на его краю махровые простыни, что Маша моментально загрустила. Поплавать бы, а потом на солнышке поваляться — красота!

— Мам, ну почему нет?!

— Мы не знаем, можно в нем купаться или нельзя.

— Я знаю, — опять встряла жена Кольцова, — можно. Почему нельзя-то?!

Сильвестр приплясывал рядом, лоб у него был влажный, а в глазах мольба. Ему очень хотелось немедленно искупаться. Второй мальчик — как пить дать сын олигарха — в некотором отдалении валялся на траве. Маша то и дело на него взглядывала, исподволь пытаясь его рассмотреть, хотелось понять, чем дети олигархов отличаются от обычных человеческих детей, но ей было неловко пялиться.

— Мишка, — позвала Катерина Кольцова, — зря ты валяешься. Земля холодная.

— Теплая, мам!

— Это тебе так кажется.

— Папа говорит, когда кажется, креститься нужно!

— Вот именно, — хладнокровно согласилась мать. — Давай крестись!

Мальчишка побрыкал ногами, покатался с боку на бок, сделал какую-то сложную стойку на руках и вскочил. И посмотрел на них победителем.

— Это специально для вас, — на ухо Маше быстро сказала Катерина, — демонстрация неслыханных возможностей.

Маше все это было знакомо.

— Слушай, — сказала она с натуральным восхищением, — как это у тебя получается?

Мальчишка дернул плечом:

— А так! Это нас на тренировке учат.

— А чем ты занимаешься?

— Кунг-фу, — с гордостью сказал мальчишка. — Меня вообще-то Миша зовут. Папа говорит, что спортом имеет смысл заниматься, только если хочешь быть первым, а так это ерунда и пустая трата времени. А вас как зовут?

— Меня зовут Мария Петровна.

Мальчишка посмотрел на нее с недоверием:

— Вы что? Старая?

Маша растерялась:

— Почему?

— Только старых зовут по имени-отчеству и еще учителей. Вот у меня по английскому Ангелина Степановна, а по труду Светлана Афанасьевна. А по русскому еще...

— Мишка, не морочь нам голову.

— Мама, ты что? Не понимаешь?

— Ты зови ее Машей. Ее все так зовут, — издалека посоветовал Сильвестр. Он на травке пытался изобразить сложное движение, с помощью которого сын олигарха поразил Машино воображение. У него не получалось, но он старался и от стараний покраснел даже.

В конце концов он грохнулся на траву, полежал и сообщил, глядя в небо:

— Я вообще-то в теннис играю. Весной первое место занял в своей возрастной группе. Мне медаль дали, вот такую. А ты играешь, Миш?

Мишка покрутил головой. Он был совсем не такой, как длинный, худой и романтический Сильвестр, — плотный, коренастый, широкоплечий и лобастый, как щенок-бульдожка.

«Очень похож на отца, — подумала Маша, — по крайней мере на его фотографии в газетах. На мать не похож совершенно».

— Не могу его заставить, — посетовала Катерина Дмитриевна, — не играют Кольцовы в теннис. У них это семейное. На лыжах едва заставила кататься, а в теннис ни в какую не соглашаются!

— У меня мама тоже не играет, — сообщил Сильвестр и с сожалением подумал, отчего у него нет с собой медали. Она сейчас очень бы придала ему весу. Впрочем, медаль не самое главное. Самым главным в данный момент было как-то заставить мать согласиться на их купание.

— Так жарко, — сказал он в пространство, — градусов двести. Это, наверное, оттого, что мы на юге, да, мам?

— Да.

— А тут всегда так жарко?

— Зимой холодно.

— Как в Москве?

— Нет, наверное, немножко теплее, но все равно холодно!

И вот нисколечко он к намеченной цели не продвинулся!

— Ма-ам, — протрубил Миша Кольцов, не отягощенный соображениями высокой политики, — ну можно мы искупаемся, а?

— Купайтесь, конечно! Твои плавки в сумке, сумка в нашей с папой комнате на кровати, если горничная ее не разобрала.

— А если разобрала?! Я тогда не найду, мам!

— Это означает, — пояснила жена олигарха Маше Вепренцевой, — что я должна пойти и найти его плавки! Могу и вашему принести, у нас, по-моему, три пары.

— Они свалятся с его костлявой задницы, — сообщил Михаил Кольцов и подбородком указал в сторону Сильвестра Иевлева.

Тот хихикнул.

— Он в крайнем случае руками их придержит, — хладнокровно ответила его мать, и Маша запротестовала.

У них есть собственные плавки. Она специально взяла на всякий случай. Она сейчас пойдет и принесет их, если, конечно, Катерина Дмитриевна уверена, что детям разрешат купаться. «Мы и спрашивать не станем!» — фыркнула Катерина Дмитриевна. В таком случае Маша идет в их с Сильвестром комнату. За плавками.

Катерина махнула рукой и снова полезла в кусты, а мальчишки, коротко посовещавшись, умчались к пинг-понговому столу.

Голоса удалялись, и Маша вдруг почувствовала себя брошенной. Единственный постоянно действующий мужчина ее жизни, сын, в данный момент совершенно ею не интересовался, ему «по приколу» в настольный теннис поиграть с новым приятелем, и Катерина Кольцова не разделила ее обиды, что уж говорить про Воздвиженского, который занят своими умными разговорами!

Она прошла вдоль живой изгороди по идеально подстриженной, пружинящей под ногами траве, вырулила на плиточную дорожку и несколько секунд соображала, в какую сторону идти к дому.

Участок был огромный, весь заросший лесом. Сосны, высоченные, смолистые, южные, стояли, не шелохнувшись, как будто грелись на солнце. Мирослава Цуганг-Степченко, встречая гостей, непонятно стрекотала на смеси русского и украинского языка, которую Маша совершенно не понимала, особенно когда говорили быстро, и из ее стрекотания выходило, что участок спускается к Днепру и там даже есть пляжик и песочек, и «дорогие гости», если желают, могут купаться, хотя «Днипро» нынче еще холодный, но, если все-таки они желают, ее «чоловик» их проводит.

Маша думала поначалу, что «чоловик» — это тоже прислуга, вроде садовника, а оказалось — муж.

Она свернула по дорожке налево и некоторое время шла, пока не сообразила, что идет не туда, куда нужно, потому что дома все не было видно, а дорожка явно забирала в лес. Не хватало еще только заблудиться!

Как и большинство женщин, Маша Вепренцева страдала ярко выраженным топографическим идиотизмом и могла три часа блуждать между двух сосен и пребывать в убеждении, что дороги назад уж точно не найдет никогда.

Она повернула и пошла в обратную сторону и скоро дошла до развилки. Один плиточный рукав уходил направо, а другой — круто налево. Маша остановилась в задумчивости.

Солнце пекло, птицы пели, пахло лугом и близкой водой — видно, не наврала Мирослава Цуганг-Степченко, и «Днипро» был где-то близко. Шее стало жарко, Маша подняла голову и посмотрела в небо. Оно было очень высоким и очень синим, будто нарисованным лаковой краской.

Снять бы пиджак и туфли, — брюки на самом деле тоже можно снять! — нацепить джинсы с драными коленками, чтобы не было жалко и чтобы ветерок продувал, сверху финтифлюшку, вроде той, что была на жене олигарха, и бродить под соснами, и ни о чем не думать!

Нет, думать что-нибудь романтическое, вроде того, например, что Родионов так не хотел лететь без нее, что даже согласился взять Сильвестра с ними! Может, она ему нужна больше, чем он думает, и даже больше, чем думает она сама, и уж точно больше, чем думают Весник, Марков, Табакова и Лазарь Моисеевич Вагнер, вместе взятые?

Ужасно, что в голове у нее такая ерунда. Ужасно.

Маша выбрала дорожку и пошла по ней. Дома все еще не было видно, зато издалека она услышала поросячий победный визг своего сына, значит, продвигается в правильном направлении.

С правой стороны от дорожки вдруг что-то сильно треснуло, словно палкой ударили по стволу, и чей-то голос сказал громко:

— Нет, не так!

Голос был женский, и Маше показалось, что она его узнала.

— А как иначе?! Как все это понимать?! Если ты не хочешь иметь со мной дела, скажи! Скажи, скажи!.. И я тогда приму меры. — Это говорил мужчина.

— Вот именно, меры! — Маше, приостановившейся на дорожке, показалось, что женщина плачет. — Ты примешь меры! А обо мне ты подумал?! Ну что я буду делать?!

— Не знаю. Да мне это все равно!..

— Я не могу.

— А мне что прикажешь?.. Я жду еще день, и все, поняла? Только один день.

— Но я же...

— А мне наплевать! Я тебе сказал, и все! Это мое последнее слово!

Женский голос принадлежал Лиде Поклонной, а мужской Маша так и не узнала. Затаившись, она жда-

.ла. Что будет, если кто-то из них выйдет на дорожку и увидит ее?!

— И не смей больше говорить мне, что не можешь, — продолжал мужчина. — Я не стану слушать. Еще день, и я сделаю это сам. Поняла? Я тебя предупредил!..

Видимо, Лида Поклонная рыдала за кустами, Маша слышала ее судорожные всхлипывания. Неужели косметолог ей не объяснил, что рыдать еще более вредно, чем поднимать брови?!..

Подумав про косметолога, Маша почувствовала себя свиньей. У человека проблемы, пусть даже у такого... своеобразного, как Лида, а она, Маша, нисколько ей не сочувствует.

Снова легкое шевеление, шелест веток, и все смолкло. Маша бросилась вперед по дорожке, чтобы успеть отбежать как можно дальше. Не было никакого поворота, за который можно было бы забежать, и шалаша не было, и охотничьей сторожки. Сейчас человек, который за кустами угрожал красавице Лиде, выйдет на дорожку и увидит Машу, и поймет, что она подслушивала. Почему-то вспомнился ей телефонный звонок, и гадкий голос, который угрожал ее детям, и еще то страшное, что случилось с ней ночью перед самым отлетом в Киев.

Налетел ветер и зашумел высоко-высоко. На дорожке позади нее раздалось отчетливое цоканье, как будто шедший следом был подкован лошадиными подковами. Маша заметалась.

Прятаться по-прежнему оказалось решительно негде, и ей бы не прятаться вовсе, но она уже металась, и нужно было как-то завершить эти метания. Маша сиганула на траву, чуть не упала, увязнув каблуками в земле, побежала и юркнула за сосну. Нельзя сказать, что это было надежное убежище, но все лучше, чем никакое.

Цоканье приближалось. Маша поглубже задвинулась за сосну, но обнаружила, что спина и зад оказались вне укрытия. Тогда она дернулась вперед, но тут из-за сосны вылезла грудь. Пока она втягивала то грудь, то живот, то зад, на дорожке показался молодой человек, совершенно беззаботный.

Маша его не знала.

На нем были светлые джинсы,. коротенькая маечка, открывающая совершенный загорелый живот с совершенным мужественным пупком, в котором блестело что-то, как бриллиантовая звезда, а на плечи был накинут уютный свитер. На его щеку падали длинные, высветленные на концах пряди, и он вскидывал головой, сметая их с лица, и делал это весьма элегантно, хотя его никто не видел. Кажется, он даже насвистывал.

Кого-то он ей напоминал, но Маше из-за сосны было не разглядеть. Он жизнерадостно цокал ботинками, вскидывал голову, как будто гарцевал по дорожке, и все уже почти обошлось, но тут вдруг в кармане Машиного пиджака грянул марш мобильный телефон.

О боже!..

В дачной лесной тишине марш грянул так, словно под сосной внезапно ударил симфонический оркестр.

Молодой человек вскинул голову и глянул в Машину сторону. Сосна могла служить укрытием, пока незнакомец не знал, что она там. Как только он услышал марш, сосна укрытием быть перестала.

Маша яростно выхватила из кармана мобильный, так что вывернулась подкладка, улыбнулась судорожной улыбкой в сторону молодого человека, который вытаращил на нее глаза, открыла крышечку и сказала:

— Але!

Щекам и шее было так жарко, что от этого жара трудно стало дышать.

— Маш, ты куда пропала?

Это Родионов обеспокоился ее долгим отсутствием.

Она выбралась из-за сосны, поправила туфлю, как будто только для этого — для того, чтобы поправить ее, — она за сосной и пряталась, и пошла по траве к дорожке. Молодой человек рассматривал ее с живейшим интересом.

— Маша!! Маш, ты меня не слышишь?!

— А?

— Бэ!

— Я вас слышу, Дмитрий Андреевич.

— Ты где?

— Я... гуляю.

— Чего ты делаешь? — поразился Родионов.

Маша уже почти дошла до молодого человека и остановилась. Он и не думал уходить.

— Дмитрий Андреевич, я сейчас приду.

— Да уж, пожалуйста, — пробормотал Родионов. — Мне нужны мои книжки. У нас есть с собой? Але, Маш!

— Да, да, есть, я принесу. Сейчас.

И нажала «отбой». И сказала со всем легкомыслием, на которое только была способна в данную минуту:

— Здравствуйте.

— Доброго дня, пани. Дуже радый вас бачыти. Заблукали?

— Что?

Молодой человек тряхнул своей гривой, как показалось Маше, насмешливо.

— Заблудились?

— Я? Ах, да, да, такой огромный участок, даже непонятно, где дом.

— Уже недалеко, — сказал молодой человек, и Маша окончательно уверилась в том, что он над ней смеется.

Господи, что он про нее думает?! Что, с его точки зрения, она могла делать, спрятавшись за сосной?!

Молодой человек неторопливо вынул руку из плотного кармана джинсов, подал ее Маше и представился:

— Стась Головко. Можете говорить мне Стас.

Маша думала только о том, как бы ей побыстрее от него отделаться.

— Сын будущего президента, — счел нужным пояснить Стас, — если, конечно, ваши отвалят батьке достаточно грошей!

— А-а, — протянула Маша неопределенно.

— Так вы что же? Прогуливаетесь?

— А вы? — вдруг спросила Маша Вепренцева, которая хорошо слышала, как плакала в кустах Лида, жена суперзвезды Андрея Поклонного. — Вы тоже прогуливаетесь?

Молодой человек пожал плечами:

— Я только что приехал. Батька приказал быть на званом вечере. Сегодня мы все изображаем счастливое семейство. Почти что святое. Святое семейство!

Тут он захохотал так оглушительно, что из ближайших кустов выпорхнула какая-то птаха, затрещала крыльями.

— Это замечательно, — сказала Маша, не придумав, что бы такое сказать более умное.

— А вы тут гостья? Или батькина... сотрудница?

— Чья сотрудница?

— Моего батьки! Головко Борис Дмитриевич мой батька. Президент будущей незалежной Украины. Вы... не с ним?

Это прозвучало как-то уж совсем двусмысленно, и от этой двусмысленности, недосказанности, недавних рыданий Лиды Поклонной, а отчасти, может, и от жары, Маша покраснела, и волосы на виске у нее стали влажными.

— Мы приехали по приглашению госпожи Цуганг-Степченко и ее супруга, — отчеканила она. — Я работаю с Аркадием Воздвиженским. Он...

— Та-та-та! — странным образом воскликнул молодой человек. — Это тот, который детективы пишет?

— Да.

Прохладной, сухой и очень властной рукой он взял Машину ладонь. Маша скосила на нее глаза. Рука, как и все остальное, у молодого человека была совершенна — длинные пальцы, блестящие ногти, гладкая кожа. Маша отвернулась.

— Познакомьте меня с ним, — вдруг попросил молодой человек с придыханием. — Я даже не знал, что он здесь будет! Думал, опять скукота смертная! Он ведь придумал модель идеального преступления, да? Он же гений!

Маша даже растерялась немного.

То есть всем давно и хорошо известно, что Воздвиженский гений, большой русский писатель и почти бородатый прозаик, но все же редко молодые люди, вроде этого самого Стаса Головко, с таким энтузиазмом восклицают, что мечтают с ним познакомиться!

— А он бывший мент, да? — не унимался Стас. — Или, может, юрист?

Вернее он произнес «юрыст».

— Да нет, — ответила Маша и осторожно вытащила у него из руки свою ладонь.

— Но служил, конечно, да?

— И не служил.

— Как?! — поразился Стас Головко. — Он придумал идеальную схему убийства и даже не мент?!

Час от часу не легче.

Родионов то и дело придумывал всякие разные схемы, запутывал следы и терял трупы, и Маша находила их в недрах его компьютера, и он не знал, кто именно превратил того или иного персонажа в труп, и приходил от этого в негодование или, наоборот, в бурное веселье. Но, насколько было известно Маше, он никогда не задавался целью придумать какие-то «идеальные» убийства, о которых Стас говорил сейчас с таким пылом!

— Я читал все, и по много раз! Я даже нарисовал ту схему, которую он предлагает, и повесил ее над письменным столом! Я пытался найти прокол в ней и не нашел! — Тут он захохотал и откинул со щеки волосы, и Маша стороной, с опаской, посмотрела на него. —

Я не нашел ни единого изъяна! Если действовать по схеме, которую он предлагает, никто и никогда не догадается, кто совершил преступление. Вы понимаете, да?

Маша пожала плечами. Соглашаться или не соглашаться не имело никакого смысла. Стас Головко ничего не слышал. Глаза у него горели, и волосы летели по ветру, как у Мцыри со старинной иллюстрации, которая была в книге у Сильвестра.

Сильвестр рассматривал романтического героя и осведомлялся, почему тот такой лохматый, как Маугли!

— И никто ничего не сможет доказать, даже если догадается! Я пытался понять, в чем фокус, где он надувает, и не смог, вы представляете?! Как вас зовут?

— Мария Петровна Вепренцева.

— Я же понимаю, что это фокус, ловкость рук, потому что не бывает идеальных убийств! Ну, вроде кролика из шляпы, и не могу, не могу понять, в чем дело! Он гениальный злодей, ваш Воздвиженский!

Маша была слегка напугана его напором и верой в то, что писатель Аркадий Воздвиженский каким-то особым образом придумывает схемы идеальных убийств! Он хороший детективщик, и ему интересно запутывать читателя и запутываться самому, но не до такой степени, чтобы юнцы вроде Стаса Головко отображали его затеи на плакатах, развешивали по стенам и затем придирчиво изучали их на предмет логических дыр и провалов!

Одно во всем этом было просто замечательно. Разглагольствуя об убийствах, Стас позабыл о том, что Маша пряталась от него за деревом.

— Вы не представляете, как я рад, что он здесь, — продолжал Стас. — Я и не мечтал об этом, думал — опять будет скукотень и глупость, мамаша с папашей станут реверансы делать и ливоруч и праворуч сладости рассыпать, тошниловка одна, а о Воздвиженском я даже не знал!

Татьяна УСТИНОВА

Маша растерянно покивала. Что означают эти «ливоруч и праворуч»?! И вообще?..

Издалека послышался вопль ее сына, а в кармане опять грянул марш.

— Мама! Ма-ам!!

Маша бегло улыбнулась молодому человеку:

— Алло!

— Маш, ты где?!

— Я сейчас буду, Дмитрий Андреевич!

— Да где ты сейчас будешь?!

— У вас.

— Куда ты девалась-то?! В Москву на велосипеде уехала?!

— Дмитрий Андреевич, — с тихим нажимом повторила Маша. — Я сейчас буду.

— Идеальное убийство в принципе придумал, конечно, не Воздвиженский, — громко говорил рядом Стас, — но он придумал современное идеальное убийство! А до него все считали, что идеально убить может только киллер!

— Господи помилуй, — пробормотал в трубке Родионов, — кто это там?..

— Я вам потом все объясню, Дмитрий Андреевич.

— Мама!!

— Я сейчас приду, — в трубку сказала Маша, захлопнула крышечку телефона, чтобы Воздвиженский не приставал, и улыбнулась Стасу приторной улыбкой.

Дом уже показался в зелени деревьев, и откуда-то потянуло запахом жареного мяса, и от этого запаха, и от воздуха, который словно тек между соснами со стороны Днепра, от солнечного света, который щекотал затылок, Маше вдруг пришла в голову удивительная мысль.

Жизнь прекрасна, вот какая это была мысль!

— Простите меня, — сказала она Стасу, — мне нужно найти своего сына.

144

— У вас есть сын?! — вдруг удивился молодой человек, как будто она заявила, что у нее есть слон.

— У меня есть сын, и он здесь, — решительно сказала Маша. — Извините меня.

Она свернула с дорожки, оставив молодого человека в искреннем недоумении, поднырнула под низкие ветки и оказалась на лужайке напротив бассейна.

Ее сын Сильвестр, сгорбив голую худосочную спину, сидел на бортике, свесив голые худосочные ноги, и болтал ими. Спина была белая, немного в синеву, с цепочкой выступающих острых позвонков.

— Сильвестр!

Он оглянулся, как ей показалось, с неудовольствием.

— Мама! Ну где ты?! Ты принесла мне плавки?!

Батюшки, про плавки-то она и забыла!

— Я сейчас принесу, сыночек, я... отвлеклась.

— Вот ты всегда отвлекаешься и забываешь про родного сына!

— Да я уже принесла две пары. Пусть в этих купается! — Это вступила в разговор Катерина Кольцова. — Подумаешь, фунт изюму!..

— Они с меня упадут!

— Они не упадут. Они на веревочке. Подтянешь веревочку, и готово дело!

Сильвестр Иевлев вопросительно посмотрел на мать, а она на него. Катерина вышла из-за клумбы, где нюхала розы, подошла к ним и села в шезлонг. Михаил Кольцов уже вовсю плескался в бассейне, брызгался и фыркал, как морж.

— Ма-ам, ну можно мне в бассейн?!

— Да, — решительно сказала Маша, — давай я подержу полотенце, а ты переоденешься.

Сильвестр моментально вскочил, готовый переодеваться, побежал, как жеребенок, к горке махровых простыней, выхватил одну, принес и посмотрел вопросительно.

Маша перепоясала его чресла и отвернулась — из

деликатности. Сильвестр переодевал трусы. От спеш-
ки его качало из стороны в сторону, так что он чуть не
падал.

Веревочку он старательно затянул, завязал двой-
ным узлом и еще подергал, проверяя, не свалятся ли
плавки.

После чего разбежался и сиганул в воду. Раздался
шумный плеск, потом визг, и из бассейна на две стороны выметнулся веер брызг.

— Ура-а-а!!!

— Садитесь, — предложила Катерина Кольцова. —
Позагораем.

— Я не могу, — тут же отказалась Маша Вепренцева, — меня ждет шеф. Вы посмотрите за ними?..

Катерина подняла на лоб дорогущие солнцезащит-
ные очки. Оправа полыхнула бриллиантами, а может,
рубинами или изумрудами. Впрочем, быть может,
бриллиантами, рубинами и изумрудами вместе. Кто их
знает, этих жен олигархов.

— Посмотрю. Хотя они уже достаточно большие
парни!..

Из бассейна неслись вопли и визги.

— Кать, чего тут у вас?

Голос был низкий и неспешный, как будто тяжелый, очень знакомый, много раз слышанный, и Маша
оглянулась.

В метре от нее, зацепив указательным пальцем пе-
рекинутый через плечо пиджак, стоял промышленник,
политик, олигарх, губернатор, владелец заводов, газет,
пароходов, банков, страховых компаний, судоверфей,
автомобильных гигантов и свечных заводиков, лесопилок, фабрик, телеканалов и еще бог весть чего, Тимофей Ильич Кольцов.

— Здравствуйте, — пробормотала Маша, и он коротко глянул в ее сторону.

Вблизи этот человек наводил первобытный гипно-
тический ужас, как удав Каа на бандерлогов. Огром-

ный, широченный, почти наголо бритый, с равнодушной шаманской физиономией, он попирал лакированными башмаками газон, и казалось, что в ту самую секунду, как он появился на этом газоне, весь мир дрогнул и перекувырнулся, и теперь крутится в другую сторону, и центр вращения именно он — Тимофей Кольцов.

— Тим, — сказала его жена, — познакомьтесь, это Маша, она работает с Аркадием Воздвиженским. В бассейне с Михой ее сын Сильвестр. А это мой муж Тимофей.

— Очень приятно, — идиотским голосом пропищала Маша Вепренцева.

— И мне, — буркнул олигарх. — Кать, почему они так вопят?

И он кивнул в сторону бассейна, где резвились малолетние морские котики, бухали хвостами, взметали брызги, издавали воинственные кличи.

— Потому что они купаются, — сообщила его жена, подходя к нему. — Им нравится купаться, и они вопят. А что такое?

Олигарх пожал плечами. На Машу он не обращал никакого внимания, словно ее и не было вовсе. Зато охрана, два добрых молодца, выстроившиеся было во фрунт, передислоцировались. Видимо, таким образом, чтобы Маша не смогла внезапно напасть на хозяина. Один из них смотрел прямо ей в затылок, и от этого взгляда Маше даже шею свело.

Тимофей Ильич переступил с ноги на ногу, перехватил свой пиджак и зачем-то надел его на голову своей жене. Она сдернула пиджак и посмотрела на него с негодованием.

— Жарко, — сказал он, — сил нет.

После чего взял ее за плечо, так что она покачнулась, и стал снимать ботинки.

— Купаться будешь? — спросила жена подозрительно.

— А что? Нельзя?

— У меня плавок больше нет.

— А сколько их у тебя было?

— Только для детей.

— Ну, тогда я так. Без плавок.

С ужасом Маша наблюдала, как он· раздевается, будто наблюдала за сумасшедшим, парализованная все тем же гипнотическим ужасом. Вот блеснули на солнце лакированные носы штиблет, вот он сунул в них по-солдатски скатанные носки, вот с сосредоточенным пыхтением стал расстегивать ремень.

Боже, куда· смотрят его жена и его охрана?! Он же ненормальный! Он ведь вправду собрался раздеваться, люди добрые! На газоне, при всем честном народе!

Маша оглянулась и начала отступать в сторону кустов, хотя и поклялась себе в том, что больше никогда не станет через них ломиться, а олигарх уже галстук сорвал и рубаху расстегнул, и раззявленные штаны болтались кое-как, готовые в любую минуту упасть на траву!

· — Очки, — сказала его жена, и он сдернул с носа очки и аккуратно поместил их ей на нос. И вообще Маше все время казалось, что это представление затеяно только для жены, что он придумал это раздевание вовсе не потому, что ему жарко, а потому, что ему нравится держаться за нее, дергать ее за руку, заставлять держать его вещи и... «производить на нее впечатление».

Маша пригорюнилась.

Сумасшедший или только что спятивший олигарх стряхнул с себя брюки, но вместо ожидаемых семейных трусов под ними оказались вполне пристойные черные плавки, которые он деловито подтянул, как Машин сын Сильвестр, потрепал жену по затылку, разбежался и сиганул в бассейн.

Бассейн вышел из берегов.

Охрана придвинулась поближе. На лицах у них были написаны зависть и сожаление, что им нельзя туда же.

Тимофей Кольцов вынырнул посреди бассейна, покрутил головой, стряхивая с глаз воду, и заорал:

— Парни, кончай просто так мокнуть! Давайте наперегонки теперь!

— Папа! — закричал олигархов сын с горки. — Это ты?!

— Это я!

— А это я, пап!!

— Неужели? — переспросил олигарх, Маша уже заметила, что у них была семейная привычка насмешливо переспрашивать, отчего вопрос сразу становился глупым. Потом Кольцов перевернулся на спину и поплыл, как ластами загребая ручищами воду.

Катерина Кольцова вздохнула, собрала разбросанную одежду, красиво развесила ее на ближайшем шезлонге и немного полюбовалась на свою работу.

— Вот такой у меня муж, — сказала она Маше с необычайной гордостью. — Все ему нипочем.

Из Машиного пиджачного кармана грянул марш, и, даже не глядя на телефон, она точно знала, кто именно ее вызывает.

— Простите, мне нужно бежать. — Она помялась, но попросить жену олигарха проследить за тем, чтобы ее сын Сильвестр переоделся в сухие трусы, постеснялась. Еще не хватает!

— Конечно, бегите.

— Пап, давай в мяч!

— Лень мне.

— Па-ап!! Ну давай в мяч, а? Ну давай, там будут твои ворота, а мы с Сильвестром станем тебе забивать голы!

— Кишка тонка мне забивать!

— Пап, ну давай, а?!

— Ну правда, ну давайте в мяч! — Это уже Сильвестр вступил. Он не понимал, с кем именно собирается играть в мяч. Наплевать ему было на это.

— Папа!

— Что здесь происходит?

Этот голос Маша Вепренцева нынче узнала бы из тысячи. Мирослава Цуганг-Степченко, хозяйка дома и поэтесса, не знавшая, можно ли сажать прислугу за один стол с господами, появилась на лужайке.

У нее было удивительное для летнего дня платье — малиновое, хвостатое, отделанное стеклярусом и черными перьями, очень красивое. Лицо, как будто тоже отделанное стеклярусом, выражало смесь воинственного недоумения и брезгливости. За ней следовал джентльмен в пиджачной паре, тот, что выходил на ступени, когда Маша ломилась через кусты, и еще один, в черном похоронном костюме с непроницаемым лицом.

— Что здесь за шум? — смерив Машу взглядом, еще раз вопросила Мирослава. — Что здесь происходит?! Вы мешаете гостям! Нестор, что у нас в бассейне делают посторонние люди?

— Разберусь, Мирослава Макаровна!

— Почему их так много!? Где охрана?

— Разберусь, Мирослава Макаровна!

— Всех вон, за территорию! Милочка, где ваше место?

— Мое? — поразилась Маша.

Но хозяйка дома не удостоила ее ответом. Катерину Кольцову за розовым кустом она не видеть не могла.

Подхватив подол платья, она ступила на газон, не отрывая глаз от валяющей дурака троицы в бассейне. Джентльмен остался на дорожке, а Нестор в похоронном костюме поволочился за ней.

— Милочка, где вам надлежит находиться?! Вы служите пану Воздвиженскому, ведь верно?

— Да.

— Пока он не востребует вас, вам надлежит находиться в вашей комнате, милочка! Нестор, вызови наконец охрану! И кто это там еще?! Всех немедленно вон! Как они сюда попали? Нестор, мы что, перестали проверять приглашения?!

— Разберусь, Мирослава Макаровна!

Каблуки у Мирославы увязали в газоне, и Маша вдруг остро пожалела траву, в которой, должно быть, эти каблуки оставляют глубокие раны.

— И заставьте их замолчать! У нас важные гости, а они орут!

Тут Мирослава Цуганг-Степченко, поэтесса, вырулила к бортику и увидела разлегшуюся в шезлонге Катерину Кольцову. Та качала ногой.

— Катерина Дмитриевна! — вскричала поэтесса и всплеснула руками. — Бог мой! Вам не дают отдохнуть! Мы мешаем отдыхать Катерине Дмитриевне!

Рукой она стала делать знаки Нестору, которые тот не понимал, и джентльмен на дорожке придвинулся поближе, чтобы наблюдать дальнейшее действо из партера, а не с галерки, и охрана Кольцова тоже придвинулась поближе. Как видно, Мирослава нарушила границы суверенного охраняемого пространства.

— Катерина Дмитриевна, мы сейчас все уладим! Это недоразумение! Дети, немедленно вылезайте из воды и марш отсюда! Нестор, делай же что-нибудь!

— Мам! — басом крикнул из бассейна Миша Кольцов. — Кинь мячик! Он во-он куда улетел!

Желтый пузатый мяч легко и весело катился по газону. Один из охранников побежал, настиг его, подобрал и кинул обратно.

Мирослава покачнулась на каблуках и ухватила Нестора за похоронный черный рукав.

— Так то ваша сыночка? — спросила она страшным голосом и улыбнулась страшной улыбкой. — В водичке?

Катерина помахала рукой купающимся и только после этого повернулась к поэтессе.

— В водичке сыночка, — сказала она, — и мужечка. Или как надо говорить по-вашему? Человечинка?

Маша Вепренцева наслаждалась разворачивающимися перед ней живыми картинами под названием «Страшная месть, или роковая ошибка». Даже про Воздвиженского позабыла.

— Так они освежиться... изволили... это хорошо, это правильно, Днипро еще не прогрелся, и детишкам в него... Нестор, что ты стоишь?! Вели подать сюда напитки! Сейчас же! Тимофей Ильич после купания захочет... освежиться... то есть он уже освежился...

Визжащая куча-мала посреди бассейна как-то закрутилась, повернулась и определилась — на мелководье, как дядька Черномор из синя моря, поднялся Тимофей Кольцов, с которого скатывалась вода. В каждой руке он держал по мальчишке. Один был худой и длинный, а второй покороче и поплотнее. Ни один из них до воды не доставал, они висели, хохотали, брыкались, но олигарх за бока держал их крепко, вырваться не давал.

Пройдя вброд примерно метров десять, он свалил мальчишек в воду, нырнул и вынырнул у самого бортика, под ногами у поэтессы Цуганг-Степченко.

Подтянувшись на руках, он выбрался на бортик, сел и свесил ноги.

— Тим, полотенце дать?

— Не давать. И так высохну.

В кармане у Маши Вепренцевой вновь грянул марш. День такой сегодня. Сплошные марши.

— Тимофей... Ильич... — пролепетала поэтесса, — это вы!

Олигарх на нее даже не посмотрел.

— Вы! — повторила поэтесса и даже глаза на секунду прикрыла от изнеможения чувств.

— А не похож разве? — буркнул Тимофей Кольцов. — Мишка, заплывай справа, справа заплывай! Смотри, он тебя обходит! А ты... — тут он повернулся к жене, как будто, кроме них, на лужайке больше никого не было, — а как второго мальчика зовут?

— Сильвестр.

— Сильвестр, а ты не поддавайся ему, смотри, оборону держи!

— Я держу!

— Пап, мы молодцы?

— Салаги вы, а не молодцы!

— Похвали их, Тим. Смотри, как они стараются.

Телефон в Машином кармане продолжал наяривать марш. Джентльмен на дорожке беззвучно хохотал, Нестор озирался, словно выбирая направление, куда ему сбежать побыстрее. Охрана была безучастна, Катерина безмятежна, ее муж мокр с головы до ног и практически гол, а Мирослава Цуганг-Степченко была на грани обморока. Или истерики.

Есть ли грань между обмороком и истерикой и если есть, какова она?!

Ах, как жаль, что нельзя досмотреть представление до конца, вот беда какая!.. Поминутно оглядываясь на «театр военных действий», Маша выбралась на дорожку, проскочила мимо джентльмена и рысцой побежала к дому, откуда ее все продолжал вызывать начальник.

Собственно, начальника она увидела на веранде с витражами. Лицо у него было желтым, а рубаха малиновой, и Маша не сразу поняла, что это именно от витражей. В руке он держал телефон.

— Дьявол тебя побери, Маша!..

— Не ругайтесь, Дмитрий Андреевич, я вам сейчас все...

Из распахнутых вглубь дома двустворчатых дверей, на ходу закуривая, вышел Илья Весник.

— А говорят, Кольцов приехал. Правда или нет, никто не знает?

— Я знаю, — сказала Маша. — Приехал.

— Откуда? Ты его видела?

— Он купается в бассейне, — сообщила Маша. — Со своим сыном Мишей. А его жена сидит в шезлонге.

— Какая осведомленность! — поразился Весник. — А нам его даже не показали! Кстати, я не знаю, как планируется обед, может, Тимофей Ильич с этим украинским кандидатом Головко будут отдельно обедать, и даже скорее всего. А мне бы надо с ним познакомиться...

Маша решила, что лучше не говорить Веснику о том, что с олигархом она уже познакомилась. Зачем понапрасну человека расстраивать!

— Наплевать мне на Кольцова, — пробормотал фрондер Родионов, — мне надо пару книг подписать, а ты шатаешься неизвестно где!

— Я сейчас их принесу, Дмитрий Андреевич!

— Да уж пожалуйста!

В это время со стороны бальной залы к ним приблизился еще один персонаж. Он не шел, а именно приближался — сияя улыбкой, безупречными зубами, безупречными волосами, безупречно отглаженным пиджаком. Маша скосила глаза. У Родионова пиджак был мятый. Льняной, летний, он становился мятым словно сам по себе, стоило только его надеть, но Родионову все это как-то подходило, и в мятом пиджаке он не выглядел... несвежим. Отглаженный персонаж, напротив, казался картонным, вырезанным из гламурного журнала.

Его звали Андрей Поклонный, и он был знаменитый актер.

Впрочем, когда он приблизился, оказалось, что улыбка относится не к Воздвиженскому и его компании, а к мобильнику, из которого, как видно, в ухо Андрею лилось что-то очень приятное.

— Ну, спасибо тебе, дорогой, — говорил он время от времени и с удовольствием взглядывал по сторонам, будто ожидая от окружающих, что они разделят его удовольствие. — Ну, спасибо тебе большое! Ну, а как же иначе...

Весник показал на него глазами, потом закатил их и беззвучно захохотал. Маша посмотрела на издателя с неудовольствием. Она отлично знала это закатывание глаз в свой адрес, которое означало, что она, Маша, непременно должна приходить в восторг от таких мужчин!..

А она вот не приходит. Она вообще ни от каких не приходит, кроме одного.

— Дмитрий Андреевич, я пойду и принесу книги.

— Да тебя только за смертью посылать!

— Я поднимусь в комнату и сразу вернусь, вот клянусь вам!

— Совсем от рук отбилась, — пожаловался Веснику великий, и они оба уставились на нее.

Маша быстро пошла к высокой двустворчатой двери, за которой начинался длинный коридор — дача была спланирована немного как общежитие. Две «залы», две просторные веранды с витражами и широкими ступенями в сад, а между ними длинный и довольно сумрачный коридор, в который выходило множество дверей, и еще была лестница на второй этаж. Из интерьерных причуд Маша запомнила только лосиные рога, которые висели так, что оказывались как бы на голове у каждого, кто случайно проходил мимо них. Мирослава Цуганг-Степченко щебетала, что ее «чоловик» добыл эти самые рога в прошлом году.

— А вот то рожки, — говорила она Воздвиженскому, проводя экскурсию по «Лувру», — то рожки моего чоловика, бо он справный охотник!

Сам Мирославин «чоловик» и «справный охотник» был высоченный, усатый и довольно унылый субъект в английском твиде с кожаными нашивками на локтях. Должно быть, именно так ему представлялся помещик — в твиде с нашивками, хотя ничего менее уместного, чем этот самый твидовый костюм жарким майским днем на официальном приеме, придумать было трудно.

В коридоре никого не было, и Маша быстро добежала до лестницы, перепрыгивая через ступеньки, поднялась на второй этаж, чуть не поскользнулась на скользких лакированных полах темного дерева и очутилась в коридоре второго этажа. С разгону она некоторое время соображала, какую именно спальню отвели им с Сильвестром, потому что все двери были одинаковыми. Кажется, предпоследняя дверь с правой стороны. Или последняя?..

И вот еще вопрос — эти двери запираются, как в гостинице, или в них вообще нет замков, как в обычном доме?!

Так которая же? Последняя или предпоследняя?

Самое скверное, что Маша в отведенную ей комнату ни разу не заходила. Госпожа — то есть нет, не госпожа, пани, конечно! — пани Мирослава, сопровождая ее и Воздвиженского наверх, просто указала, кто в какой комнате станет ночевать — начальник довольно далеко от секретарши, — и уверила, что горничная «разберет их багаж».

Маша взяла с собой даже не чемодан, а небольшой саквояжик. Складывая вещи, мечтала она, что когда-нибудь поедет в отпуск с Родионовым. Только не так, как в прошлом году в Турцию, когда он брал ее с собой только из соображений собственных удобств, а... по-настоящему. Он станет мужчиной, а она его женщиной, и в их саквояже будет лежать их общее светлое будущее — чудесные летние вещички, льняные, шорты, плавки и сарафаны, пахнущие морем и свежим ветром. И совершенно неважно, куда они при этом поедут, хоть на Ямал или в зону вечной мерзлоты, и тогда в саквояже будут свитера и шапки-ушанки! Все равно светлое будущее никуда не исчезнет из саквояжа, который Маша Вепренцева перед отъездом сложит с такой внимательной заботой.

Был еще один отдельный саквояж с книгами, который повсюду таскала за собой Маша, хоть и тяжело и неудобно, а как же иначе? У великого то и дело просили «книжечку подписать», и на этот случай всегда должен быть стратегический запас.

Только где его теперь искать, этот запас, в последней комнате или все же в предпоследней?!

А, будь что будет!

Маша оглянулась — никого не было в сумрачном коридоре, только где-то далеко-далеко за тридевять земель слышался гул голосов и звон бокалов — очень приятный, очень дачный шум. Еще секунду помедлив перед выбранной наугад дверью, она постучала. И прислушалась.

Ничего. Никакого ответа.

Маша нажала на ручку и толкнула дверь. Солнечный веселый свет после полумрака коридора сильно ударил ей в глаза, она зажмурилась, поморгала и только потом огляделась.

Комната как комната. Похожая на гостиничную. Широченная двуспальная кровать под покрывалом, лакированный комод с зеркалом в форме груши, гардероб — одна дверца чуть-чуть приоткрыта, цветы в керамической вазе.

Вот как понять, ее это комната или не ее?! Надо посмотреть в гардеробе вещи. Она брала на смену еще один бронетанковый брючный костюм с белой рубашкой и джинсы и майку Сильвестру. Если вещи ее, значит, и комната ее. Железная логика.

Она подошла к гардеробу и распахнула его. Пусто. На алюминиевой трубе болтались несколько пластмассовых «плечиков», а больше ничего не было.

Может, вещи в комоде?..

Какой-то ровный и едва слышный гул добавлялся к отдаленному «гостевому» шуму, и Маша никак не могла разобрать, что это за шум. Как будто вода лилась.

Маша подошла к комоду, мельком удивившись, что цветы в вазе искусственные, а не настоящие. Интересно, кому это в голову пришло теплым маем в самой серединке цветочной, медовой, разнотравной Украины водрузить на комод цветы из пластмассы?! Как на кладбище!..

Ваза стояла на серебряном подносе, в котором каталось солнце, а под ним была подстелена белая салфеточка с фестонами. Маша потрогала фестоны.

В выдвижных ящиках тоже ничего не оказалось.

Ой, матушки родные, моя это комната или не моя?!

В конце концов, это просто смешно.

Ветер шевелил легкую кисею на окне, а за кисеей было жарко, день как будто еще только расходился, хотя был уже пятый час, и пахло оттуда именно медом, и разнотравьем, и свежескошенной травой. Когда ее только успели скосить, вернее, когда она успела так вырасти, что ее уже надо косить?..

От сквозняка ли или еще по какой-то случайности, рамы вдруг негромко стукнули друг о друга, кисея надулась пузырем и опала, Маша вздрогнула. Полированная гостиничная дверь в прихожей — видимо, в ванную, — проскрипев, отворилась, и неясный прежде шум стал отчетливо слышен. Это шумела вода.

Кто-то здесь, поблизости, принимал ванну. Мылся.

Маша облилась потом. Вот так история. Мало того, что она влезла в чужую комнату. Мало того, что она шарит по ней, выдвигая ящики и открывая шкафы! Она проделывает все это, пока хозяин комнаты моется в ванной!

Что будет, если Мирослава Цуганг-Степченко об этом узнает?! Страшно подумать! Даже имя великого писателя, у которого Маша «служит», не спасет ее от сурового, но справедливого возмездия!

На цыпочках Маша кинулась к выходу, задела стул, который глухо стукнул о паркет, а ей показалось, что это с гор сошла лавина. Ну, словно они в Альпах, а там то и дело с гор сходят лавины — катастрофа и конец света. Сейчас из ванной, привлеченный шумом, выйдет голый человек и увидит в своей комнате Машу Вепренцеву!..

Под липким потом ее еще пробрал озноб, она замерла, прислушиваясь.

Ничего. Только ровный шум воды и едва слышный гул голосов внизу. Из бассейна долетали голоса детей, значит, Катерина Кольцова до сих пор не выгнала их на сушу.

Все-таки чья, чья это комната?! И где тогда ее, Машина?!

Вода все лилась, и в приоткрытую полированную дверь было видно зеркало, в котором отражалась кафельная стена, а под зеркалом была длинная мраморная полка, совершенно пустая, и раковина какого-то странного цвета.

Не дыша Маша скосила глаза.

Ей бы уйти, пока путь был свободен, ей бы быстренько выскочить в коридор и сделать вид, что ее нет и не было никогда в этой пустой комнате с похоронными пластмассовыми цветами в вазе, но Маша Вепренцева была любопытна. А может, и не была, может, это просто долгая работа с человеком, который только тем и занимался, что придумывал таинственные и загадочные сюжеты, спутала у нее в голове какие-то мысли и искривила не в ту сторону какие-то извилины.

Так или иначе, но у двери в ванную она остановилась и скосила глаза.

Что это такое с раковиной? Почему она такая... странная? Неотмытая, что ли? Как будто в нее перевернули банку с гуашью и забыли пустить воду.

Стараясь не дышать, Маша просунула нос в дверь — шум воды теперь был совершенно отчетливым, — вытянула шею и посмотрела.

Раковина была залита кровью, и в ней лежал нож.

Кровь была очень красной, неестественно красной, как будто и впрямь гуашь, только почему-то было совершенно понятно, что это кровь. Маше показалось, что она чувствует ее запах, запах отточенного окровавленного лезвия, вынутого из смертельной раны.

Запах преступления. Запах погибели.

«Это кровь, а не краска, — сказали какие-то голоса у нее в голове. — А я-то думала, что дети рисовали и вылили в раковину цветную воду.

И почему-то много. Много этого красного цвета».

Она пулей вылетела из комнаты, трясясь и чувствуя, как внутри нее, на уровне груди словно вибрирует бормашина, и еще заставила себя осторожно прикрыть дверь так, чтобы та не хлопнула, и помчалась по коридору, и потом оказалось, что помчалась в другую сторону.

Несколько секунд она тупо смотрела в стену, потом повернулась и побежала обратно, мимо всех дверей, мимо еще каких-то то ли шкур, то ли рогов, чуть не упала на лестнице, потому что ноги у нее дрожали, и повлажневшие от ужаса пальцы скользили по полированным перилам, и каблуки так загрохотали, когда она поскользнулась, что казалось, опять случился горный обвал.

Ну да. Мы же в Альпах. Лавины и обвалы.

В коридоре на первом этаже тоже никого не было, она ринулась в сторону «бальной залы» и попала в объятия того самого джентльмена в пиджачной паре, которого сегодня видела уже несколько раз и так и не знала, как его зовут.

Попавши в объятия, она пронзительно завизжала.

Джентльмен отступил и покачнулся, но рук не разжал. Маша, всхлипывая, набрала в легкие воздуху, чтобы завизжать еще пронзительнее, но тут двустворчатая дверь отворилась и в проеме показалась женщина сказочной красоты, и она что-то сказала, Маша поняла это, потому что губы у нее шевелились, но слов она не могла разобрать. Потом там, внутри ее головы, будто что-то расступилось, и вдруг она стала слышать.

— Что такое?!

— Отпустите меня!

— Да я вас не держу!!

— Матвей, она ненормальная!

— Отпустите вы меня!

— Лида, закрой дверь!

— Что?!

— Дверь закрой, кому говорю!

Женщина шагнула в коридор и прикрыла за своей спиной высокие двустворчатые двери.

Маша вдруг ее узнала. Это Лида Поклонная. Жена красавца Андрея Поклонного и сама тоже красавица.

— Это чья-то секретарша, — выговорила красавица брезгливо. — Она весь день мутит воду и ведет себя безобразно. Славочка говорила. Отпусти ее, Матвей, что ты ее держишь!

— Она упадет.

— Она не упадет.

— Я не упаду.

Маша сделала шаг назад и вытерла о брюки влажную ладонь.

Джентльмен исподлобья смотрел на нее. Лида Поклонная тоже смотрела со странным выражением.

— Извините меня, пожалуйста.

— Бог простит. — Это Лида сказала.

— Что-то случилось? — Это джентльмен спросил. — Вам плохо?

— Мне плохо, — быстро сказала Маша. — Очень плохо.

— Говорю же, она ненормальная.

— Я нормальная.

Лида пожала плечами, совершенно равнодушно. Почему-то она не уходила, медлила возле высоких дверей, словно ждала чего-то.

— Как вас зовут? — участливо спросил джентльмен.

— М-м... Маша, — промычала она сквозь зубы. — Вепренцева Мария Петровна... м-м... я секретарь Дмитрия Родионова. Аркадия Воздвиженского.

— Их обоих?

— Кого... обоих? — не поняла Маша.

— Этих — и Родионова, и Воздвиженского?

— Это... один и тот же человек.

— Меня зовут Матвей Рессель, — представился джентльмен. — Я продюсер.

Маша кивнула. Ей наплевать, кто он, продюсер Рессель или композитор Керосинов. Ей нужно срочно добраться до Родионова-Воздвиженского. В доме произошло что-то ужасное.

— Но вы... здоровы? — помедлив, спросил продюсер.

— Да, да, но мне нужно бежать. Меня ждет шеф.

Матвей посторонился, а Лида и не подумала, и Маше пришлось протискиваться мимо нее и открывать дверь таким образом, чтобы не стукнуть красавицу по заду, а та лишь усмехалась все с той же брезгливостью.

В зале было пустовато, только официанты накрывали невесть откуда взявшийся стол — или он всегда тут был, просто Маша не обращала внимания? Воздвиженский был на террасе. Рядом с ним похохатывал Весник, и еще были Стас Головко, сын будущего украинского президента, и юная барышня.

— Маш, ты принесла книжки?

— Мне нужно с вами поговорить, Дмитрий Андреевич.

— Книжку дай, мне подписать ее нужно.

— Для меня, — с гордостью объявил Стас. «Меня» он сказал как «мене». — Да, познакомьтесь! Это Олеся, моя дивчина. А это...

— Мария Вепренцева. Я секретарь Аркадия Воздвиженского.

— То есть мой, — вставил Родионов. — Маш, дай книжечку подписать, а?

По его тону было понятно: он уже всерьез сердит,

что Маша доставляет ему неудобства, а он ненавидел неудобства, даже самые мелкие! Кроме того, его раздражали мероприятия, на которых как будто ничего не происходит — то есть никто не берет у него интервью, не снимает на камеру, не задает вопросов, а все идет словно само по себе и независимо от него. За несколько лет он привык находиться в центре внимания, а здесь он был явно не в центре, а где-то сбоку. Полдня все слонялись просто так — это называлось «общаться», тянули коктейли, тянули вялые разговоры, тянули тупое ожидание.

Как люди в зоопарке, прилипшие к решетке вокруг грязного бассейна с грязной зеленой водой. Куда они смотрят? Чего ждут? Ждут моржа, писал кто-то великий. Они стоят вокруг решетки и ждут моржа.

И Родионов полдня «ждет моржа» — Тимофея Кольцова, с которым его заставляют знакомиться. И неизвестно, что там остальные гости, а также хозяева, может, Казимир Цуганг-Степченко с утра успел сгонять на охоту и добыть там парочку вальдшнепов или куропаток к ужину или же заклал тучного тельца, только он, Дмитрий Родионов, с утра работал. И вчера работал. И накануне отъезда работал и почти не спал, потому что подрался с любовницей и она даже обещала его убить.

Зарезать или что там?..

При мысли об убийстве в голове сразу включился некий маховик, который стал раскручиваться, набирая обороты.

Стас Головко показывал Маше и Веснику какие-то фотографии, по очереди извлекая их из бумажника. Весник смотрел с веселым интересом, а Маша с интересом страдальческим, будто ей больно, а рассматривание фотографий отдаляет прием успокоительного.

— ...а вот это мы с отцом и с вашим премьером, он в прошлом году приезжал! Ну, это я дома, не знаю, как она сюда попала! — На «домашней» фотографии Стас

163

Головко с ногами сидел на кожаном белоснежном диване. Рубаха у него была чуть распахнута, открывая загорелую эллинскую грудь, а на низком стеклянном столике стояла извивающаяся, словно при последнем издыхании, ваза с лилиями, а в хрустальной пепельнице в виде дамской туфельки дымилась длинная сигарета и, кажется, даже ананас лежал.

Маша проводила фотографию глазами. Интересно, как именно должен себя чувствовать в этой жизни мужчина, который полузнакомым людям на приеме показывает свои фотографии в алькове?! Каким он должен быть?! Что у него на уме?!

— А это, — продолжал Стас, — мы на фестивале в Ялте. Тут праворуч Фомэнко, во-он, видите? Он тоже тогда на открытии был. Бачите?

Маша с Весником некоторое время «бачили», а Родионов, тот и вовсе не стал «бачить».

Он сосредоточенно думал. Маховик, закрутившийся из-за мелькнувшего в голове слова «убийство», разгонялся и разгонялся.

Значит, так. Она убивает его. За что? Не из ревности и не из-за денег, а потому что он все время «переигрывает» ее, одерживает победу за победой. Она убивает его, потому что он успешный человек, а она никто и никогда никем не будет. Как она его убьет? Яд? Неинтересно, слишком по-женски, да и непонятно, где его взять, так чтобы было правдоподобно. Пистолет? Пистолет хорошо, но тогда она должна уметь стрелять и иметь в этом определенный опыт. Нож? Заманчиво, но очень много крови, и потом опыт тоже необходим, даже больше, чем с пистолетом.

— Дмитрий Андреевич!

...а если задушить во сне подушкой? Не годится, здоровый мужик проснется и не даст себя душить. А если его сначала подпоить и еще какую-нибудь ерунду присочинить, вроде клофелина или...

— Дмитрий Андреевич!!

...всем надоел этот клофелин уже сто лет как. Она столкнет его с лестницы. Точно. Пусть она даже не планирует убийство, просто из мести, а он сломает себе шею.

— Дмитрий Андреич, ты чего, в кому впал, гений наш? Отзовись, ау!!!

Голос Весника словно выдернул его на поверхность. Он был рыбой, плавал себе в теплой воде, шевелил плавниками и думал свои рыбьи думы, а Весник — подлец! — зацепил его острым крючком за губу и дернул вверх, и нет теперь пути назад, в безопасный и теплый пруд, пахнущий ряской, и теперь путь только вперед, в ад, на сковороду, сродни той, на которой черти в аду поджаривают грешников!

Вот сколько всего придумалось за одну минуту. Вот что значит последние несколько лет только и делать что сочинять истории!

Секретарша Маша за руку волокла его в сторону двустворчатой двери и даже не остановилась, когда на террасе появился ее сын — волосы мокрые, торчат в разные стороны, и босиком, — только на ходу скомандовала ему:

— Стой здесь, никуда не уходи и жди меня!

— Маша, ты что, с ума сошла?!

Она отволокла Родионова за дверь, закрыла ее за собой, прижалась к ней спиной — черт бы побрал все на свете сериалы, где встревоженные героини прижимаются спиной к дверям!

— Дмитрий Андреевич, здесь кого-то убили.

Он посмотрел жалостливо. Они же решили никого не убивать! С лестницы столкнули, так будет правильнее! А то, что это убийство, еще придется доказать, доказать придется!..

Она бросилась прочь от двери, подволокла его к лестнице и горячо зашептала в ухо:

— Я искала свою комнату, чтобы взять книги. Я за-

165

была, которая из них моя. Зашла в какую-то, а там в раковине... окровавленный нож. И еще мылся кто-то.

— В раковине мылся?

— Нет, в душе, но я не видела кто! Я не смогла рассмотреть! Дверь была только приоткрыта!

— Бред какой-то, — подумав, сказал Родионов. В голове у него прояснилось, и все встало на свои места.

Никто никого не сталкивал с лестницы! Это он сам только что придумал!

— Дмитрий Андреевич, — шепотом крикнула она, — это совершенно точно! Я пошла искать книги, а там кто-то в душе, а в раковине нож! И на нем кровь, и в раковине кровь!

— Да бред же это! — беспомощно сказал Родионов.

— Нет.

Она явно не шутила, и он слишком хорошо ее знал, чтобы до бесконечности и на все лады повторять, что это «бред». Она не может бредить. Она слишком здравомыслящая трезвомыслящая, и вообще «мыслящая» особа.

— Пойдем посмотрим.

— Нет. Нельзя. А если он все еще там?

— Где?

— В душе! Он мылся в душе, а нож лежал в раковине, и вообще там было... очень много крови.

— В комнате или именно в раковине?

Она печально посмотрела на него.

— В раковине.

— Пойдем посмотрим.

— Вызовите охрану, Дмитрий Андреевич.

Он взялся за перила и покрутил головой:

— Какую, к дьяволу, охрану, Маша?! У меня нет охраны, и у Весника нет! Что ты мне прикажешь делать? Искать пани Степченко, излагать ей про твой нож в раковине, чтобы она кликнула своих макак?! Да с минуты на минуту приедет этот самый Кольцов...

— Он уже приехал!

— ...и еще тот, второй, как его?

— Головко. Кандидат в президенты.

— Вот именно. Пошли, ты мне покажешь.

Гуськом, он впереди, она следом, они поднялись по лестнице, и Маша опять чуть не упала, загрохотала каблуками.

— Тихо ты!..

— Скользко очень.

— На катке, что ли? — спросил он сердито.

Сверху затопали, и ловко, как на пружинах, пробежал официант, в белых перчатках, бабочке и с бутоньеркой. У Мирославы Цуганг-Степченко все официанты были с бутоньерками. Завидев Машу с Родионовым, он посторонился и неким особым, официантским образом склонил голову, словно готовый к услугам. Под мышкой у него был круглый серебряный поднос. Переждав их, он вскинул голову и ринулся вниз, только каблуки затрещали.

Маша подозрительно посмотрела ему вслед.

— Что он там делал?

— Где?

— На втором этаже.

Родионов пожал плечами:

— Может, подавал юным леди сельтерскую воду и прохладительные лимонады.

— А там есть юные леди?

— Где?

— На втором этаже.

Родионов раздраженно пожал плечами:

— Маш, это обыкновенный официант. Их тут два десятка, если не больше. Они все чем-то заняты и что-то кому-то подают, на всех этажах и еще на улице!

В коридоре было тихо и пусто, и шум снизу отдалился и стал почти неслышен, как тогда. Неизвестно, что именно ожидал увидеть знаменитый детективный писатель Родионов — свежий труп, что ли? — но вид пустого и тихого коридора сразу вогнал его в скепсис и иронию. Он поднял брови, поставил их уголками и с высоты ста девяноста пяти сантиметров посмотрел на Машу вопросительно.

— Предпоследняя дверь, — сказала она. — По правую руку.

— По правую руку? — переспросил Родионов. — Замечательно.

Широко шагая, он дошел до этой самой предпоследней двери, поднял брови еще выше и постучал. Маша подошла и остановилась у него за плечом, стараясь не дышать. За дверью была тишина, никто не отзывался на стук, и Родионов еще раз постучал.

Маша затаила дыхание.

Он оглянулся на нее, сделал решительное лицо, взялся за ручку и распахнул дверь.

В квадратной просторной комнате по-прежнему было много солнца, и им обоим пришлось зажмуриться на секунду, а потом Маша открыла глаза.

Ну да. Вот комод с зеркалом в виде груши. Вот искусственные кладбищенско-пасхальные цветы, и полированная гостиничная дверь в ванную слегка приоткрыта, кажется, именно так, как Маша ее оставила.

Родионов кивком указал на дверь, и она кивнула. Он постучал и в нее тоже, а потом заглянул.

Маша сжала кулаки. За дверью было темно, ничего не видно. И раковину не видно.

— Здесь?

— Да.

— Точно?

— Конечно.

— Свет зажги.

А кто его знает, где он зажигается, этот самый свет. Маша посмотрела на правую стену, потом на левую — никаких выключателей.

— Маша, свет!

— Сейчас, сейчас...

— Что ты копаешься?

— Я не могу найти выключатель.

— Посмотри в шкафу.

— Где?!

— Шутка.

Выключатель нашелся, и вовсе не там, где Маша его искала. Почему-то он был в комнате, а не в крохотной прихожей, куда выходила дверь ванной.

— Ну что там?

— Ничего, — в полный голос ответил Родионов, и голос его странно отдался в кафельных стенах. — Ничего и никого.

Маша тоже заглянула в ванную.

Раковина была абсолютно пуста, никаких следов.

Маша протиснулась мимо Родионова и уставилась в раковину, и даже зачем-то открыла и закрыла кран.

— Ничего нет, — сказала она упавшим голосом.

— Я вижу, — подтвердил Родионов.

Она заглянула под раковину — он посторонился, — потом осмотрела стены, фарфоровую мыльницу с цветком на дне и мусорную корзину с блестящей крышкой. Ничего.

— А что ты хочешь найти? — спросил Родионов. — Нож с отпечатками пальцев и следами крови?

— Но он же здесь был!

— Возможно.

— Ах, как вы не понимаете, Дмитрий Андреевич! Я же видела его своими глазами!

— Я тебе верю, — ласково сказал Родионов.

— Ну, конечно, верите! — с досадой ответила Маша. — Еще бы вы мне не верили! Я же не сумасшедшая!

Ей даже в голову не пришло, что он может подозревать ее... во вранье или в галлюцинациях. Ничем таким она отродясь не страдала, и ее шеф был об этом осведомлен.

— Вы не понимаете. Если здесь был нож пятнадцать минут назад, а теперь его нет, значит, есть человек, которому нужно замести следы! Если бы он этим ножом банку с краской открывал и заляпал себе руки, зачем бы ему было так тщательно все... ликвидировать?

Родионов немного подумал.

— А ты точно видела нож?

— Дмитрий Андреевич!..

Родионов сквозь зубы засвистал какой-то марш — ну, точно сегодня день маршей! Маршей и лавин, которые сходят с Альп! Засвистал и проделал еще раз то, что минуту назад проделала Маша, — осмотрел стены, фарфоровую мыльницу с цветком на дне и мусорную корзину с блестящей крышкой, потом обыскал всю комнату.

Пусто. Никаких следов ножа и крови.

Маша следила за ним.

Он снова поднял брови:

— Что ты хочешь от меня услышать?

— Надо предупредить охрану. Хотя бы этого самого Кольцова. Вы же понимаете!..

— Я понимаю, что никто тебя с твоими предупреждениями слушать не станет! Это я знаю, что ты нормальная, а кроме меня, никто не знает! Нож в раковине, на втором этаже, на даче, где кругом сплошная охрана! Я в сортир пошел, так у сортира человек сидит, с проводом в ухе! Охраняет он сортир, понимаешь?!

— Я понимаю, что здесь что-то произошло, Дмитрий Андреевич! — твердо сказала Маша. — Нож был, на нем была кровь, и он пропал, и следов никаких нет. А прошло, между прочим, всего минут... пятнадцать-двадцать с момента, как я видела нож, и до момента, когда мы сюда вошли.

— Но ведь нет ничего!

— И все равно надо охрану предупредить!

— Ну, предупреждай, предупреждай, — разрешил он раздраженно. — Только ко мне не кидайся, если тебе Мирослава психовозку вызовет.

Он пошел к двери, и Маша двинулась за ним, беспомощно озираясь, словно в поисках вещественных доказательств невесть чего, и в коридоре он еще раз спросил:

— Ты... точно видела нож?

— Да.

Родионов помолчал, подошел к окну в коридоре и зачем-то открыл его и выглянул наружу. Маша топталась сзади.

— Веснику сказать, что ли... — промямлила она.

— Что твой Весник сможет сделать, вот объясни мне! — Родионов достал сигареты и закурил.

«Разозлился, — поняла Маша. — Разозлился потому, что я решила, будто он не справился, и как бы выражаю надежду, что справится Весник». Легкое злорадство приятно пощекотало ее воображение. Значит, не наплевать тебе на то, что я о тебе думаю, значит, хочется тебе, чтобы я видела в тебе рыцаря на белом коне!

Хочется или не хочется?! Или это просто мужская сущность такая — я лев, царь зверей, и про то, что слон тоже царь зверей, ты мне лучше не напоминай.

Что я стану делать, когда очередная девушка его жизни женит Родионова на себе и, уходя из его дома, я буду оставлять его у камина с малюткой на руках, отрезанного от меня целиком и полностью, как бывает отрезан человек на фотографии?! Вроде бы он, и картинка знакомая, но его нет, это просто видимость, одна только видимость, и больше ничего!

Родионов докурил сигарету и бросил окурок в окно.

Они спустились на первый этаж и дошли уже почти до высоких двустворчатых дверей, когда великий писатель обернулся и спросил скучным голосом, где ему теперь искать свои книжки на подпись.

А и правда! Где книжки искать?!

Она растерялась, и Родионов заметил это.

— Ладно, — сказал он великодушно, — потом разберемся.

И они вошли в зал, где продолжалось «ожидание моржа».

Продюсер Матвей Рессель слушал «дивчину» Стаса Головко, которая что-то очень активно ему доказывала, и вид у него при этом был недовольный, словно ему не нравилось то, что она говорила. Супруги Поклонные, похожие на собственное изображение в глянцевом журнале, ворковали над столиком с напитками. Мирослава вдалеке руководила Нестором, а он слушал ее и кивал, как китайский болванчик. Мирославин «чоловик» в твиде слонялся в одночестве и то и дело прикладывался к стакану, в котором по виду было виски или коньяк. Его казацкие усы уныло свисали по обе стороны безвольного рта, и Маша вдруг решила, что жизнь у него не сахар.

По лужайке, которая простиралась за распахнутыми дверьми, носились дети, Сильвестр Иевлев и Михаил Кольцов, а родителей последнего не было видно. Маша посмотрела на часы — надо же, прошел почти что час, как они поднялись на второй этаж. А ей показалось, что они были наверху минут десять.

К прочим аквариумным обитателям — Маша заметила это не сразу — добавились еще две довольно крупные рыбы. Статная дама с косой, уложенной вокруг головы, как у Оксаны на иллюстрации к «Ночи перед Рождеством», и еще какой-то тип, которого закрывал Весник, Маша никак не могла его рассмотреть.

— Позвольте, — спросил у нее Родионов, — кто это там с Ильей?

— Я не вижу, Дмитрий Андреевич, мне Весник весь обзор закрывает.

— Да ничего он тебе не закрывает! Где-то я этого типа видел, причем совсем недавно...

— Вряд ли, потому что это все местные гости.

— Да ладно! Говорю тебе, что я его видел!

Тут Весник повернулся, замахал рукой, и стало

видно, что он хохочет, и перспектива обзора открылась, и Маша узнала «типа».

— Это телевизионщик, Веселовский его фамилия, —
зашептала она, состроив ответную радостную улыбку, — мы его видели у Ильи в кабинете, перед самым
отъездом. Помните?

— Он-то как сюда попал? — недовольно спросил
Родионов, но они уже подходили, и он снял неудовольствие с лица, будто вуаль откинул, и рукопожатия,
и улыбки — все сделалось исключительно искренним
и радостным.

— Вы представляете, — с ходу начал Весник, — какие сволочи эти знаменитости! Ведь ни слова не сказал, что тоже сюда собирается! Ни слова не проронил,
паразит, когда в издательство приезжал! Я ему про Киев толкую, а он помалкивает себе!

— Да меня только сегодня пригласили, — радостно
оправдывался Веселовский, — у нас тут съемки второй
день, и сегодня только пригласили! Андрюха Поклонный позвонил и говорит — приезжай, говорит, у нас
тут вечеринка намечается!

Маше показалось странным это объяснение, потому что Андрюха, как его назвал Веселовский, вовсе не
был здесь хозяином и вряд ли мог приглашать или не
приглашать гостей на свое усмотрение. Да и «вечеринка» была сомнительной — никакая не вечеринка, а совершенно официальное мероприятие, с участием рос-
сийского олигарха и украинского политика самого
высшего эшелона, а остальные гости, как макаки в
зоопарке, должны были только развлекать этих двоих,
и точка. Даже подбор гостей был соответствующий —
одни знаменитости и красотки. Остальные не в счет.

Но тут великолепный телеведущий нагнулся и поцеловал Маше руку, она зарделась и обо всех странно-
стях позабыла.

Родионов вздернул брови. Он только и делал, что
их вздергивал.

— А что вы снимаете?

— Да концерт, хренота сплошная! Евровидение же скоро, а его будет Киев принимать, ну у нас тут съемки для Первого канала. Еле вырвался. Не хотели меня отпускать, полдня репетировали. Начали в восемь, а приехал я только в полпятого!

— Здорово, — искренне сказала Маша, видимо из-за того, что он поцеловал ей руку. — Здорово, что вырвались. Я никогда не понимала, как это можно вести концерты, когда перед тобой тысячная толпа!

— Или десятитысячная, — поправил Веселовский. — Я вас приглашу, вы все увидите своими глазами. За кулисами постоите.

— Спасибо.

— Не спасибо, а поедем. Илюха, отпустишь Марью Петровну со мной на концерт?

— А я ни при чем, Игорек. Она у нас великому писателю подчиняется и на него же работает. Так что к нему все вопросы. Отпустишь, великий?

— Да мне-то что? Мне лишь бы работа шла, а так хоть в Гималаи!..

— Да ладно тебе, в Гималаи! Ты без нее дня прожить не можешь, из себя выходишь, а туда же, в Гималаи!..

— Я не могу прожить?! — поразился Родионов, и Маша вдруг подумала, что он сейчас скажет что-нибудь совершенно непоправимое, окончательное и она не сможет этого пережить, и после того, что он скажет, уже никогда, никогда не будет пути назад, и он окажется отрезанным от нее, как человек на фотографии отрезан от всего остального мира и существует в каком-то другом, очень красивом, очень похожем на настоящий, но все же не в настоящем...

— Дмитрий Андреевич, — быстро сказала она, — у нас завтра канал «1+1», программа называется «Сниданок», там надо быть, с учетом всего, без пятнадцати восемь.

— А всего — это чего? — влез Весник.

— Ну, они заранее всегда вопросы проговаривают и грим наносят обязательно, а это не пять минут.

— Ну хорошо, хорошо, — несколько удивленно сказал великий, — поедем, значит, рано.

— А я с вами не поеду, — заявил Весник, — провались оно все к черту! Я сегодня с Игорьком напьюсь.

— Это плохая идея, — неторопливо уверил его писатель Воздвиженский, — напиваться надо со своими и в хорошей компании, а где ты здесь видишь хорошую компанию? Одни какие-то прости господи...

— Молчать, господа офицеры! — перебил его Весник и захохотал. — И чем, собственно, тебе компания не подходит? Смотри, какие девушки! А юноши какие!

— Юноши — это особенно актуально, — подтвердил Родионов. — Кстати, вон ту тетку в прическе я первый раз вижу. Она была раньше или не была?

Весник пожал плечами.

— Я узнаю, — пообещала Маша. — Я ее видела с Мирославой, но не поняла, кто это.

Уже можно было не караулить, что именно скажет Родионов, и не бояться, что это будет что-то непоправимое, разговор ушел в другое русло.

Веселовский улыбнулся ей с пониманием, и подмигнул, и глаза поднял к небу, зеленые, какие только и могут быть в романе у героя-любовника, не глаза, а наказание, казнь египетская.

И Маша улыбнулась ему в ответ и отошла от них.

Краем уха она все время слышала вопли своего сына на лужайке и ответные вопли сына олигарха и волновалась, что Мирослава Цуганг-Степченко или ее верный Нестор каким-нибудь образом... навредят им, прогонят их или обругают, и помнила, что нужно бы спуститься на лужайку и приказать детям, чтобы не слишком орали и носились, тем более когда в поле зрения нет всесильной Катерины Кольцовой!

У кого бы спросить про даму «в прическе», как определил ее Родионов, и, собственно говоря, почему ее им не представили? Или всем положено и так знать, кто она такая?!

Спрошу у продюсера, решила Маша. Он сегодня был очень мил, особенно когда я неслась с лестницы. Даже не указал мне, где именно место прислуги, когда господа находятся на приеме в приличном доме!

Парочка знаменитых актеров все миловалась у стола, и на ходу Маша быстро прикинула, как ей обойти их, спереди или сзади. Вряд ли они обратят на нее внимание, но лишний раз вступать в переговоры с Лидой ей не хотелось. Она заложила вираж, отмахнулась от официанта, который разлетелся предложить ей напитки, и оказалась за спинами знаменитостей.

Спины их, как и лица, были очень красивы.

У них была, если верить газетам, какая-то потрясающая история любви. То ли он спас ее от злодея, то ли она вырвала его из лап бабы-яги, нечто очень романтическое. Они были прекрасны совершенно по-голливудски, и история их была совершенно голливудской, и поэтому Маша в нее не слишком верила.

Кроме того, она никогда не понимала мужчин, которые женятся на красотках, и очень огорчалась, потому что думала, что не понимает от зависти.

Оттого, что сама ну абсолютно не тянет на красотку! Ей казалось, что они все одинаковы — найдите пять отличий! Сама она, как правило, могла найти только два — цвет и длину волос. Все остальное было удручающе одинаковым, и она точно знала, что если завтра на другом приеме увидит жену Андрея Поклонного в другом наряде, то ни за что не вспомнит, кто это. А вот Катерину Кольцову узнает сразу же в многотысячной толпе.

И как это объяснить?..

— ...он дал мне всего несколько дней срока, — услышала она и насторожила уши и притормозила возле парочки, — у меня времени совсем нет, а тут ты еще!..

— Если бы ты не был таким болваном, милый, — пропела Лида Поклонная и нежно провела мизинцем по губам супруга, — все бы обошлось.

Маша видела их в профиль, и даже в профиль было заметно, что нежный муж смотрит на женщину своей жизни с ненавистью, от которой у него даже зубы свело. Он и говорил с трудом.

Маша совсем остановилась, зашла за штору и уставилась в окно, чрезвычайно внимательно высматривая там что-то важное, как капитан судна, заметивший на горизонте черный пиратский флаг.

— Если бы ты не была такой сукой, — в тон ей ответил Андрей Поклонный, — все обошлось бы и без кровопролития. Но тебе же нужна кровь, кровь! Ты же, шлюха дешевая, без этого жить не можешь!

— Истерик.

— Сука.

— Вы подслушиваете? — вдруг громко спросил чей-то язвительный голос, и прямо перед ее носом возник продюсер Матвей Рессель со стаканом в руке. Он стоял на лужайке перед распахнутым французским окном и смотрел на нее не слишком приветливо.

Нет, не так.

Он стоял на лужайке перед распахнутым французским окном и смотрел злобно и подозрительно.

Супруги Поклонные оглянулись, и у красотки, как у тигрицы, зрачки стали поперек.

— Кто это? — спросил Андрей Поклонный брезгливо.

— Горничная какого-то писаки. Зачем он ее сюда притащил, уму непостижимо!..

— Я секретарь Аркадия Воздвиженского, — неизвестно зачем сказала совершенно пунцовая Маша Вепренцева. От невыносимого жара, которым горело все лицо, на глаза еще и слезы навернулись. Маша знала, что стоит ей только моргнуть, и они покатятся по щекам, поэтому она все время смотрела в разные стороны, только чтобы не моргать.

— А по-моему, вы журналистка и вынюхиваете сенсации, — твердо сказал Рессель. — Вот что, голубушка, никаких вам тут сенсаций не будет. Ясненько?

— Я не журналистка!

— А этот крендель с Первого канала, который к вам как к родной бросился? Он тоже не журналист и на Первом канале не работает, да?

Маша Вепренцева даже не сразу поняла, о ком речь.

— Да нет, вряд ли журналистка, — задумчиво произнес Андрей Поклонный, — не похожа.

— Она все вынюхивает, — выговорила Лида Поклонная с отвращением, — она все вынюхивает и везде шныряет. Дрянь!

Тут, видно, в игру включились какие-то силы, о которых Маша ничего не знала и еще даже не успела догадаться.

Андрей лениво поставил свой бокал на столик и сказал каким-то ненатуральным, измененным, театральным голосом:

— А мне она нравится. Очень милая девушка. Девушка, а девушка, как вас зовут? Федя?[1]

Матвей Рессель прямо с газона, переступив низкий подоконник, шагнул в комнату, задел штору, которая сухо затрещала, и с досадой выдернул ткань из-под ботинка.

— Значит, так, — начал он угрожающе, — никакая она не милая девушка, и мы с ней никаких дел иметь не можем. — Это, по всей видимости, относилось к Андрею. — Вы сейчас же исчезаете из нашего поля зрения и больше к нам не приближаетесь. Ясненько? — А это относилось к Маше.

Маша кивнула. Объясняться с ними было совер-

---

[1] Искаженная цитата из фильма «Джентльмены удачи».

шенно бесполезно. Они не стали бы ее слушать, а если бы и выслушали, все равно не поверили бы.

— Если я хоть в одном издании прочту про сегодняшнюю вечеринку, дорогая, я сам приеду и порежу тебя на продольные полоски, — на ухо ей интимно сказал Рессель. — Нет, лучше на поперечные. На поперечные полоски.

И тут Маша, которую внезапно все это стало забавлять, тоже очень интимно спросила у него, даже с некоторым придыханием спросила:

— Почему?

Он не понял.

— Что почему?

— Почему лучше на поперечные?

Что такое, в конце концов! Она здесь по приглашению, вон Весник похохатывает, и Веселовский стреляет по сторонам глазами, как пить дать ее ищет, и Родионов злится — все нормально, жизнь прекрасна, и наплевать ей на звезд и их продюсеров!

— На поперечные лучше потому, что больше выйдет, — хмуро сказал Рессель, — и давайте, давайте отсюда!..

И Маша пошла, а они — все трое — провожали ее глазами, и она вдруг вернулась.

Из-за них и их штучек она забыла, зачем отправилась искать этого самого Ресселя!

— Между прочим, я вас искала, — сказала она ему почти что весело. Слезы куда-то исчезли, должно быть, жар со щек их высушил. — Вы мне совершенно заморочили голову.

— Мы не даем интервью, — сразу заявил Рессель, а Лида Поклонная прошептала очень громко:

— Идиотка.

— Отлично, — согласилась Маша. — Мне не надо интервью. Я хотела у вас узнать, кто вон та дама с косой. Почему-то нам ее не представили.

Лида захохотала оскорбительным русалочьим смехом, но Маша не обратила на нее внимания.

Рессель вытаращил глаза. Маша не отрываясь смотрела на него, неизвестно почему чувствуя свою победу, полную победу, хотя ничего такого не происходило: Лида по-прежнему смеялась оскорбительным смехом, а Андрей был совершенно безучастен, как человек, которому безумно надоело все.

— Которая с косой? — переспросил Рессель и оглянулся.

— Это она про Наденьку, — подсказала Лида, — господи, надо же быть такой идиоткой!..

— Перестань, — резко прервал ее Рессель, и странно было, что так резко. — Если вы про ту даму...

— Именно про нее.

— Это Надежда Головко, жена Бориса, который вот-вот должен приехать, — несколько растерянно объяснил продюсер. — Борис Дмитриевич Головко...

— Я знаю, кандидат в украинские президенты, — быстро договорила Маша. — Спасибо вам большое, вы все очень милые люди.

И она обогнула столик с напитками и пошла «к своим», туда, где хохотал Весник, злился Родионов и стрелял глазами Веселовский.

Она шла, чувствовала, как взгляды актеров и продюсера сверлят ей затылок — в-ж-ж, в-ж-ж, поворачивается сверло, — и гадала, что могут означать все эти странности.

Плачущая за деревьями Лида, угрозы незнакомца, которым оказался Стас Головко, окровавленный нож в раковине, который затем исчез, и еще какая-то жажда крови, о которой только что говорил своей жене знаменитый актер Андрей Поклонный, и в придачу какие-то три дня сроку, который он получил, и кажется, Лида в кустах тоже говорила что-то о сроках.

Может, у них долги?..

— Дмитрий Андреевич, это Надежда Головко, жена Бориса Головко. С ним должен был встретиться наш Кольцов.

— Какой это ваш?..

Маша промолчала.

— Что они там тебе наговорили?

Видел, поняла Маша. Все видел.

Объясняться или жаловаться ей не хотелось.

Она не могла бы это объяснить, но для него она всегда должна оставаться самой-самой: самой умной, самой приспособленной, самой деловой, самой хваткой. Самый хороший секретарь, самый ловкий водитель, самый незаменимый помощник, и кофе тоже варит лучше всех! Пожаловаться — значит признаться в том, что она слаба. Маша ненавидела, когда он замечал ее слабости или страхи.

Слишком опасно. Слишком горячо.

Не может и не должно быть никаких иллюзий. Он узнает, чего она страшится, о чем жалеет, что не дает ей уснуть в три часа ночи, и использует все это против нее.

Все, что вы скажете, может быть использовано против вас!

Так уже было однажды, и до сих пор оно еще живо, и до сих пор еще ничего не обошлось, и каждый звонок по-прежнему тревога — вдруг это наказание, а вдруг это оно, прошлое, вызывает ее из телефонного аппарата?! Самое ужасное, что из-за ее дурацкой доверчивости в это оказались втянуты дети!.. И когда Сильвестр задерживается после шестого урока и ноет, что хочет поиграть с Димкой в волейбол, а Леркин детский сад в полном составе отправляется на утренник в Дом детского творчества, неконтролируемая тревога подло впивается в сознание и сосет, как пиявка, разбухая и заслоняя собой белый свет. А вдруг?.. Вдруг именно во время волейбола или утренника случится то, чего ты больше всего боишься и что в какой-то момент тебе не удалось предотвратить?!

Родионов ничего этого не мог знать и спрашивал только «из интереса», и поэтому Маша не стала ему ничего объяснять.

Сильвестр Иевлев маячил за французским окном, зайти не решился и только делал знаки, пытаясь привлечь ее внимание. Он был красный, облизывал губы, одна штанина задрана, а волосы стоят дыбом.

Маша в ответ тоже сделала ему некий знак, который означал «подожди, я сейчас!», и Сильвестр в ответ принялся энергично жестикулировать. Маша ничего не поняла. Она почти не слушала, о чем говорят Родионов и Веселовский, опять про романы, кажется, и про страсть или про ревность, что ли!.. В первый раз за годы безупречной службы ей было наплевать на умные разговоры и на явное неудовольствие шефа, который так и не получил книг «на подпись».

Ее беспокоила жестикуляция Сильвестра и то, что он маячит на лужайке без всякого «прикрытия» — никого из Кольцовых не было видно. Ее беспокоил упорный, как будто прилипший к ней взгляд Матвея Ресселя и странное поведение красотки Лиды. Ее отвращение к «секретарше» и «прислуге» казалось чрезмерным, ибо Лида все же не была столбовой дворянкой, а Маша дворовой девушкой, которую застигли в хозяйских покоях, когда она примеряла на себя фамильные бриллианты! Машу беспокоил нож в раковине — не столько он сам, сколько его загадочное исчезновение. Ее беспокоил Андрей Поклонный, который ненавидел свою жену. И Мирослава беспокоила, потому что могла в любую минуту выставить ее из-за стола, или еще как-то унизить, или — еще ужасней! — унизить Сильвестра.

И внезапный приезд Веселовского беспокоил ее, и его невразумительное объяснение, как он тут оказался.

Странно, что больше никто не беспокоился.

С отсутствующим видом она еще постояла возле «своих», а потом стала галсами продвигаться в сторону французских окон, за которыми маячил совершенно изведшийся от ожидания Сильвестр.

— Ты переодел трусы? — спросила Маша, выйдя к детям на лужайку.

Он стрельнул по сторонам сердитыми глазами, не слышал ли кто, а потом воскликнул с возмущением:

— Мама!

— Переодел или нет?

— Да, да, переодел! Мам, а можно мне с Михой в Лавру?

Маша чуть не упала.

— Куда тебе можно?!

Вот, он так и знал! Он так и знал, что мать что-нибудь придумает и скажет, что нельзя! Он даже старался себя подготовить и говорил себе, что еще ничего не решено, и вообще ему навряд ли разрешат, и... и... он ведь обещал матери, что станет помогать ей в работе, но ему так хотелось куда-нибудь поехать с новым приятелем и его родителями! Сильвестр Иевлев толком и не знал, что это за Лавра такая, и представлялся ему Аполлон на крыше Большого театра — наверное, оттого, что тот был в лавровом венке!..

— Мам, — заговорил он, очень убедительно тараща шоколадные глаза, — ну Миха едет в эту самую Лавру, а мне, мне можно?

— Нет, нельзя, — сказала Маша растерянно. — Господи, что ты придумал! Они тебя что, приглашали?!

— Ну конечно! — с досадой на мать, что она думает, будто он собирается без приглашения, ответил Сильвестр и правой кроссовкой почесал левую щиколотку, отчего на некоторое время остался без точки опоры и стал падать. Маша его поддержала. — Они мне сказали, хочешь с нами в Лавру, а я говорю, что маму спрошу, а они говорят, что пожалуйста, спрашивай, а я спрашиваю, это далеко, а они говорят, что в Киеве все близко, потому что это город такой!..

— Ой, боже мой, — сказала Маша, как будто Сильвестра не приглашали в Киево-Печерскую лавру, а забирали в армию.

Какой-то шум за спиной неожиданно отвлек ее от осмысления новой проблемы, и она оглянулась.

Из кустов, сквозь которые она сама давеча проломилась при большом стечении зрителей, выскочила «дивчина» Олеся и понеслась прямо на них с Сильвестром. Следом за ней несся Стас Головко.

— Мам, чего это они, а?..

Маша быстро взяла Сильвестра за руку и задвинула его себе за спину, откуда он моментально выдвинулся и, наоборот, занял позицию впереди матери.

Вообще «дивчина» Стаса была очень похожа на самого Стаса, просто удивительно даже. У нее были длинные волосы с выгоревшими на концах прядями, очень милое личико, сужавшееся к подбородку, гладкая кожа и в пупке бриллиант. Для того чтобы бриллиант был виден, пуговки на блузке кончались задолго до пупка, примерно сразу под грудью. Грудь была аппетитна, но не слишком сдобна, все как следует.

Сейчас волосы у нее развевались по ветру, как у сильфиды, по щекам катились слезы, и казалось, что вот-вот прямо на изумрудной лужайке, под чистым и теплым небом должна случиться ужасная сцена, как в кино — он настигнет ее, станет хватать за плечи, а она будет вырываться, хрипеть и закатывать глаза.

Кошмар на улице Вязов.

— Леся!

Она остановилась в двух шагах от Маши с Сильвестром и прижала к щекам кулаки.

— Не подходи ко мне, — сказала она очень тихо. — Не смей ко мне подходить.

Стас Головко послушно остановился.

— Мам, пойдем отсюда, — быстро проговорил Сильвестр.

— И больше никогда не смей разговаривать со мной, — продолжала «дивчина» все так же тихо. — Я сейчас же уеду.

— Ты не посмеешь.

Она отняла руки от щек и спросила, словно плюнула ему в лицо:

— Я не посмею?!

— Ты не можешь сейчас уехать, Леся!

— Я не могу?! После... после всего, что ты... сделал?!

— Леся!

— Мам, пойдем отсюда, а?

— И кто меня остановит?! Ты сам?! Или отдашь меня папочкиным псам?!

Стас сделал движение, и Леся отступила. Машу и ее сына она как будто не замечала.

Сильвестру все это страшно не нравилось. Он вообще не любил скандалов и криков и терпеть не мог, когда рядом орали и выясняли отношения. Еще он терпеть не мог, когда мать сердилась или — хуже того! — начинала на него ругаться. Он пугался и не знал, как жить дальше. От крика у него будто отшибало разум, и все мысли исчезали, кроме одной — убежать. Как можно быстрее и как можно дальше.

Стас сделал еще шаг и улыбнулся Маше и Сильвестру.

— Мы поссорились, — зачем-то сказал он. — Прощения просим!

— Поссорились?! — переспросила сильфида. — Мы *поссорились*?!

И она захохотала и затрясла головой, и кулаки у нее тоже затряслись, и Стас прыгнул, с силой обнял ее за плечи и повел прочь. Она вырывалась, брыкалась, но он ее не отпускал, и Леся перестала брыкаться и пошла, а Сильвестр с Машей смотрели им вслед.

— Чего они ругаются? — под нос себе сказал Сильвестр. — Вырасту, ни на кого не буду ругаться! Ни за что, никогда!

— Никогда не говори никогда, — произнес рядом Родионов. — Всегда говори всегда.

Маша с изумлением оглянулась.

Он подошел к ним и усмехнулся:

— Из-за чего такие страсти? Кто-нибудь вник?

Оказалось, что никто не вник.

— Ну что же так, — пожурил Родионов. — Нехорошо. Страсти кипят, а мы не в курсе дела.

— По-моему, он ее бросил, — проявил Сильвестр чудеса проницательности. — У нас в классе так часто бывает.

— Да ну? — удивился Родионов.

Маша сделала сыну козью рожу, но он ничего не заметил.

— Все время, — небрежно продолжал он. — В прошлом году Лиза Галкина бегала за Гариком, и тоже все рыдала и вот так волосами делала. — И он показал, как именно Галкина «делала волосами».

— А Гарик чего?

— А Гарик ничего! Сдалась она ему, эта Лизка! Мы вообще считаем, что это все ерунда!

— Что ерунда?

— Ну вот, любовь эта! Мы считаем, что только дуракам такое счастье надо, а нам-то зачем, нам не надо!..

— А вам — это кому?

— Кому, кому, парням, кому! У нас в классе все парни так считают!..

— Ох, и я так считаю, — признался Родионов. — Мне бы в ваш класс. Меня бы председателем совета дружины выбрали!

Про дружину Сильвестр ничего не понял, и Родионов сказал ему, что это оттого, что он еще молод, и Маша решила, что должна вмешаться:

— Я вам нужна, Дмитрий Андреевич?

— Да как тебе сказать, — Родионов посмотрел на нее и смешно почесал бровь, — да не особенно, в общем.

— А зачем тогда?..

— А затем тогда, что мне до смерти надоело это стояние на реке Угре, — сказал он сердито, — уже хорошо бы на горизонте объявились татары, побоище состоялось и все разошлись спать!

— А на Угре не было никакого побоища, — влез Сильвестр, — там, наоборот, все очень мирно было. Иван Третий сначала хана боялся, потому что до этого Тохтамыш всех разбил, но все-таки пошел на них. Они постояли и разошлись.

— Кто?!

— Ну, наши и ордынцы. Ахмат хана звали, что ли!.. Он испугался, и они все убежали. Они переправиться хотели, но, когда наших увидели, не решились, а потом мороз ударил!

— Это уж как обычно, — согласился Родионов с удовольствием. — Наш мороз всем морозам мороз. Он просто так не ударяет. Всегда только по делу. Так что тут произошло?

— Мы не поняли, — призналась Маша. — Кажется, они поссорились. Так... всерьез поссорились.

— Такие молодые люди не ссорятся всерьез с такими молодыми девушками, — отрезал Родионов. — Этого просто быть не может.

— Вид у нее был... не очень, — сказала Маша задумчиво. — Совсем плохой.

— Все смятение чувств, — провозгласил Родионов. — Возьми меня в свой класс, Сильвестр!

Сильвестр деликатно промолчал.

— Есть охота, — заявил Родионов.

— И мне охота! — вступил Машин сын. — Мам, ну можно мне в Лавру эту, а?!

— Когда?

— Завтра. Михина мама сказала, что они с удовольствием меня прихватят, а Михин папа сказал, чтобы мы на него даже не рассчитывали. А его мама сказала, что мы и не рассчитываем, а Миха сказал, что он всегда их запугивает, а потом все равно приезжает.

— Это он о чем? — осведомился Родионов у Маши, и она поняла, что придется признаться.

В том, что ее сын собирается на экскурсию с семьей олигарха Кольцова. Только и всего.

Подумаешь, делов-то!..

Маша рассказывала, Сильвестр приплясывал рядом и время от времени вставлял реплики. Реплики были все больше про то, что он хочет есть и пить. Родионов молчал.

— Понятно, — произнес он, когда Маша замолчала. — То есть ты целый день живешь активной и насыщенной жизнью, один я, как дурак, стою в ампирном зале, а рядом со мной, как второй дурак, стоит Весник. Кстати, я так и не понял, зачем он с нами полетел.

Маша кивнула. Она тоже не очень поняла.

— И еще я не понял, откуда взялся Веселовский. Ты его не приглашала, часом?

— Вы что, Дмитрий Андреевич?!

— Это который «Звездный путь» ведет, да?! — завопил Сильвестр. — Ух ты! А можно мне на него посмотреть, а?

— А что такое «Звездный путь»? — не понял Родионов.

— Дмитрий Андреевич, это передача такая, ничего особенного!..

Сильвестр сделал нетерпеливый жест, затараторил, и все быстро объяснилось.

Это такая передача прикольная, объяснил Сильвестр Родионову, ее все смотрят!.. Ну, туда берут всяких парней и девиц и учат их петь, танцевать, все за них голосуют, и за кого не проголосуют, тех отчисляют, а за кого проголосуют, те дальше поют, и еще концерты по пятницам, их тоже все смотрят! В прошлом году, когда все были на экскурсии на Воробьевых горах, объяснял Сильвестр, на лимузине подкатили «путейцы», и что там было!.. Ужас что было, сказал Сильвестр. Их чуть не порвали. За автографами давились, с парапета прямо падали. Визжали, свистели, улюлюкали. Он, Сильвестр, подобными глупостями не увлекается, а у них в классе все увлекаются, а один мальчик все выпуски «Звездного пути» на видак записывает и смотрит каждый день. И концерты тоже. Особенно концерты. А Гарри Веселовский — это его так в эфире зовут, а на самом деле все знают, что он Игорь, — так вот, он самая большая знаменитость! Еще даже знаменитее, чем «путейцы», хоть и не танцует и не поет.

Сильвестр остановился и перевел дух.

Мамин шеф смотрел на него с каким-то подозрительным интересом, а мама что-то искала в кармане, доставала то телефон, то какие-то бумажки ненужные и потом запихивала их обратно.

— Я не понял, — сказал удивившийся Сильвестр, — что такое-то?

— Ничего, — ответил Родионов, подумав, — просто я ничего не знал про... такую концептуальную передачу.

— Про какую? — не понял Сильвестр. — Мам, ну можно мне в Лавру, а?

— Завтра посмотрим, — сказала Маша, — а сейчас, по-моему, нужно решить, где ты будешь ужинать.

— Что значит — где? — не понял Родионов. — Разве он не будет ужинать с нами?

Маше не хотелось объясняться. Не любила она объяснений.

— Думаю, что это не очень удобно.

— Да ладно! — вдруг громко сказал Родионов. — Кому неудобно, тот пусть не ужинает, а нам удобно.

— А Миха где будет ужинать?

— Вот именно, — поддержал его Дмитрий Андреевич. — Где будет ужинать Миха, Марья Петровна?

— Я не знаю, — рассердилась Маша, — но я не могу оказаться в дурацком положении и поставить в такое положение ребенка!

— Мам, я не ребенок.

— Он не ребенок, слышите?

Маша решительно не могла понять, в чем причина веселья ее шефа.

— Значит, так, — подвел итог Родионов, — если мы

приехали с ребенком, значит, ребенок будет с нами ужинать, с нами завтракать и, быть может, обедать тоже.

— Я не ребенок, — вступил Сильвестр, — и суп я не буду!

— Дмитрий Андреевич, я не знаю, как к этому отнесутся хозяева.

— А наплевать! — громко сказал Родионов. — Какая разница?! Ну, плохо отнесутся, ну, мы уедем.

— Куда? — не поняла Маша.

— В Киев, — объяснил Родионов. — В гостиницу «Премьер-Палас», на бульвар Шевченко. Мы там проживаем. Ты забыла?

Маша смотрела на него и молчала.

Мы уедем?! *Мы* уедем в Киев?! *Мы* уедем в гостиницу «Премьер-Палас»?!

Так не бывает. Так просто не может быть.

Мы — это когда работа, издательство, Марков, Весник, рекламные проекты и пиар-программы. Мы — это когда телевидение, пресса, командировки, журналисты. Мы — это когда рукопись, компьютер и «свари мне кофе».

Вне этого нет никаких «нас». Есть он — знаменитый писатель. Есть она — его секретарша.

У него есть звонки в трубке, меняющийся голос и фраза: «Я сам тебе позвоню!»

У нее есть Сильвестр с Леркой, мама-оптимистка, куча неглаженого белья и страх, что прошлое может вернуться.

Да, и еще она в него влюблена. Только и всего.

Родионов, кажется, наконец понял, что она на него смотрит, пожал плечами и неловко улыбнулся.

— Есть хочу, — буркнул он, — будут здесь кормить или не будут?

Ужин начался ровно в семь, и странно было, что к ужину не звонили в колокол и не стреляли из пушки — вполне могли бы.

Началось все с некоторой заминки. Пробежала Мирослава, подхватив двумя пальцами подол платья. Официанты стояли с каменными лицами. Лида Поклонная неторопливо отправилась следом за Мирославой и некоторое время не возвращалась. Мирославин «чоловик» все опрокидывал в себя стаканчики, только теперь жидкость была прозрачной — как пить дать перешел на горилку!

Маша думала про Лиду с Мирославой — неужели они подруги?!

— Нас решили не кормить, — тихо сказал рядом Родионов.

Весник негромко захохотал, а Веселовский покивал согласно.

— Как?! — перепугался Сильвестр. Есть ему хотелось все сильнее, а если не дадут еды, он вообще в обморок упадет! Интересно, у них тут есть «Макдоналдсы» или нет?

В зале присутствовали все, за исключением Тимофея Ильича Кольцова и Бориса Дмитриевича Головко. Миша Кольцов издалека строил Сильвестру рожи, но тот подачу не принимал — потому что перспектива остаться без ужина была ужасна и еще потому, что он так и не понял, отпустят его в Лавру или нет, и немного сердился на мать, а в Родионове почему-то чувствовал поддержку.

Девушка Олеся стояла возле Стаса, и по лицу ее было невозможно догадаться, что она полчаса назад так рыдала, и бежала, и вырывалась, и говорила, что немедленно уедет.

Матвей Рессель, прицепивший к петлице бутоньерку, стал еще более джентльменистым, но, несмотря на это, вид у него был иронический. Андрей Поклонный скучал и пытался кому-то позвонить, но, видимо, безуспешно, потому что он то и дело совал телефон в карман и через некоторое время выхватывал его снова. Надежда Головко, жена будущего президента, пила шампанское подле Катерины Кольцовой, ибо только они были здесь «первыми леди» и им сам бог велел держаться вместе. По крайней мере, Маша Вепренцева, не будучи первой леди, именно так поняла диспозицию. Нестор в черном костюме мыкался за шеренгой официантов, явно не зная, чем себя занять. Катерина Кольцова рассматривала стены, словно видела их в первый раз, и в лице у нее был сдержанный смех. Миша Кольцов корчил рожи Сильвестру Иевлеву. Сильвестр страдал из-за ужина.

Вернулась Лида, скользнула к Матвею, что-то пошептала и щепотью оттянула на груди блузку, будто охлаждая грудь.

— Что-то происходит, — сказал Весник, — что-то они мечутся!

Он ничего не знал про нож, про странные разговоры в кустах, про скандалы и кошмар на улице Вязов!

— Интересно, — продолжал Весник, показав глазами на Матвея с Лидой, — у них роман?

— Не похоже, — подал голос Веселовский. — Он просто большой человек в кинобизнесе. Он Поклонному работу дает!

— А у Поклонного нет работы?!

Андрей Поклонный был знаменит еще даже немножко больше, чем участники проекта «Звездный путь», которых «чуть не порвали» на Воробьевых горах одноклассники Сильвестра Иевлева и прочие праздношатающиеся. Он был талантлив и прекрасен, как бог Аполлон. Тот самый, что на Большом театре и в лавровом венце.

Нет, нет, он был талантлив и прекрасен, как Леонардо ди Каприо в кинофильме «Титаник», то есть значительно больше, чем бог Аполлон. Несмотря на «зрелые лета», он казался очень молодым и даже каким-то розоватым от молодости. Как и этот самый ди Каприо, Поклонный все играл таких романтических героев, что романтичней уж некуда, а метил почему-то в демоны. Хотелось ему быть похожим на Олега Меньшикова, он и одевался так же, и пиджак за плечо забрасывал шикарно, а все не выходило из него звезды мирового масштаба, а продолжался один только русский «Звездный путь»! Поклонницы визжат, автографы рвут из рук, на улице оборачиваются, в ресторан чуть не на руках вносят! И повторяют, повторяют, как он прекрасен, как гениален, как велик, и телефон разрывается от звона, все предлагают и предлагают роли, а он в интервью уже пару раз обмолвился, что хотел бы сыграть... нет, не Гамлета, это как-то старо, а вот князя Мышкина или отца Сергия хорошо бы!..

Маша Вепренцева актера Поклонного не очень любила. Был он, безусловно, мил, нежен, умел изобразить вальяжность, грусть, слезы страдания и страсти тоже ему удавались. Но почему-то везде он был до странности одинаков, настолько, что трудно было отличить одну роль от другой. Только по костюмам и удавалось. Если Андрей в шлафроке и панталонах, значит, исторические кино, а если в джинсах и футболке, значит, из современной жизни.

Но красив, красив, конечно! Тут уж ничего не попишешь!..

В зале произошло какое-то движение, и Мирослава пригласила всех ужинать. Пригласила крайне неуверенно, как будто сомневалась, стоит ли их всех кормить.

— Позвольте, а где же первые лица? — под нос себе вопросил Весник. — Какого рожна мы тут толкались полдня, если нас с ними даже не познакомят!

— Сдались они тебе, — пробормотал Веселовский, — от знакомств такого уровня никакого толка не будет. Это все равно что с президентом знакомиться.

— А мне нравится, — сказал Весник и захохотал, — с президентом я бы не прочь познакомиться!

— Вот если бы ты с ним в одном полку служил или по даче соседствовал, тогда да! А так...

— Тиш-ше! — прошипел Родионов, которого раздражал телевизионный ведущий. — Хозяйка речь будет говорить.

Стол был накрыт по всем правилам, и фарфор был что надо — может, взаймы попросили в каком-нибудь из екатерининских дворцов? Или потемкинских на худой конец? И гости были рассажены по ранжиру, так что Маша Вепренцева оказалась в некотором отдалении от всех и немного за колонной, зато ее сын получил место рядом с Мишей Кольцовым, очевидно, в ознаменование того, что хозяева вполне готовы предоставить олигархову сыну посильное развлечение.

Зато Лиду Поклонную посадили между Весником и Родионовым, и пиар-директор немедленно принялся комически за ней ухаживать, а она, бедная, все принимала за чистую монету и кокетничала напропалую.

Тут-то и выяснилось, что ни Тимофея Ильича, ни Бориса Дмитриевича за столом нет и, по всей видимости, не будет. Катерина Кольцова казалась безмятежной, как майский полдень, слушала, что говорит ей Стас Головко, кивала и посмеивалась, и, похоже, отсутствием супруга нисколько не тяготилась.

Сильвестр и Миша Кольцов усердно ели и наперегонки пили газированную воду, которая в обычной жизни Сильвестру редко перепадала. Маша считала ее крайне вредной и почти никогда не покупала.

Дама с косой вокруг головы по имени Надежда, по слухам, жена будущего президента, тоже была абсолютно спокойна и с аппетитом поедала утиную ножку. Зато Олеся ничего не ела, раскапывала вилкой блюда, которые подносил незаметный и деятельный официант, и в рот ничего не брала.

Дмитрий Родионов пребывал в крайнем раздражении. Даже издалека Маша чувствовала это раздражение, как будто от Родионова искрило во все стороны. У Весника было обиженное лицо, как у мальчика, которому весь день обещали новый грузовик или конструктор, да так и не дали, а Веселовский, казалось, надо всеми смеется.

Ужин был роскошный, и Маша незаметно для себя так наелась, что ее немедленно потянуло в сон, и приходилось делать над собой усилия, чтобы не начать клевать носом. С ней никто не разговаривал, и не на что было отвлечься, и как только стало прилично, она выбралась из-за стола — официант молниеносным и неслышным движением отодвинул стул, — чтобы посетить дамскую комнату.

Хоть бы умыться, может, полегчает?

Вчера она встала в полшестого, чтобы к началу седьмого быть готовой к работе и по телефону проконтролировать «вставание» Родионова, который просыпался очень тяжело, капризничал, засыпал снова и в результате всегда опаздывал. Сильвестра тоже надо было поднимать, чесать ему спинку, щекотать, дуть в ушко, потому что он всегда спал так крепко и растолкать его было еще сложнее, чем Родионова.

Маша щекотала, чесала, подпихивала, целовала заспанную розовую щеку, от которой все еще пахло ребенком, делала массаж, а сын только на мгновение открывал бессмысленные шоколадные глаза, таращил их и говорил: «Мам, я уже встаю, встаю, мам!» — и засыпал опять.

Под конец процедуры утренней побудки они почти поссорились — так он ее задерживал. Но все равно Родионов опоздал еще больше, Маша с Сильвестром вышли к ожидавшей их машине минут на двадцать раньше его. Она нервничала, потому что с утра был запланирован прямой эфир и опаздывать было никак нельзя, звонила ему и в номер, и на мобильный, он злился, и утро вышло ужасным.

Сегодняшнее утро тоже было не подарок, и теперь она хотела спать так, что боялась, что на самом деле заснет лицом в салате.

Мирослава Цуганг-Степченко, поэтесса, будет счастлива.

За спинами официантов Маша Вепренцева пробралась в коридор и некоторое время постояла в затруднении, раздумывая, какую именно дверь открыть.

Беда с этими дверьми. Хочешь попасть в одно место, а попадаешь почему-то в другое.

Заветная дверь нашлась в конце коридора, Маша зыркнула по сторонам, распахнула ее и поняла, что помещение занято.

Жена будущего президента оглянулась и посторонилась. Маша постояла на пороге. Она ужасно стеснялась, когда приходилось... делить с кем-то дамскую комнату. Ну, вот такая она застенчивая уродилась. Хуже не было момента, чем во время или после ужина отправляться «попудрить носик».

Кто его придумал, этот носик, будь он неладен.

Иногда она выжидала, делая вид, что рассматривает обои или предметы ресторанного антуража, если дело происходило в ресторане, как правило, в изобилии понатыканные неподалеку от дамской комнаты. Иногда делала вид, что ей нужно позвонить, и звонила, одновременно пристально наблюдая за вожделенной дверью, не покажется ли из нее кто.

Если показывался, Маша моментально влетала внутрь, проскакивала в кабинку и запиралась на засов. Только бы никто ее не видел.

Проскочить не удалось.

Надежда выходить и не думала — поправляла перед зеркалом прическу. Коса была хороша. Надежда тоже.

Покорившись судьбе, Маша вошла и уставилась на себя в зеркало. А ну как и впрямь попудрить носик? И она тоскливо оглянулась по сторонам в поисках пудреницы. Сумочки у нее, разумеется, с собой не было.

— Если вам что-нибудь нужно, — прощебетала красавица, — то вон там в шкафчике, за пуфиком, все есть. Мирослава Макаровна позаботилась.

Маша согласно помычала. Очень хорошо, что Мирослава Макаровна позаботилась.

Надежда в последний раз осмотрела свою прическу и принялась изучать губы.

Маша на всякий случай изучила свои, а потом мраморную столешницу.

Каррарский мрамор всегда наводил ее на мысль об анатомическом театре, даже такой роскошный, как этот.

— У них такой сказочный стол, — поделилась с ней Надежда, поджала губы и покатала их одну об другую — растерла помаду. Что-то показалось ей лишним, и она стала осторожно снимать перламутровую розовость ватной палочкой, вытянутой из серебряного стаканчика, очевидно, специально предназначенного для палочек. — Я всегда раньше объедалась!

— Вы?! — не поверила истомившаяся ожиданием Маша. — Вы так хорошо выглядите.

Это была истинная правда, а не просто профессиональная вежливость, продиктованная ее положением. Маша Вепренцева всегда была безукоризненно вежлива.

— Спасибо, — согласилась Надежда. Ватная палочка полетела в другое серебряное ведерко, очевидно, для мусора. — Я стараюсь. Хотя, знаете, я была такая обжора!.. Лопала круассаны, пармскую ветчину и утку в сливках. В сливках, можете себе представить!

Вот что удивительно — она говорила это искренне. То есть совершенно. То есть абсолютно.

— А потом впадала в депрессию и корила себя, когда любимая юбка не сходилась.

Эти ощущения были очень понятны и близки Маше, поэтому она позволила себе посочувствовать:

— Ужасно.

— Было бы ужасно, если бы мой личный врач не порекомендовал мне ксеникал! — провозгласила Надежда, выхватила из сумки блескучую пластмассовую штучку с капсулами и помахала у Маши перед носом.

Маша проследила за ней глазами. — Только им и спаслась.

— От чего? — простодушно спросила Маша. — От утки?

— И от утки, и от торта. Боже, Машенька, милая, подайте мне стаканчик, он на стойке за вашей спиной.

Милая Машенька подала стаканчик и вздохнула. Дело с места не двигалось. Надежда уходить явно не собиралась.

Она выдавила на ладонь продолговатую капсулу, налила из бутылки воды, проглотила, как будто совершая некое священнодействие, и замерла.

Маша, позабыв про вожделенную дверь, наблюдала за ней с интересом.

— Ну вот, — удовлетворенно сказала Надежда и выдохнула. — Теперь все в порядке.

— А что такое этот ксеникал? Вы таблетку выпили, да?

— Машенька, ну кто же нынче не знает про ксеникал?! Это абсолютно волшебное средство! Я скинула с его помощью пятнадцать кэгэ, а теперь просто поддерживаю вес. Другого такого нет! Вот смотрите!

Маша внимательно изучила блескучую обертку.

— Достаточно одной капсулы, — жарким шепотом сообщила Надежда, — и ксеникал не дает части жира всосаться. Клянусь вам! Но объедаться на ночь все равно не стоит. И вы знаете, Машенька, у меня просто поменялось ощущение жизни — я совсем не хочу жирного. Теперь мой девиз — здоровый образ жизни. И все благодаря ксеникалу.

— А можно мне?..

Надежда сделала серьезное лицо.

— Машенька, конечно, можно. Вы сходите к врачу, и он вам выпишет. Клянусь, это волшебный, волшебный препарат!

Маша пообещала себе, что немедленно по возвращении в Москву отправится к эндокринологу и выпишет себе ксеникал. Чтобы уж быть спокойной. Чтобы никакой десерт был не страшен. Или шашлык. Или кусок ветчины.

Да все, что угодно!

Она похудеет — не как-нибудь, а по-настоящему похудеет, так, чтобы носить обтягивающие джинсики и короткую блузочку, вроде той, что была на Олесе, и поразит воображение Родионова.

И тогда он наконец поймет, что лучше ее все равно не сыщешь, что только с ней он и может быть счастлив, что вдвоем они — сила, и не только на переговорах!..

Ведь никто никогда не любил тебя так, как я.

Надежда Головко еще раз напоследок оглядела себя в зеркале, сделала Маше ручкой — игривое движение пальцами — и вышла.

Маша проводила ее глазами.

Собственное отражение в волшебном стекле по сравнению с Надеждой показалось ей блеклым, словно выцветшим, — может, потому, что она никогда не красилась? — и сейчас она пожалела об этом. Зачем-то вытащила ватную палочку из специального стаканчика и провела ею по глазам. Зря провела. От ваты глаза сразу же невыносимо зачесались. Маша потерла веки.

Слава богу, день кончается, и уже завтра они уедут в Киев, и визит пойдет своей чередой, и будет много интересных встреч, жары, умных разговоров, и, может быть, удастся съездить на Днепр, который она так мечтала посмотреть!..

Маша порассматривала палочку, заглянула под столешницу каррарского мрамора и нажала педальку серебряного ведерка. Крышка откинулась. Маша рассеянно кинула туда палочку и проводила ее глазами. Потом посмотрела на раковину и вспомнила кровь и нож.

Что происходит в этом доме?!

Какие темные дела творятся вокруг и кто их творит?!

И вообще — что это может значить?!

Нож, кровь, странные разговоры, ссоры, угрозы, шантаж?!

Может, кто-то из гостей последователь культа вуду и в раковине совершалось жертвоприношение? Кого там положено приносить в жертву? Черного петуха?

Подумав про культ, Маша вдруг перепугалась, и еще одна странность припомнилась ей — кто-то же звонил ей, звонил накануне их отъезда и приказывал Воздвиженскому оставаться в Москве и так отвратительно угрожал ее детям!.. Воздвиженский не остался в Москве, поехал в Киев, и Сильвестр сейчас с ними, господи помилуй!.. Сильвестр с ними, а Лерка в безопасности на даче Валентина Маркова.

Маша не то что позабыла об этом, но как будто, переложив заботу на чужие плечи, перестала об этом думать. Плечи были марковские, и в том, что на эти самые плечи можно воздвигнуть все, что угодно, и проблема не просто решится, но и перестанет существовать, у нее не было никаких сомнений.

Может, все это как-то связано?! Но что — все?

Как предполагаемый культ вуду может быть связан со звонками московского сумасшедшего, который угрожал ей и требовал, чтобы Родионов не ездил в Киев?! Как окровавленный нож может быть связан с торопливым разговором Лиды Поклонной со Стасом Головко? И как Лида и Стас вообще связаны между собой?! А красавец актер? А Матвей Рессель, который не отходит от парочки ни на шаг, словно боится чего-то? И почему весь день пьет Казимир Цуганг-Степченко? Или он просто-напросто алкоголик, который не может не напиваться, даже когда принимает у себя на даче будущего президента, от которого вскорости будет зависеть все — тендеры, акцизы, поставки, закупки, налоги?!

И еще всякие подозрительные обстоятельства припомнились ей.

Зачем Весник полетел с ними в Киев? Почему Марков настаивал на знакомстве Воздвиженского и Кольцова? Почему утверждалось, что это именно Кольцов хочет познакомиться, хотя он даже не вышел к гостям? Почему так нарочито, почти публично, поссорились Стас Головко и девушка Олеся? Откуда взялся Веселовский, который за день до отъезда ни слова не сказал о том, что сам собирается в Киев?

И в конце концов — если не брать за рабочую гипотезу культ вуду! — откуда кровь, нож и прочие атрибуты классического детектива?! Только трупа не хватает!

Или кто-то играет с ними в детектив, специально придумывая сюжет?!

Маша вернулась в зал с намерением немедленно поделиться с Родионовым своими мыслями и обнаружила, что за время ее отсутствия произошли некоторые изменения.

Сильвестр и Михаил Кольцов играли в бильярд за широкими раздвижными дверями, которые вели в соседнюю «залу». Там были сплошь зеленое сукно, молочные лампы и латунные решетки.

Вся остальная компания продолжала сидеть за столом, лишь только Аркадий Воздвиженский неловко стоял возле стула, а рядом господствовал Тимофей Кольцов.

Он не стоял, не возвышался, а именно господствовал, и высоченный Родионов как будто уменьшился в росте, съежился и стал похож на распространителя газеты «Искра», которого отчитывает городовой.

Маша подошла к ним.

Знаменитый писатель, увидев ее, страшно обрадовался, словно давно ждал подкрепления и оно наконец пришло.

— Маша, это Тимофей Ильич Кольцов. А это Маша Вепренцева, моя... помощница.

— Мы знакомы, — громко сказал олигарх, — по бассейну.

Мирослава Цуганг-Степченко страдальчески подняла брови и посмотрела на Лиду, та, в свою очередь, посмотрела на Надежду, а Надежда — на Катерину Кольцову. Катерина же смотрела исключительно на огурец, который приготовилась съесть.

— Ваш сын, — сообщил олигарх писателю, — отлично плавает. Они меня сегодня там уморили, в этом бассейне!

Неизвестно, что произошло в этот момент в голове у великого детективщика, но только он почему-то не стал объяснять великому политику, что Сильвестр вовсе не его сын, а сын Машин! Писатель улыбнулся неубедительной отцовской улыбкой и даже руками несколько повел, как бы говоря — ну что ж с них возьмешь, дети, они такие!..

Маша от изумления открыла и закрыла рот.

— Я с удовольствием читаю ваши романы, — продолжал рокотать политик, — жена начала, а я... поддержал инициативу.

Жена иронически хмыкнула на заднем плане, но муж не обратил на нее никакого внимания.

— Из меня, вообще-то говоря, чтец плохой, я все больше по документам специалист разным... — Тут он улыбнулся обаятельной улыбкой гиены, признающейся в том, что она, гиена, большой гурман, не всякие трупы уважает, а только трупы свеженькие, к примеру, или, наоборот, тухленькие! — Но мне нравится иногда... просто так почитать. Вот просто так, чтоб голову не грузило!

Жена опять хмыкнула, и Маша быстро глянула в ее сторону. Глянула и не увидела — от волнения.

— Мне больше всего нравится, что вы глупостей не пишете.

— Глупостей? — переспросил Воздвиженский.

— Ну да. Глупостей не пишете. Мне нравится. Вы же не пишете про ментов или про бандитов!

— А почему про ментов или бандитов означает... глупость?

— Да потому что, кто про это пишет, ничего в этом не понимает! — Олигарх опять улыбнулся, и опять радостной гиеньей улыбкой. — Я минут двадцать посмотрел кино-то это, потом плюнул и не стал смотреть! Расстроился даже. Маразм сплошной. А у вас никакого маразма нету. Мне нравится, как вы пишете. И еще Маринина нравится, а так больше никто.

Наверное, никто и никогда не хвалил писателя Родионова за то, что в его книгах «нет маразма», а если бы кому-то пришло в голову похвалить, от шутника мокрого места не осталось бы — Родионов умел быть резким. Но Кольцова он слушал смирно, как ученик воскресной школы — пономаря, звонящего в колокол.

— И про людей вы хорошо понимаете. Как это у вас, у писателей, так получается, все как-то на месте и в одну линию выведено, а я на бумаге двух слов связать не мог!

— Не может, — подтвердила Катерина Кольцова.

Она дожевала свой огурец, вытерла салфеткой пальцы, поднялась и подошла к ним. Подойдя, она взяла мужа под руку, и вдруг оказалось, что они замечательная пара, что изумительно выглядят вместе, словно родились специально для того, чтобы стоять вот так, под руку друг с другом, и Маша даже вздохнула тихонько. Расстроилась.

Мясистым мужицким пальцем Тимофей Кольцов тихонько поглаживал запястье своей герцогини, и от этого его движения на Машу Вепренцеву вдруг накатило смущение. Девичья стыдливость ее одолела, как будто олигарх с супругой показывали стриптиз, хотя ничего подобного они вроде бы не делали.

Кажется, нечто похожее одолело и Родионова, потому что у него вдруг напряглись скулы, и он сердито посмотрел на Машу. Он всегда сердился именно на нее, если его что-то смущало или задевало, даже если происходящее к ней никакого отношения не имело.

— Мы хотели завтра вашего ребенка забрать в Лавру, — сказала Катерина Кольцова. — У нас экскурсионная программа. В кои-то веки приехали в такой дивный город, надо хоть что-нибудь посмотреть!..

— Мне некогда смотреть, — отрезал Кольцов, — вы смотрите, если вам надо.

— Да мы тебя и не приглашаем! — утешила его Катерина. — Мы ребенка приглашаем, Сильвестра. Отпустите его с нами?

— Спасибо вам большое, — начала Маша, — это очень приятно и очень неожиданно для нас, но...

— Ну конечно, отпустим, — перебил ее Родионов. — У нас очень плотная программа, а он с удовольствием с вами съездит.

Маша отчетливо всхрюкнула, никто не обратил на нее внимания.

— Мы хотели еще на днепровские кручи. Нам сказали, что это где-то по той же дороге, что и Конча-Заспа.

— Что такое Конча-Заспа? — удивился Кольцов.

— Это то место, где мы сейчас, Тим, — охотно объяснила его жена, — вот по этой же дороге, только чуть дальше, мне водитель говорил.

Общество им внимало, стараясь не упустить ни единого слова. Один только Весник делал вид, что Тимофей Кольцов его не интересует, продолжал с энтузиазмом жевать и даже говорил что-то на ухо Веселовскому.

— Так что мы в первой половине дня в Лавру, а потом на кручи. Мы бы взяли Сильвестра на целый день, если вы не возражаете.

— Кать, отстань от них, — посоветовал Кольцов, — ты же видишь, у них свои планы!

— У нас разве планы? — осведомился Родионов у Маши.

— Я... не знаю.

— Они не знают, Кать.

— С нами ваш мальчик будет в полной безопасности!

— Я знаю, знаю! — вскричала Маша Вепренцева.

— Она знает, Кать!

Он играет, поняла Маша. Он опять играет со своей женой в игру под названием любовь.

В эту игру играют четверо, вспомнилось ей. Пятый все время выбрасывает.

Нет, неправильно. В *эту* игру играют двое, и один из них все время старается переиграть другого.

Нет, не переиграть. Это как-то слишком... похоже на спорт.

В эту игру играют двое, и одному все время интересно поражать воображение другого. Удивлять. Заставлять его смеяться, или возмущаться, или удивленно ахать.

Мне это знакомо. Собственно, *именно я* это и придумала. *Мне* все время нужно поражать его воображение — тем, что я лучше всех вожу машину, или веду переговоры, или общаюсь с прессой, или варю кофе, или выбираю ковры под одобрительное кивание усатого турка-эфенди в белоснежной рубахе и очках.

Меня все время тянет сделать что-то такое, чего он не сможет забыть или на что обязательно обратит внимание, что-то особенное, эдакое, доказать, как много он теряет, не обращая на меня внимания! Как много он *потеряет*, когда я вдруг перестану выделывать вокруг него все эти пируэты и пассы, когда вдруг мне станет неинтересно, и не подозревает он, бедный, что ему в тот момент тоже станет значительно менее интересно!

Жить станет неинтересно. Все станет неинтересно.

В один прекрасный день ты скажешь или сделаешь что-то, чего я не смогу пережить. Или... простить. Да, простить. Например, по телефону очередной своей подружке скажешь ты: «Я тебя люблю» — и все. Мне этого будет достаточно. Мне станет неинтересно.

Нет, возможно, мы останемся коллегами и даже, может быть, командой, дай бог здоровья всем журналистам, введшим в обиход это замечательное слово!

Я удобна тебе для работы. Ты платишь мне зарплату. Полное равновесие.

Я больше не буду прислушиваться к твоим шагам в кабинете, улавливать твое душевное состояние, определять по носу, в каком ты настроении, спал ли, работал ли или опять полночи промаялся бессонницей и еще полночи прокурил, думая унылые ночные мысли! Я перестану смотреть тебе в рот, откладывать «на потом» важные вопросы, которые мне нужно обсудить непременно с тобой, пересказывать тебе содержание вчерашнего фильма, когда в машине ты ноешь: «Ну, поговори со мной!» Я перестану упиваться ожиданием радостных перемен или предстоящих интересных и важных дел вроде Невского книжного форума в Питере, ведь я так люблю поехать с тобой куда-нибудь, совершенно неважно куда, в Питер или в Париж!.. Я даже вытащу из твоей машины все свои вещи — темные очки, салфетки, медвежонка на веревочке, «Орбит сладкая мята» и запасные туфли, припасенные на тот случай, если отвалится каблук. Вытащу, чтобы в твоей жизни не осталось моего *личного* присутствия, вытащу, чтобы не нашла их та, другая, которой ты так опрометчиво сказал в телефон, что любишь!..

И ты останешься один. Нет, может быть, и не один, но уж точно — без меня, без моего мира, без того, что сейчас кажется таким привычным и само собой разумеющимся, а потому неважным и постоянным.

Куда же оно денется, если это так просто и понятно и не может быть по-другому?!

— Ма-ам, — протянул рядом Сильвестр, стараясь говорить басом, — ну можно?..

Сгоряча, да еще под пристальными взглядами олигарха и его жены, Маша Вепренцева разрешила своему сыну поездку и на кручи, и в Лавру, и этот вопрос, слава богу, был снят с повестки дня.

Книжки, чтобы подписать олигарху, у Воздвиженского не оказалось, и он начал было вздергивать брови и улыбаться неприятной улыбкой, но Весник вдруг, как фокусник из шляпы, вытащил откуда-то последний роман детективного гения и отодвинул стул, и подошел, и подал книгу, и, таким образом, оказался включенным в «особый» круг, и Родионов быстро познакомил его с Кольцовым.

Маша чувствовала некоторое разочарование — вот за этим и приезжали?! Ради этой одной минуты, когда Кольцов слегка похвалил Воздвиженского за то, что тот «глупостей не пишет», а Весник оказался «готов к услугам» и «на высоте положения» и тоже добился своей цели — знакомства с олигархом! И все?! Сейчас все разойдутся по своим спальням — те, которые их найдут, конечно, потому что некоторые, как выяснилось, ничего такого найти решительно не могут! — утром будет завтрак и разъезд гостей. И все?! Все?!

Позвольте, а еще был обещан кандидат в украинские батьки! Он куда девался?! Ждали, ждали моржа, а объявилась только его половина! Нет, не то чтобы половина, этот тоже вполне целый, но второй-то где?!

Спросить было не у кого, не у Мирославы же спрашивать, на самом-то деле! Тимофей Ильич десерт проигнорировал, ушел, за ним убралась его охрана, а жена осталась. Она тоже посидела за столом не слишком долго и ушла в бильярдную, светившуюся молочным светом и отливавшую зеленым сукном, где Михаил и Сильвестр продолжали бурно гонять шары, так что до столовой долетал деревянный треск от сталкивающихся киев.

Мирослава подсела к Лиде Поклонной, Олеся разговаривала с Надеждой Головко. Ни Стаса, ни Веселовского не было видно, а Весник с Родионовым методично пили виски — кто кого перепьет.

Мирославин «чоловик» с трудом донес себя до бархатной оттоманки, с трудом уселся, с трудом собрал лицо в кулак, придал ему некое выражение и сидел с этим самым выражением совершенно один. Нестор показался, обвел глазами «залу» и исчез. Андрей Поклонный все разговаривал по телефону, а Рессель следил за ним, то ли брезгливо, то ли с раздражением, трудно было понять.

Маше позвонила Ольга Иванова, глава киевского представительства, и стала объяснять что-то про завтрашний день, кто кого и где встречает, а Маша от усталости и напряжения, в котором провела весь этот длинный и не слишком удачный день, ее почти не слушала.

Кажется, Ольга быстро поняла, что Маша не слушает, потому что вдруг сказала:

— Маш, ты что, спишь?

— А?

— Бэ! Ты спишь, что ли?

Маша потерла лоб:

— Я что-то устала, Оль, — сказала она так, чтобы никто не услышал.

Никто не должен был знать, что Маша Вепренцева может устать, как простая смертная! Она не простая, она самая лучшая, и Аркадий Воздвиженский должен об этом все время помнить, даже если она сегодня так и не смогла найти ему книжку на подпись!

— День такой, — согласилась Ольга, — и у меня все вверх дном, хотя здесь-то сегодня все просто, вас нет, и я только два раза съездила в книжный магазин, где Воздвиженский завтра автографы раздает, и в кафе «Бабуин».

— Бабуин? — не поняла Маша.

— Та это такое местечко чудненькое, — запела Ольга, моментально переходя на малороссийский рас-

певный ритм, — та тебе там понравится, Манечка!..
Это кафе такое литературное, тебе Табакова должна
была рассказать! Там как будто коммунальная квартира, а на самом деле несколько зал, одна большая, а остальные поменьше!

— Залы?

— Ну да, да, залы! Там мы будем после телепереда-
чи, там же у нас и кофе-брейк, кофейный перерыв,
значит, и после перерыва у нас там еще встреча с литературной общественностью, но это уже не слишком
долго. Если ты скажешь, я Виталика попрошу, он вас
на Днепр в перерыве свезет, пока я на радио позвоню!

Виталиком звали водителя.

— Ольга, — взмолилась Маша, — я ничего не помню, а книжка записная у меня в портфеле, а портфель
непонятно где! Давай мы завтра все обсудим, а? Сил у
меня нет.

— Та ни у кого нет, — сказала Иванова, — а все потому, что с полдня дождь хлещет. И влажность дикая,
как у субтропиках!

— У каких субтропиках?

— Ах, боже ж мой, есть такая климатическая зо-
на — субтропики!

— Ольга, — подозрительно спросила Маша Вепренцева, — ты надо мной смеешься, да?

— Ну конечно, — успокоила ее Ольга, — ты что-то,
мать, устала, видно. И дождь у нас с трех часов не переставая льет, вот давление и скачет!

— А у нас нет дождя.

— Да что ты говоришь? А у нас как из ведра хлещет. Ладно, отдыхай, Манечка. Отдыхай, а завтра до-
говоримся обо всем, ладненько?

«Хотелось бы мне знать, — думала Маша Вепренцева, волочась по лестнице, — где именно я стану отдыхать, если я понятия не имею, где моя комната!»

Очень хотелось спать, может быть, еще и потому,
что весь день была жара, ее Маша переносила хуже,

чем холод. Она шла по лестнице и мечтала сразу же завалиться спать, и знала, что не завалится. Следовало сделать еще несколько звонков, ванну принять, а также непременно поухаживать за собой на сон грядущий.

Немного крема на веки, немного на подбородок и непременно, непременно похлопать себя, чтобы на шее не нарастал жир, крем от трещин на пятки, а то летом замучаешься, и самой главной составляющей ухода были таблетки под скользким названием асклезан, и их следовало пить «от вен». Маша, как все молодые женщины, очень переживала за свои ноги и страшилась грядущего варикозного расширения, и потому практиковала таблетку каждый день, с тех пор, как врач в поликлинике сказал ей, что этот самый асклезан и есть самое верное средство.

Так что сразу не завалишься, надо хоть Сильвестра положить — он на ходу спит!

Сзади топал и сопел Сильвестр, изредка судорожно и во весь рот зевая. Он всегда держался до последнего, утверждал, что вовсе не хочет спать, что только младенцев укладывают так рано, таращил шоколадные глаза и все время восклицал: «Ну, мам!..» А потом у него словно кончался завод, и жить дальше он не мог решительно. В этот момент окончания завода его нужно было срочно пристраивать спать, потому что он приваливался к чему угодно — к стене, к дивану, к матери, некоторое время держался, а потом начинал ровно и глубоко дышать, укладывать голову, вытягивать длиннющие худые ноги с выпуклыми коленками, и добудиться его было совершенно невозможно.

Теперь он шел по лестнице следом за Машей и то и дело утыкался ей в спину, потому что сзади его подталкивал Родионов, ворча:

— Не спи, парень, не спи, замерзнешь!

А как можно не спать, когда глаза закрываются сами, и ноги странным образом задевают друг за друга, и в голове какой-то далекий и очень приятный гул, будто море шумит, и хоть одно важное дело так и осталось несделанным — чаю-то они не попили! — но все равно дневные заботы кончились, и все хорошо, так хорошо, что просто и не может быть лучше, и сейчас мы дойдем до постели, и мама накроет одеялом, и поцелует, и погладит, и на подушке еще останется ее запах, такой знакомый, такой важный, такой утешительный, что можно будет легко и радостно спать, спать, спать до самого утра, и день начнется чудесно, и все, все будет только чудесно...

— Стой! — приказал Родионов и придержал его за плечо.

Сильвестр глубоко вздохнул и привалился к нему. Этот человек был большим, намного больше матери, и очень твердым и теплым. Сильвестр повозил щекой, устраивая голову удобней.

Что это такое, почему люди не умеют спать стоя?!

— Парень! — сказал Родионов и придержал его, потому что Сильвестр начал валиться. — Парень, мы еще не дома! Твоя мать потеряла комнату и не знает, где вы живете!

— Чай завтра попьем, — пробормотал Сильвестр и опять потерся о Родионова, — три стакана...

— Кажется, здесь, Дмитрий Андреевич, — из конца коридора сказала озабоченная Маша. — По крайней мере, в прихожей мои саквояжи.

— Значит, и комната ваша.

Сильвестр все валился.

— Ах ты, боже мой! Вот нагулялся-то!..

— Извините, Дмитрий Андреевич!

— Иди ты в баню, — сказал Родионов сердито и подхватил Сильвестра на руки. — Дверь подержи.

— Дмитрий Андреевич, не надо, он же тяжелый!

— Сказано, в баню, значит, в баню, — шепотом сказал Родионов и втиснулся в дверь, — где кровать, Маша?! И свет зажги!

Она протиснулась следом за ним, нашарила выключатель. Раздался щелчок, свет залил комнату, и они увидели...

На полу, прямо посреди ковра, ничком лежал человек.

Одна рука у него была откинута в сторону, а вторую он прижимал к животу. Под ним было гигантское мокрое пятно, казавшееся на ковре абсолютно черным и только на светлом паркете ставшее красным.

Он был непоправимо, чудовищно, абсолютно мертв.

— Ерунда какая-то, — осторожно сказал Весник. — Просто чушь собачья! Как он там оказался?! Ну, ты же детективный гений, придумай что-нибудь!

— Да какой я тебе гений!

— А кто ж ты! Ты гений наш, а мы все простые смертные. Так что тебе и карты в руки.

— Илья, не приставай к Дмитрию Андреевичу, — тихо попросила Маша.

Маленькими глотками она пила кофе и заедала его почему-то куском черного хлеба, хотя на буфете всего было полно — и ветчина, и овсянка, и омлеты, и белая рыбка, и даже розовое от сытости сало, порезанное «скибочками», как говаривала Машина мать.

В столовой их было четверо — Весник, Родионов, Маша и Мирославин «чоловик», кажется, так и не пришедший в себя после вчерашних возлияний. Трудно даже сказать, осознал он ночное происшествие или оно благополучно осталось за гранью его измученного горилкой сознания. По крайней мере, никаких признаков понимания он не подавал, сидел в конце стола, отдельно от москвичей, уставившись остановившимся взором в угол и странно вывернув шею.

Вдалеке кто-то что-то громко говорил по-украински, разобрать было невозможно. Маша уже давно заметила, что при всей схожести украинская речь сильно отличается от русской и трудно что-либо понять, когда говорят быстро или на каком-нибудь специфическом диалекте.

— Кто мог его убить?

Родионов хлебнул из чашки, поморщился и запил из стакана. Кофе был скверный, едва теплый и слабый.

— Да кто угодно. Предвыборная борьба.

Весник закурил и осторожно засмеялся. Хохотать было как-то не слишком прилично, вот он и старался не хохотать.

— Борьба-то борьбой, только способ убийства какой-то странный. Зарезать кандидата в украинские президенты в чужом доме, да еще в чужой спальне, да еще... так конкретно зарезать?!

— Что значит — конкретно?

— Ты видел, сколько там было кровищи?

Родионов пожал плечами.

— Это я его нашел, — напомнил он. — Все я видел.

— Ну?!

— Что — ну?

Весник вздохнул протяжно, как терпеливый учитель, пытающийся добиться от ученика правильного ответа на вопрос, сколько будет трижды семь.

— Что ты думаешь?

Похоже, Родионову польстило, что начальник и профессионал Илья Весник пытается выяснить *у него*, что случилось.

— На заказуху не похоже. Киллер стрелял бы из пистолета, пистолет бы бросил и ушел незамеченным.

— Так и этот ушел незамеченным!

— Маша видела нож. Она же все рассказала этим самым, из местной жандармерии!

— Милиции, — буркнул Весник. — Здесь не жандармерия, а милиция.

— Да какая разница!

Весник некоторое время курил в молчании, а потом опять привязался:

— Выходит, тот, который мылся, под каким-то

предлогом заманил Головко в комнату, зарезал его... Сколько там ножевых ранений, они сказали?

— Двадцать семь, — уныло ответила Маша Вепренцева. — Двадцать семь ножевых ранений.

— Ну вот. Нанес, значит, ему двадцать семь ножевых ранений и потом зачем-то поперся в соседнюю комнату. Так, что ли, выходит?

Родионов молчал. Глотал кофе и морщился.

Все они были перепуганы и ни за что не желали друг другу в этом признаваться.

Труп Бориса Дмитриевича Головко, «кандидата в украинские батьки», как накануне выразился Весник, был страшен. Так страшен, что писатель Аркадий Воздвиженский, картинно глотая остывший кофе, подумывал трусливо, что, пожалуй, надо бы воздержаться от такого грязного способа убийства, хотя бы в новой книжке. Дмитрий же Родионов, пристально наблюдавший за тем, как его второе — или первое! — «я» глотает дрянной кофе, думал только о том, что нужно срочно отвлечься, перестать думать, вспоминать, как на полу в самой середине светлого ковра лежало «это», потому что «оно» не было человеком!

Уже.

А может, и никогда не было человеком, потому что человек — это все-таки нечто совсем другое, не просто куча обмякшей, пропитанной кровью плоти со странно вывернутыми конечностями.

Знаменитый детективщик Воздвиженский, ловко укладывавший трупы налево и направо в книгах, иногда безмятежно терявший их в загадочных компьютерных файлах, никогда не думал, что убийство — это так... ошеломляюще. Так безысходно. Так грязно. Так отвратительно.

Еще он никогда не думал, что это так тяжело, физически тяжело — перевернуть мертвое тело, как будто оно весит несколько тонн!.. Перевернуть и увидеть, во что превратилось то, что раньше было животом. Раньше, когда «это» еще было человеком.

От запаха крови Родионова так мутило, что он сосредоточился только на том, чтобы не помчаться в ванную и не выворачиваться там наизнанку над унитазом, унизительно, позорно.

Если бы не Маша Вепренцева, которая коротко дышала у него за спиной и все время повторяла: «Дима, не волнуйся, не волнуйся, ничего страшного!» — если бы не она, его бы непременно вырвало. И еще он немножко помнил про Сильвестра, которого мать немедленно вытолкала взашей, как только она увидела на полу «это». Она вытолкала его и дрожащим пальцем стала тыкать в кнопки телефона, потом прибежал Весник и еще какие-то люди, и Родионову почему-то запомнилось бледное и ничего не выражающее лицо Катерины Кольцовой.

Катерина моментально увела детей, которые с любопытными и наивными лицами и с разинутыми ртами сразу же замаячили в дверном проеме. Потом завизжала Мирослава, и визжала так, что Родионов несколько раз попытался заткнуть себе уши и все отдергивал руки, потому что этот жест казался ему неприличным, и он ругал себя за него.

Что это такое было? Кто это сделал?! Зачем?!

Приехали какие-то многочисленные машины, и люди в форме и белых халатах, так много, будто собирались отбивать атаку многотысячной армии или проводить сразу несколько сложных хирургических операций. Потом приехали люди в пиджаках и галстуках, несмотря на глухое ночное время, и еще какие-то служивые в другой форме, и теплая южная весенняя ночь постепенно превратилась в вязкий кошмар, залитый желтым электрическим светом, и от осознания этого кошмара словно иголка колола мозг.

Родионов тряс головой, все хотел вытряхнуть из

мозга иголку, а она колола все сильнее и сильнее. В глазах темнело от острой и тонкой боли.

Никто не спал, и утро наступило такое же желтое и отвратительное, как давешний электрический свет, измучивший мозг.

Из дому никого не выпускали, и пришлось звонить Ивановой, выдумывать какие-то причины, отменять утренний эфир на телевидении, и завтрак, и совещание, и, возможно, даже встречу с читателями. Неизвестно, когда всех отпустят.

Впрочем, в их положении тоже не было ни общности, ни равенства, потому что Кольцовы уехали сразу же, как только все случилось. Уехали, и все.

По участку пробежала охрана, прочесывая его от Днепра вверх, к стоянке автомобилей, — искали что-то, а может, кого-то, — потом подогнали прямо к подъезду две огромные, страшные, черные машины.

Маша смотрела на них из окна.

Первый джип выглядел несколько более цивилизованно, а второй был похож на дредноут времен Первой мировой войны — косолапый, широкозадый, устойчивый, с узкими окнами и плоским капотом.

— Ужасная машина, — сказала Маша Родионову, когда тот подошел, — гроб с музыкой.

— Это не гроб с музыкой, а «Хаммер», — равнодушно поправил Родионов. — Для охраны — то, что нужно!..

Охранники подошли, стали в круг, и из дому вышли Катерина, ведущая за руку своего сына, а следом и батяня, державший в каждой руке по мобильному телефону. Маше подумалось, что, если бы он мог, как мартышка, держать телефоны еще и в задних лапах, он бы непременно их держал!

Их никто не провожал, ни Мирослава, ни ее «чоловик», ни Нестор — никто!.. Тимофей Ильич сбежал с крыльца, не отрываясь от телефона, взял за руку жену и поволок ее в машину. Она пошла. Он пропустил сына, подтолкнул на заднее сиденье жену, охрана закрыла дверь за ними и за «самим», поместившимся на переднем сиденье. Зашуршали шины, приминая гравий, и тяжеленные, здоровенные, бронированные автомобили тронулись почти неслышно и пропали из виду, как будто их и не было.

Маша Вепренцева дорого бы дала, чтобы иметь возможность вот так пропасть из виду, ни на что не обращая внимания, ни о чем решительно не заботясь, только о спокойствии близких, которое было так ужасно, так непоправимо нарушено.

И еще она подумала, что Тимофей Ильич недоволен именно этим — что Головко убили, не спросив у него разрешения, не «приняв в расчет», что здесь рядом он, великий и ужасный Тимофей Кольцов, и его стая, которую он защищает! Как такое возможно — чтобы убили почти у него на глазах, что за неуважение!

Когда прибыла милиция, Тимофея Ильича и след простыл. Нет его и не было никогда.

Как хорошо быть генералом, как хорошо быть генералом, лучше работы я вам, сеньоры, не назову!..

— Маша!

И ребенка своего спрятали от всех бед и напастей. Увезли, и теперь никто не посмеет ни о чем его спрашивать или напоминать об ужасных событиях или...

— Маша!

— А?

— Маш, свари мне кофе.

— Чего вам сварить?!

— Кофе. Свари, пожалуйста.

Иногда Родионова посещали просто изумительные идеи.

— Дмитрий Андреевич, — пробормотала Маша Вепренцева, — где же я здесь сварю кофе?

В поисках поддержки Маша повела глазами и уставилась на Весника. *Ну, хоть ты скажи ему, что кофе в этом доме я варить не могу!*

Весник отлично понял ее молчаливые призывы к поддержке.

— Да, — вступил он, — мне тоже свари! Это же надо, какую они бурду подали!

И хотел было захохотать, но вовремя вспомнил, что хохотать при сложившихся обстоятельствах неприлично, и не стал.

И мужчины было заговорили друг с другом, уверенные, что Маша сейчас кинется варить им кофе, но она не кинулась.

— Дом чужой, — сердито сказала она, косясь на Мирославиного «чоловика», который все смотрел в угол, — и полно народу, которого я не знаю. Я на кухню не пойду.

— Ну, если ты знаешь еще какое-то место, где можно сварить кофе, иди туда, — милостиво разрешил Родионов.

Иногда он был просто невыносим.

«Я должна его разлюбить, — подумала Маша мрачно. — Вот прямо сейчас взять и разлюбить. Он мне не подходит. Он совершенно не думает обо мне. Он заставляет меня варить кофе, и ему наплевать на то, как при этом я буду выглядеть в глазах окружающих! Ему наплевать на то, что Мирослава вчера весь день называла меня прислугой, и сегодня он сам отсылает меня на кухню!»

По светлому паркету зацокали каблуки, и в столовую влетела вышеупомянутая Мирослава. На ней был бежевый брючный костюм, очень элегантный и свежий, простенькая блузка а-ля Катерина Кольцова, соломенные босоножки, и на лацкане приколот букетик незабудок — это после бессонной ночи с убийством! Прическа у нее была величиной с дом и сильно налачена, губы неправдоподобно алы, и крохотный кружевной платочек она держала за обшлагом рукава.

— Казимеж! — воскликнула она, завидев «чоловика», — Казимеж, я погано себе почуваю! Видвези мэнэ до ликаря, а то я чуть не померла! Казимеж! Ты бачишь или не бачишь, что жинке дуже треба до лекарни!

Казимеж не подавал никаких признаков жизни, и неясно было, «бачит» он или не «бачит» то, что происходит с его супругой.

Мирослава бухнула на стол кипу свежих газет, повернулась и будто только что увидела московских гостей. Гости молчали, слушали, болтали ложечками в чашках.

— Ах, доброго дня, доброго дня, хотя хде уж то добро!..

Все вразнобой поздоровались. Мирослава Цуганг-Степченко бочком присела на краешек стула, вынула из-за обшлага платочек и прижала его к губам.

— Что же это такое делается, когда людей убивают! Та как это можно назвать, если не беспредельный беспредел?!

Все молчали. Не знали, как еще это можно назвать.

— Та Борис Дмитриевич бул самый что ни на есть шановний чоловик, и в нашем мисте, и во всий незалежной Украйне! И так загинул, загинул, та еще в моем доме! Матерь Божья, шо теперь буде, шо буде з нами?!

Весник осторожно хихикнул, потом кашлянул и старательно утер губы льняной салфеткой, накрахмаленной, как в кремлевском буфете, до состояния картонной твердости.

— Та хто ж посмел его так! Мабуть, нихто и не узнае, хто зробил то черно дило!

— Славочка, — вдруг изрек Мирославин «чоловик», и Маша с изумлением на него воззрилась, — Славочка, ты в экстазе и говоришь на нашей мове, а гости мову не понимают, им по-русски бы надо...

Говорил «чоловик» так, словно пытался объяснить посетителям зоопарка, что макаки не понимают человеческий язык, что уж тут поделаешь, придется жестами, жестами!.. На гостей он по-прежнему не смотрел.

— Та боже ж мой, все ж ясно! Борис Дмитриевич

наш самый любимый, самый любимый! Нихто из политиков стильки не зробив для Кыева, скильки пан Головко!

— Славочка!

— Да, да! А его убили, та еще в нашем доме, та еще так погано, что зараз никто не ведае, найдут злодия ти не!..

— А милиция? — вдруг спросил Родионов. — Тут полно милиции, и нас всех ночью допросили. Или вы не верите, что они найдут?

— Ах, Матерь Божья, та кого они найдут! Та никого и никогда и искать не станут, потому что оппозиции это... подарок от сатаны! Сам сатана зробил им подарок и убил нашего Бориса Дмитриевича! Нет и не буде ему замены, и теперь все, все загинуло, и мы загинули, и мисто, и держава!..

— Может, хоть что-то не пропало? — не удержался Родионов. — Что-то же должно было остаться!

Мирослава посмотрела на него и покачала головой.

Она была расстроена и напугана. Маша вдруг подумала, что она даже больше напугана, чем расстроена.

Оттого, что в ее доме, в гостевых апартаментах зарезали человека? Да еще так... показательно, как в фильме ужасов, когда кровь льется рекой, хрустят кости и рвутся сухожилия, а камера все смакует и смакует фонтаном бьющую черную кровь, растерзанные внутренности, непристойно и тошнотворно вывороченные напоказ?!

Или оттого, что скандал — в доме полно чужих людей в форме и без оной, и самый почетный московский гость уехал в крайнем раздражении, и остальные знаменитости, как перепуганные куры, забились на свои насесты. Вот и к завтраку вышли только трое, а остальные где? Нет остальных, отсиживаются по комнатам, и дурная слава о доме поэтессы теперь разнесется на две державы — незалежную Украину и свободную Россию?!

Или оттого, что надо сочувствовать вдове, вокруг которой полночи хлопотали врачи в желто-синей форме — в цвет национального флага, как насмешка, ей-богу! А как ей сочувствовать, когда такая неприятность вышла, и надо как-то объясняться с милицией, и Нестор утром уже доложил, что за железными воротами на шоссе дежурят журналисты! Свои бы ничего, от своих отбились бы, но есть и пришлые, с микрофонами, на квадратных насадках которых значится «Первый канал» или, того хуже, «НТВ», и думать можно только о том, как спасти свою шкурку и остатки репутации, и не до вдовы вовсе!

Маша не слишком сочувствовала ввергнутой в горе поэтессе, с некоторым оттенком превосходства не сочувствовала.

Нам-то что, мы, если надо, еще три раза расскажем, как мы в раковине нож видели, как вода шумела, как потом пришли, и уже не было ничего, как труп обнаружили, расскажем да и уедем к себе в Москву. Это не наше горе, и проблема тоже не наша.

Мы наблюдатели. Как из ООН.

— Мирослава Макаровна, — сказала она, когда поэтесса на миг перестала причитать, безбожно мешая русские и украинские слова, — кофе уже остыл. Может быть, я могу сварить новый?

Мирослава вынырнула из-за платка и с разгону повела было плечом вполне презрительно, но вдруг остановилась. Играть стало не перед кем и незачем. Вместо мертвого Гамлета на театральных подмостках оказался вполне реальный труп. Актерам больше не нужно «держать зал», где и так творится невесть что!..

Я лежу на авансцене, муха ползает по лбу. Уходящего сраженья слышу грохот и пальбу.

— Варите, — сказала Мирослава Цуганг-Степченко, словно разрешала Маше покопаться в ее фамильных драгоценностях, — делайте что хотите! Впрочем, я могу кликнуть Нэстора, и он...

— Я здесь, Мирослава Макаровна! Шо нужно?

— Нужно, шоб подали свежую каву!

— З вершкамы чи бэз?

— Вам з вэршкамы?

Родионов растерялся. Какую еще «каву»! С какими еще вершками! Тебе вершки, мне корешки! Нет, не так. Тебе корешки, а мне вершки, кажется, именно так умный и ленивый мужик обманывал трудолюбивого, но не искушенного в жизни медведя, который переделал за него все дела и получил — корешки от пшеницы!.. Идеал русской оборотистости!

— Мне кофе, а не какао, — быстро сказал Родионов-медведь. — Просто горячий кофе.

— Кава — это и есть кофе, — объяснил подошедший Веселовский. Выдвинул стул и сел. — Вершки — это сливки. Кава з вершкамы — кофе со сливками.

— Нет, — отказался великий писатель, — мне без вершков, то есть без сливок, то есть... Маша, может, ты пойдешь и сваришь, в конце концов!?

— Та не надо ей йты! Тама все зробять и так!

— Кава с вершками! — пробормотал великий.

Веселовский глянул на него насмешливо и потянул газету из пачки, лежавшей рядом с Мирославой. Вообще он вел себя совершенно обыкновенно, как будто и не провел ночь в доме «с убийством». Даже выглядел свежо, несмотря на то, что поспать никому не удалось.

— Мне тоже кофе, — сказал он Мирославе, — покрепче и погорячее, если можно!

— Та теперя усе, усе можно, — с тоской сказала Мирослава. — Нэстор, голубчик...

— Да, Мирослава Макаровна! — воскликнул преданно Нестор и потрюхал в сторону высоких двойных дверей. — Сию минуточку!

Веселовский развернул газету, посмотрел одним глазом и сложил шуршащую бумажную простыню, перевернув ее. Весник явно хотел что-то сказать и выжидал момента, глаза у него блестели. Родионов мрачно молчал. Хорошо хоть Сильвестра с утра забрали «на прогулку»!

Приехал охранник на лимузине, прошел в дом, ни на кого не глядя и ни перед кем не останавливаясь, постучал в Машину дверь и сказал корректно:

— Катерина Дмитриевна просила забрать мальчика. Собирайтесь, пожалуйста.

Мальчик собрался в одно мгновение и завтракать даже не стал — от нетерпения, а Маша не слишком и настаивала. Чем быстрее он покинет «дом с убийством», тем лучше! И так из развеселого путешествия с мамой и по маминым делам вышла просто ужасная катастрофа!

Маша, будучи хорошей матерью, во всем обвиняла себя. То есть не в том, конечно, что «шановний чоловик» Борис Головко оказался прирезанным неизвестным злодеем, а в том, что потащила Сильвестра с собой, а тут — вон что такое! Оставила бы сына в Москве, и дело с концом!

Впрочем, оставить Сильвестра в Москве было никак невозможно — даже Лерку пришлось сдать на попечение Юли Марковой, потому что кто-то звонил и угрожал Маше и приказывал великому ни под каким предлогом не ездить в Киев, а то хуже будет!..

Позвольте, ведь на самом деле кто-то звонил!

Маша совершенно об этом позабыла!

Ну да! Накануне отъезда гнусный тип звонил ей и приказывал остаться в Москве, и начальник службы безопасности издательства потом строго и серьезно выспрашивал ее о том, какой был голос, что именно и как он говорил, а она все повторяла и ненавидела в тот момент начальника службы безопасности лютой ненавистью! Ей было гадко и страшно, а он допрашивал ее с таким холодным и отстраненным профессионализмом!

Может, тот звонок как-то связан с убийством?! Может, должны были убить вовсе не будущего президента, а Дмитрия Родионова?! Ошиблись просто?!

— Звонок, — сказала Маша, и Родионов, знавший все ее интонации, посмотрел на нее внимательно, — Дмитрий Андреевич, помните?! Мы были в Москве, и накануне отъезда нам кто-то звонил?! Говорил, чтобы вы не ездили в Киев?

— Ну, помню.

— А мы поехали, и Головко убили!

— Маша! — предостерегающе сказал Весник, но она не слушала.

— Дмитрий Андреевич! Помните?!

— Ну, помню, помню, но это, по-моему, никакого отношения...

— Вы же детективы пишете! Ну, как же никакого отношения не имеет! Мы еще на следующий день в издательстве обсуждали, что это такое может быть!

— Да, да, ну и что?!

Веселовский закрыл шуршащую газетную простыню и навострил уши. Весник смотрел внимательно и шевелил губами, словно готовился в любую секунду прервать Машины выступления. Мирослава Цуганг-Степченко сделала большие глаза и машинально сунула платочек за обшлаг своего французского костюма.

— Никто не знал, что мы в Киев летим, — продолжала Маша. — Никто, кроме своих! И тем не менее нам звонили и угрожали!

— Так ведь не покойному угрожали, а мне!

— А кто знает? Может, вы как раз и намечались... в покойники!

Воцарилась тишина.

— Ну спасибо, — сказал наконец Родионов, — ну замечательно просто. Умеешь ты утешить, Марья.

Маша собралась было ответить, но не успела.

За двустворчатыми дверьми послышался какой-то шум, чуть ли не крики, и милиционер, дежуривший на лужайке, где еще вчера Сильвестр Иевлев и Михаил

Кольцов носились с развеселым гиканьем, повернулся и пристально посмотрел в гостиную, где за столом сидела вся компания.

Один голос говорил нечто такое, что трудно было разобрать, а второй, женский, визгливый, все набирал и набирал обороты, и понятно стало, что, когда наберет, никому здесь не поздоровится.

— А я хочу знать! А я хочу знать, кто эта крыса!.. И не смей меня уговаривать!.. Я тебе не девочка-ромашка!.. Пошел прочь с моей дороги!..

Весник поднял брови и сложил губы, будто намереваясь захохотать. Веселовский пожал плечами, а Родионов всем телом вместе со стулом повернулся в сторону дверей.

Конечно, шумела Лида Поклонная. Это выяснилось, когда одна створка неожиданно распахнулась, как будто с той стороны ее сначала держали, а потом отпустили, и звезда влетела в комнату.

Мисс Фурия, подумала Маша Вепренцева. Нет, пожалуй, мисс Гарпия. Кажется, даже слышался клекот наподобие орлиного.

— Я хочу знать, что это такое! — выпалила Лида, тяжело дыша. — Что это такое, я вас спрашиваю?!

И она потрясла перед всеми газетой, которую держала в руке. Вид у нее был дикий.

Следом за ней ввалился Матвей Рессель, как обычно, безупречный во всех отношениях и джентльменистый донельзя. На нем была парусиновая пиджачная пара и штиблеты на необыкновенной резиновой белой подошве.

Для полноты картины не хватало только тросточки и шляпы-канотье. Даже бутоньерка в петлице присутствовала.

— Лида, Лида, — унимал актрису Рессель и мелкими шажками продвигался к ней, как будто собирался схватить ее за бока и утащить обратно, — Лидочка, не волнуйся ты так!..

— Нет, я хочу знать, кто нас сдал! — визжала Лида. — Кто из них сдал нас прессе!!!

— Лидочка, — начал Веселовский, — что ты кричишь, моя девочка?! Прессе и так все давно известно. Что ты, лапочка?! Такое событие, как же они пропустят?

— Твою мать! — Лида Поклонная смяла газету в огромный неровный ком и швырнула в Веселовского. Он поймал его, как мячик, и кинул на пол. — А ты бы помалкивал в тряпочку, слизняк, подстилка продюсерская! Про тебя даже если напишут, что ты говно, ты счастлив будешь! Мы все знаем, как ты рекламу уважаешь, Игорек!! Вот и сиди в говне, если тебе надо, а мне не надо, я не хочу!

— Лида! — Веселовский сохранял благодушие, но глаза стали злыми, и черты лица обозначились четче. — Лидочка, девочка моя, куда тебя понесло, ласточка?!

— Какая я тебе ласточка?! Это ты для всех ласточка, Игорек, а я актриса! Ак-три-са! А вам всем, гомикам проклятым, на всех наплевать, вам бы только хвосты друг перед другом распускать!

— Да ну что ты за актриса, — ласково сказал Веселовский, — пара эпизодов со словами и роль подруги героини со спины? Вот муж у тебя вроде актер, а ты какая ж актриса, моя кисочка?..

Температура повышалась скачкообразно. У Сильвестра в физике есть такой раздел, про вещество, где температура повышается сначала линейно, а потом скачкообразно. Маша это очень хорошо запомнила.

— Лида, — приказал Рессель, — сядь.

— Да что случилось-то? — осторожно поинтересовался Весник. — Про убийство в газете написали? Так этого следовало ожидать! Такой пиар-повод журналюги не пропустят!

Маша Вепренцева за спинами у всех пробралась к стулу Веселовского, подобрала газетный ком, ушла на диван и стала его разворачивать.

— А ты кто такой? — спросила Лида Поклонная у Весника и залпом выпила стакан морсу, который ей подсунула Мирослава. Вообще хозяйка вела себя странно. Лиду не защищала, не причитала, не выкликала «Нэ-эстор!», только наблюдала. — Тоже подстилка журналистская?! Проваливай отсюда! Все, все проваливайте отсюда, суки, вашу мать!!

— Лида!

— Лидочка, уймись, моя девочка, на нас милиционер смотрит!

— А мне плевать, кто там на нас смотрит! Я хочу знать, кто нас сдал, вашу мать! Кто посмел, мать, мать, мать!..

Родионов отыскал глазами Машу, показал на Лиду и пожал плечами. Странно, что у виска не покрутил.

Статья называлась «Звездный развод», и поначалу Маша пропустила ее, потому что искала информацию об убийстве «шановного чоловика» и всеукраинского батьки, а ничего такого в газете не было! Она бы и не увидела ничего, если бы на глаза не попалась фамилия Поклонный. Тут только она сообразила.

Сообразив, она стала быстро читать вслух:

— «Вчера окончательно определился будущий развод супер- и мегазвезды отечественного экрана Андрея Поклонного и его жены Лидии. Решительное объяснение произошло на даче известной украинской поэтессы Цуганг-Степченко, которая является подругой теперь уже практически бывшей звездной жены. О том, что в семействе неладно, московская тусовка поговаривала уже давно, но никто и не предполагал, что дело зашло так далеко. Андрей Поклонный и Лидия Шумкова поженились пять лет назад, встретившись на съемках киноромана «Золотой дождь», с успехом идущего и по сей день на ведущих телевизионных каналах». Тра-та-та, — тут Маша Вепренцева непочтительно выпустила несколько строчек, относящихся в основном к гению Андрея Поклонного и всенародной к нему любви. — Ага, вот. «Их свадьба праздновалась во всероссийском масштабе, и эта почти голливудская пара всегда положительно относилась к прессе и никогда не делала тайну из своей личной жизни, за что ее особенно любят поклонники и поклонницы. Несколько месяцев назад Лидия вдруг перестала давать интервью и практически не появлялась на людях вместе с Андреем. Тем не менее ничто не предвещало грозы, и вот вчера...»

Маша отложила газету и обвела глазами собравшихся. У них был вид колхозников, слушающих возле радиоточки дневник восемнадцатого съезда КПСС.

— И вот вчера, — повторила она с удивлением. — Вчера! Да. Кто-то тут был из... них.

— Это ты все шныряла и вынюхивала! — неубедительно вскрикнула Лида, ясно было, что вскрикивает она просто так, по инерции. — Я еще вчера тебя хотела вышвырнуть!.. Слава, убери ее отсюда, убери — или я за себя не отвечаю!

— Не отвечаете, лучше пойдите умойтесь, — вдруг резко сказал Родионов, — освежитесь! Или не визжите!

Лида Поклонная посмотрела на великого писателя с совершенно трезвым удивлением, немного подумала и кричать больше не стала.

Зато глаза у нее, будто по команде режиссера, налились слезами. Слезы были чистые и крупные, бриллиантовые, как на заказ. По щекам они тоже покатились очень по-киношному, вот у Маши они никогда так не катились, размазывались и висли на подбородке. Приходилось вытирать их ладонями или рукавом, если платка не находилось в кармане.

— Славочка, — залопотала Лида, истекая бриллиантовыми слезами, — ну, скажи мне, что это не ты! Что ты не знала!.. Что ты ни при чем!..

— Шо ты, шо ты, дивчинка моя, — затараторила перепуганная Мирослава, — как же ж я, разве ж я могу!.. Та если б я знала, я того предателя своими бы руками задушила, бо он посмел на тебя напраслину возводить!

Маша посображала немного.

— Лида, — спросила она, — а это что? Неправда? Вы не разводитесь?

— Матвей, скажи, чтоб она заткнулась!

— Уважаемая Маша, — задушевно начал Рессель, — вы же видите, что Лидочка расстроена! Если уж вам так любопытно, могу я ответить.

Он вздохнул протяжно, и выпрямил спину, и выложил руки на стол, словно на пресс-конференции. На пальце блеснуло кольцо с диковинным овальным черным камнем.

Весник посмотрел на него, закрылся ладонью и захохотал беззвучно. Он давно примеривался, как бы ему захохотать, и вот наконец выбрал момент.

— Что касается развода, разумеется, это ложь. Чистой воды ложь и выдумки журналистов. Больше всего в этой статье нас огорчило то, что...

Тут он вдруг остановился и посмотрел беспомощно. Не успел придумать, что именно их огорчило в этой статье больше всего. По крайней мере, вид у него был именно такой.

— Но если это ложь, — сказала Маша осторожно, — то из-за чего такая... паника? Напечатайте опровержение, да и дело с концом!

Тут Мирославин «чоловик» Казимеж вдруг громко икнул, и все посмотрели на него. «Чоловик» вздернул голову на куриной шейке, посмотрел гоголем и сказал: «Пардон!», после чего сник и уставился в стакан. Мирослава вздохнула.

— Вы не понимаете, — морщась, продолжал Рессель, — напечатать опровержение очень легко, но что будет с репутацией?!

— Чьей? — не понял Весник. Он уже не хохотал и слушал очень внимательно. — При чем здесь репутация, дорогой продюсер?! Мы же не вчера родились!

Чего только газеты не пишут! Подавайте в суд за оскорбление чести и достоинства, еще деньжат с них срубите! Что это за газета?

На вопрос о газете Рессель почему-то не ответил.

— Лидочка, — сказал он и простер руку в сторону удрученной звезды сериала «Мальчики по вызову», — не выносит, когда на свет вытаскивают ее грязное белье. У нас договоренность, что все, абсолютно все публикации согласовываются с нами, и когда этого не происходит...

— У нас тоже договоренности, — перебил его Весник, — у нас тоже все публикации согласовываются. Вот недавно про Донцову написали, что у нее квартира на Елисейских Полях, а трое ее детей живут на Ибице. И при этом пишет за нее бригада, которая, в свою очередь, живет в подвале ее дома на Истре на положении вьетнамских рабочих! Вот вам и все договоренности!

— Я и не знала, — пробормотала Маша Вепренцева. — Про Донцову-то... Огорчилась она?

— Да ладно! Она боец, каких поискать. Машунь, да таких статей по три в неделю выходит, это все и так знают! — Весник оседлал любимого конька и моментально приобрел вид начальника, восседающего в своем кабинете, — не хватало только ноги задрать на стол, в кресле откинуться и начать распекать всех по громкой связи. — Па-адумаешь, развод! Там ведь не написано, что Лидия Поклонная совращала малолетних мальчиков у себя на даче, аки Майкл Джексон. Не написано, Машунь?

— Нет, — сказала Маша. — Ничего такого не написано.

— Ну вот, ну вот. Так что, Лидочка, валяйте опровержение, и дело с концом!

— Да вы не понимаете ничего, козлы, блин, уроды, вашу мать! Донцова у них на Елисейских Полях живет! Да пусть она хоть где живет, а я хочу найти ту суку, которая журналюгам стукнула, что мы разводимся! Матвей, найди мне ее!

Лида сжала и разжала кулаки, и глаза у нее вдруг округлились.

— Господи, — сказала она и посмотрела остановившимся взглядом, — Господи, что будет, когда узнает *он*?! Что будет?! Он же еще ничего не видел! Боже, боже, Матвей! Что же делать, что мне делать?! Что теперь со мной будет?

Все это было так странно, так театрально, что Маша Вепренцева совсем перестала что-либо понимать.

«Но позвольте, — вдруг сказал кто-то у нее в голове, — нет-нет, позвольте!.. Вчера, еще до всех событий, я заблудилась на этом участке, как в лесу, и Лида Поклонная рыдала в кустах, из которых потом вылез Стас Головко! Вылез и пошел по дорожке, насвистывая, а я в это время пряталась за сосной и переживала, что все время из-за нее вылезает то бюст, то зад!»

— Лида, — спросила она осторожно, — а вчера... днем вы разговаривали с кем-то, я слышала. Вы говорили, что все не так, а ваш собеседник говорил, что у вас есть еще один день, а после этого он все возьмет на себя. О чем шла речь, Лида?

На протяжении этой короткой речи лицо у Лиды менялось, черты его словно застывали, и когда Маша во второй раз назвала ее по имени, она вдруг сорвалась с места, опрокинув стул, который сильно и гулко грохнул о паркет, как выстрелил.

— А-а!!! — завопила Лида. — А-а-а, с-сука!!! Это ты, ты, это все ты!!!..

И она вцепилась Маше в волосы.

Маша, которую отродясь никто за волосы не драл, так оторопела, что даже защищаться не могла. Лида драла ее за волосы, а она только хватала ее за запястья и пыталась если не притушить, то хотя бы отвести от себя ее гнев.

Притушил и отвел его Родионов, причем очень быстро.

Он очень ловко скрутил разъяренную львицу, подвесил ее на палку вверх ногами и понес к костру.

Ох, нет, нет, не понес, а просто толкнул на диван, а там и продюсер подоспел.

Маша потрясла головой, прогоняя видение связанной львицы. Перед глазами прояснилось. Продюсер хлопотал, делал знаки, чтобы поднесли воду, и махал Лиде в лицо стянутой со стола газетой. Милиционер на газоне обернулся, подумал и медленно пошел в сторону французского окна, выходящего прямо на лужайку.

— Лида, Лидочка, что с тобой?

— Да ничего! — с бешенством сказал Родионов. — Истерика у нее!

Нестор вернул на место упавший стул и пошел было из комнаты, но остановился, кажется, только затем, чтобы послушать и посмотреть, что будет дальше.

— Лида, — произнесла Маша и потрогала свою шею за ухом, где сильно саднило, — зря вы так перепугались. Я ничего особенного не слышала, я только хотела узнать, с кем вы разговаривали и почему у вас только один день. На что... один день?

— Воды! — крикнул Рессель, все хлопотавший около звезды. — Воды!

И метнулся куда-то, видимо за водой, зацепился за ковер, многострадальный стул накренился и стал валиться набок, и так грохнулся, что даже подпрыгнул.

Мирославин Казимеж снова вздрогнул и расплескал содержимое стакана себе на колени. Расплескавши, он стал судорожно отряхиваться пятерней, как малолетний ребенок. Мирослава под столом подала ему салфетку. «Чоловик» некоторое время изучал салфетку мутным взором, а потом взял ее и долго не знал, что с ней делать. Мирослава вырвала салфетку и быстро обмахнула его брюки.

Маша наблюдала за ними очень внимательно.

— Нэстор, будь ласка, водычки!

Нестор нога за ногу поволокся за водой, и разговор как-то сам собой угас.

Милиционер приблизился и стал возле окна так, чтобы получше слышать. Уши у него, казалось, пробуравили фуражку с высокой тульей.

Лида всхлипывала на диване, ее истерика казалась до крайности надуманной, высосанной из пальца. Маша Вепренцева потрогала свою шею, которая горела там, где Лида в нее вцепилась. Веселовский как ни в чем не бывало читал газеты, методично перелистывал страницы, которые приятно шуршали и время от времени закрывали его лицо до самого носа.

Мирослава — вот чудо из чудес! — к Лиде не подходила, посматривала на нее издалека, и непонятно было, с сочувствием или, наоборот, высокомерно, как умеют смотреть женщины, когда понимают, что у подруги «страшные проблемы».

«У тебя проблемы, а у меня нету!» — вот что означал такой взгляд в переводе, хотя, по мнению Маши, у Мирославы в данный момент была целая уйма проблем.

Уймища просто.

«Я с ней поговорю, — вдруг быстро решила Маша. — Она напугана и взволнована. В самый раз сейчас с ней поговорить. Только бы выбраться отсюда и ее как-то выманить.

А то ведь не станет она со мной разговаривать. Это они тут все звезды, литературные, да еще киношные, да телевизионные, а я кто?

А я секретарша. Никто».

— Что мы дальше делать-то будем, гений наш? — вдруг спросил Весник и утер туго накрахмаленной салфеткой крепкие губы. — Программа сегодняшняя вся псу под хвост, Иванова там в припадке истерическом бьется, а мы тут сидим. Долго еще просидим-то, а, Марья Петровна?!

— Да утром всем объявили, что пока по второму разу показания не снимут, не выпустят никого! — сказала Маша. — Ты же знаешь!

— Да я-то знаю, но программу-то Марков утверждал, он мне за нее голову снимет, блин! Слушай, великий, может, ты поговоришь с кем там надо, книжечку подпишешь и того!.. Поедем в Киев. Тако гарно мисто тот Кыив!

Маша ничего не поняла.

Зачем он говорит все это? Знает же, что никого не выпустят, сказали — и не выпустят, потому что преступление громкое — уж такое громкое, что громче некуда! — да еще в присутствии «москалей», в подозрительном, надо сказать, присутствии. А ну как они его... того... этого? А?..

Вряд ли, конечно, но ведь по-разному бывает. И олигарх тут подозрительный до крайности, и охрана его. Мало ли, может, завел он «шановна чоловика» в комнатенку да и прирезал! Чтоб не мешал, а то, может, Тимофей Ильич ему раздумал деньги давать, а тот настаивал, раз обещал — давай!

Остановить олигарха, конечно, никто не смог бы, разве только президент России прилетел бы и велел остаться, но президент не прилетел и не велел.

Остальные остались и будут здесь ровно столько, сколько понадобится украинской ФСБ или как она там называлась «на мове», и это ясно как божий день, и Веснику должно быть ясно! Тем более ему! Про него в издательстве говорили, что он пришел на свою мирную работу прямо из какого-то секретного военного ведомства и будто бы находится он в чине полковника.

— Не хочу я здесь сидеть, — тихо, но отчетливо выговорил предполагаемый бывший сотрудник секретного ведомства и поднялся. — Тимофей Ильич больше не приедет, и мне здесь нечего делать. Надо как-то выбираться.

После чего он встал и, перешагнув низкий порожек французского окна, вышел на лужайку. Милиционер — или как они там называются на мове — проводил его подозрительным взглядом.

— Славочка, — простонала Лида, — проводите меня. Мне надо прийти в себя, и я не хочу, не хочу встречаться с Андреем! Он не простит, не простит...

— Я провожу, — вызвался Рессель, и они ушли втроем — Мирослава и звезда с продюсером.

Веселовский моментально отшвырнул свои газеты, откинулся на спинку кресла и вкусно, до хруста потянулся.

— Ух, как я их ненавижу! — выговорил он и передернул плечами. От ненависти, должно быть. — Ух, как ненавижу!

— Кого, Игорь?

— Истеричных старых теток и ихних антрепренеров! — Он так и сказал «ихних». — Надоели.

Родионов пожал плечами. Вид у него был недовольный, и Маша по привычке переживала из-за его недовольного вида. Все ей казалось, что это она виновата в том, что великий сердится.

Великий вдруг подошел и потрогал царапину у нее на шее. Маша отшатнулась, как пионерка, которую случайно взял за руку председатель комсомольской организации.

— Помазать надо, — морщась, сказал писатель, — хоть йодом. Может, у этой Лиды под·ногтями трупный яд!

— Это легко, — пробормотал Веселовский, — они все падалью питаются. Вот черт. Ехал, думал — оторвусь, а тут... Убийство и развод, и вообще хрен знает что!..

— А... почему вы приехали? — осторожно спросила Маша. — Вы же... не собирались, правильно?

— Куда не собирался? — спросил Веселовский не слишком приветливо.

— Ну, в Киев. Мы накануне в издательстве встречались, и вы ничего нам про Киев не сказали!

Они тогда сидели у Весника, курили и пили зеленый чай. Веселовский шуршал газетой прямо как сейчас и строил ей глазки. Это было забавно и приятно — ей давным-давно никто не строил глазок!..

И... и...

Было что-то еще. Точно. То ли фраза, то ли взгляд, которые тогда ее насторожили, а она не придала этому значения. Что-то такое, чего не должно было быть!..

Да. Точно.

Ей некогда было вспоминать, и она решила, что потом непременно вспомнит, а сейчас Маше казалось очень важным выяснить, почему Веселовский все-таки приехал на дачу.

— Не знаю, почему я не сказал, — буркнул Веселовский, — хотя и так все знают, что у нас концерты в Киеве записываются. Отборочные туры на Евровидение в эфире каждую неделю!.. Да у меня и не спрашивал никто! А я сумку с концертными костюмами в Москве оставил, представляете?! Эти провинциалы хреновы мне черный костюм приволокли, а я их в принципе не ношу! В прин-ци-пе! Что я им?! Люди в черном, что ли?!

— Игорь, а кто вас пригласил на дачу?

Вопрос был слишком в лоб, и Маша сама поняла это, как только договорила. Веселовский вздернул брови и посмотрел на нее с сожалением, как умный на дурочку.

— А что такое? Это допрос?

— Да ладно вам, — вдруг добродушно сказал Родионов. — Моя помощница играет в детектив, разве вы не видите? Всю жизнь около детективов, ну и хочется ей... поиграть. Не обращайте внимания.

«Он прикрывает меня, — поняла Маша. — Он говорит это специально, чтобы отвлечь и задобрить Веселовского. Я знаю все его интонации, и — уверена! — он тоже хочет услышать ответ».

Ну и дела.

— Не всю жизнь, — пробормотала она, подыгрывая Родионову. — А два года только!.. Вас... Мирослава Макаровна пригласила, да, Игорь?

— Ну да. Я ее сто лет знаю. Она тут у них... знаменитость. Тарас Шевченко и Леся Украинка в одном лице, даром что муж паленой водкой торгует!

— Так уж и паленой? — игриво переспросил Родионов. — Или это вы шутите?

— Да откуда я знаю, паленой или не паленой! — с досадой сказал Веселовский. — Так говорят, а там...

Тут вдруг он как-то странно дернул головой и оглянулся — Мирославин «чоловик» сидел все на том же месте, следовательно, рассуждения о водке отлично слышал! Странное дело, но вид у него был совершенно равнодушный. Никак невозможно было понять, что с ним — то ли он так уж пьян, что вообще не воспринимает окружающую действительность, то ли ему все по фигу!..

Веселовский издали поклонился «чоловику», как будто извиняясь, и посмотрел на Машу. Глаза у него смеялись.

— Как я попал!.. — одними губами сказал он и возвел глаза к потолку. — Как я погорел!..

Родионову надоели его пируэты вокруг Маши Вепренцевой — или то, что казалось ему пируэтами, — и он вдруг громко заметил, что день в разгаре и хорошо бы Маше хоть позвонить Ольге Ивановой, решить, что они будут делать, если даже под вечер им не удастся выбраться с распроклятой дачи, из распроклятой Кончи-Заспы!

Веселовский, услышав его начальственный тон, извинился и тоже ушел, и они остались вдвоем, если не считать «чоловика». Впрочем, считать его было как-то странно — он то ли дремал, то ли не дремал, но признаков жизни никаких не подавал.

— Что ты его слушаешь, этого болтуна телевизионного! — с сердцем произнес Родионов. — У тебя чего, дел нет? Так я тебе мигом организую дел целую кучу! Визит срывается! Звони Маркову, объясняй, что тут у нас вышло, пусть он или продлевает пребывание, или придумает что-нибудь!..

— Табаковой надо звонить, — безразлично сказала Маша. Их визит в данный момент ее совершенно не интересовал. Она поболтала в чашке остатки кофе и глотнула. — Табаковой, а не Маркову. А вы заметили, Дмитрий Андреевич, что он врал?

— Кто?!

— Веселовский.

— Да он все время врет, у него профессия такая!

— Да не в том смысле! — возмутилась Маша. — Он врал *сейчас*. Когда говорил, что его Мирослава пригласила.

— Почему врал?

— Потому что, когда он приехал и с Весником стоял, помните, он сказал, что его пригласил Поклонный. Позвонил, мол, Андрюха или Андрейка, как-то так он его назвал, и сказал: приезжай, повеселимся!..

Родионов пожал плечами.

— Я не помню.

— А по-моему, это важно.

Родионов начал раздражаться:

— Что?! Что важно? Ты чего? На самом деле играешь в детектив?!

— Дмитрий Андреевич...

Он раздул ноздри — он всегда раздувал ноздри, когда злился.

— Как вы не понимаете, что Головко убили, когда мы все были здесь! — Маша Вепренцева даже руки на груди сложила, словно умоляя Родионова выслушать ее, и напрасно это сделала — Родионов терпеть не мог, когда его о чем-то умоляли. Он ведь был «равнодушный» и любил в себе это равнодушие.

— Мне все равно, когда его убили, — резко сказал
он. — Займись своими делами, я тебя умоляю!..

— Какими? — сердито спросила секретарша. — Какими делами, Дмитрий Андреевич? Уехать мы не можем. Работать мы тоже не можем. Ребенка забрали
Кольцовы. Почему я не могу пока заняться... расследованием?

— Че-ем?!

— Расследованием, Дмитрий Андреевич! А что такого ужасного я сказала?!

Аркадий Воздвиженский подхватил Машу под ло-
коток и проворно поволок ее к французскому окну, за
которым скучал милиционер — или как там они называются на мове — в фуражке с высокой тульей, но перед самым выходом на лужайку писатель затормозил.
Говорить под самыми ушами у милиционера было бы
дико. Тогда он повернулся и потащил ее в другую сторону, но там в кресле в полной отключке разума сидел
китайский болванчик Казимир Цуганг-Степченко.

Ну никак не поговорить!

— Отпустите меня, — велела Маша Родионову.

— Что ты придумала? Какое расследование?

— А что такое?

— Мань, ты мне голову не морочь, — сказал Родионов мрачно. — Ты что, совсем ничего не соображаешь?! Это тебе не книга писателя Воздвиженского, и
гонорар нам за нее не дадут! Это громкое преступление, ты понимаешь это или нет? Скорее всего, заказное
убийство. Политическое. Международное. Черт знает
какое. Недаром Кольцов отсюда отчалил, как только
понял, что случилось! Никому неохота быть в это за-
мешанным, одной тебе, выходит, охота!

— Мне охота, — упрямо перебила его Маша.

— Маша!

— Дмитрий Андреевич!

— Марья Петровна, пока ты на меня работаешь, я

запрещаю тебе заниматься всякой ерундой! Особенно ерундой... детективной!

— Как?! — поразилась бедная Марья Петровна. — Какой это... детективной ерундой?..

— Всякой... вот этой детективной ерундой! — Родионов оглянулся на китайского болванчика в кресле и подтолкнул Машу к высоким двустворчатым дверям. Она сделала шаг и остановилась. Он подтолкнул ее еще раз, она опять шагнула и остановилась. — Ты просто не понимаешь, что это такое!

— Дмитрий Андреевич, я все понимаю.

— Нет, не понимаешь! Это заказное политическое убийство! По-моему, ничего такого на Украине со времен Марины Мнишек не было!

— Марина была полячка.

— Иди ты в задницу, — предложил ей Родионов. Голос у него был злой. — Я с тобой не шучу, между прочим. И не думаю даже. Если ты... влезешь в неприятности, я тебя уволю. Ты меня знаешь.

— Знаю, — согласилась Маша Вепренцева.

— Вот и хорошо.

Они помолчали.

Родионов шарил по карманам просторной летней рубахи, искал сигареты. Маша искоса наблюдала за ним, порывалась продолжить дискуссию и никак не решалась.

Родионов обшарил все карманы, даже в джинсы залез, хотя там не было и не могло быть сигарет, и свирепо уставился на провинившуюся помощницу:

— Ну?!

— Что?..

— Ну, дай мне сигарету уже!

— Да, да, простите, пожалуйста! — спохватилась Маша и ловко выхватила из кармана пачку сигарет и зажигалку. Она смотрела, как его длинные пальцы выуживают сигарету, как крутят колесико зажигалки, и ровное, будто подтаявшее в солнечном свете пламя

приближается к его лицу и словно отражается от све-
жевыбритой щеки. Он не любил бриться и, когда не
нужно было «выезжать», не брился дня по три и зарас-
тал гудермесской щетиной почти до глаз. Сегодня он
был выбрит самым тщательным образом.

Родионов покосился на китайца Казимира Цуганг-
Степченко и сделал длинную затяжку.

— Вы меня не поняли, Дмитрий Андреевич, — негромко и вкрадчиво сказала Маша. — Я вовсе не соби-
раюсь расследовать заказное политическое убийство...
всерьез.

— Маша, я не хочу это обсуждать. Мне все равно,
всерьез или не всерьез.

— Дмитрий Андреевич, мы должны узнать, что
здесь происходит, — упрямо договорила она.

Родионов моментально взвился на дыбы. Маша
прекрасно знала, что возражать ему можно только до
определенной степени. Ну раз, ну два, а на третий он
обязательно выйдет из себя, станет орать, хлопнет дверью и повернется к ней и к человечеству оскорбленной спиной.

— То, что здесь происходит, решительно не наше
дело, Марья Петровна! Я тебе уже один раз сказал и
больше повторять не буду. Кивни, если ты меня поняла.

Маша исподлобья смотрела на него. Он ждал.

Она кивнула, а потом из стороны в сторону отрицательно покачала головой.

— И что это означает?

— Дмитрий Андреевич, я не хочу... лезть в политическое убийство, хотя я совершенно уверена, что никакое оно не заказное. Но... здесь происходит что-то
совсем непонятное.

— Маша, здесь убили кандидата в президенты! Зарезали. Ты видела труп своими глазами. Что тут непонятного?!

— Все, — твердо заявила Вепренцева. — Все, Дмитрий Андреевич. Почему его убили на даче, когда здесь

полно народу?! Что он делал на втором этаже, где одни спальни и больше ничего нет, ни гостиных, ни бильярда?! Он что, среди дня решил вздремнуть?! Это очень странно! Кто мылся в ванной, когда я искала свою комнату?! Куда делся нож? Если это был профессиональный киллер, почему он нанес ему двадцать семь ножевых ранений?! Почему он не стрелял из пистолета, как это обычно делают киллеры, а зарезал Головко?

Она перевела дыхание.

Родионов молчал.

Солнце светило, отражалось от хрустальных фужеров, рядами выставленных на буфете. Пахло травой, цветами и влажной землей, и солнечный зайчик зыбким пятном дрожал на потолке.

Май — самое лучшее время в жизни, когда все еще впереди.

Все впереди.

— Это все очень любопытно, — вдруг сказал Родионов. — Гимнастика для ума. Но мы тут ни при чем. Это не наше дело.

— Я думаю, как раз наше, — перебила его Маша. — Именно наше с вами, Дмитрий Андреевич. Потому что именно нам с вами накануне отъезда кто-то звонил и угрожал расправой, если мы полетим в Киев. Если *вы* полетите в Киев!..

Родионов открыл и закрыл рот. Он совершенно позабыл об этом звонке.

— Откуда вы знаете, что Головко никто не угрожал перед приездом сюда? Что Кольцову никто не угрожал? Почему вы уверены, что не будете следующей жертвой... с двадцатью семью ножевыми ранениями?..

Детективное колесо в мозгу закрутилось моментально и стало стремительно набирать обороты.

Сколько этих самых «дачных» детективов было написано и еще больше прочитано!.. Ну конечно, конечно! «Десять негритят» — ничего не подозревающих приговоренных собирают в уединенном месте и одного за другим убивают по прихоти чокнутого судьи, спятившего полицейского инспектора или еще кого-то!.. Это такой же классический сюжет для детектива, как спрятать одно-единственное убийство в череде совершенно бессмысленных убийств!

Итак, звонок с угрозами, уединенный особняк, гости подобраны очень продуманно — знаменитости и их приближенные, — и первая смерть в длинном ряду смертей!..

Тумблер щелкнул, проектор погас, кино закончилось.

— Неувязочка, — сказал Дмитрий Родионов громко. — Ужасная неувязочка у вас, Марья Петровна.

— Какая?

— А такая, что ни один преступник не станет убивать свою жертву в присутствии такого количества охранников!.. Их же тут гораздо больше, чем гостей, это уж точно.

— И тем не менее убил, — возразила Маша Вепренцева, и они уставились друг на друга.

«Самое поразительное в этом замечании, — стремительно подумал Родионов, — это то, что оно совершенно справедливо».

«И тем не менее убил!»

— Мне нет дела до... украинского президента, то есть до...

— Кандидата в президенты.

— Ну, кандидата в президенты, — согласилась Маша. — Зато есть дело до... нас. И Сильвестр с нами. Господи, зачем я его-то потащила с собой!

— Затем, что ты не могла его оставить в Москве, — буркнул Родионов. — Ты рыдала и говорила, что у тебя проблемы. Помнишь?

Маша печально на него посмотрела и отвела глаза.

— Это проблемы совсем другого рода, Дмитрий Андреевич.

— Может, ты мне все-таки расскажешь о них? В свете новых событий? Чтобы я не чувствовал себя идиотом?

Она покачала головой.

— Маша!

Она опять покачала, очень упрямо.

— Ну и дура.

На этот раз она кивнула — согласилась.

Родионов злился уже всерьез, и почему-то страшно
важным казалось, чтобы она рассказала, и именно ему.

Он терпеть не мог никаких тайн, не в книгах, а в
жизни. Недоговоренностей. Намеков. Ужимок и прыж-
ков.

Он и с одной из своих жен развелся потому, что
никогда и ничего не мог от нее добиться. Ее мама так
научила.

В женщине должна быть загадка, вот как научила
ее мама, и Родионов с этими загадками совершенно
измучился. Она... как бишь ее звали... никогда и ничего не говорила прямо. Обо всем он должен был дога-
дываться, даже о том, что она хочет к Восьмому марта.
Если он догадывался неправильно, обида была гран-
диозной, как битва под Аустерлицем. За время их совместной жизни он изучил все признаки надвигающе-
гося Аустерлица: он приезжал домой, а она пряталась
где-то в глубине квартиры, не отвечала на его зов, и он
должен был ее искать, а найдя, томительно и безре-
зультатно выяснять, что такое случилось, почему она
сидит одна в темной комнате. Она отодвигалась от него по дивану, надувала губы, молчала, и это означало
только одно — опять он неправильно разгадал загадку,
опять оплошал! Оказывается, утром на его «Коммер-
сант» она положила увядшую розу из вчерашнего бу-
кета, и по этой розе он должен был догадаться, что она
хочет ужинать в ресторане «Роза ветров», а он, заня-
тый мыслями о работе и вообще утренними делами,
ни о какой «розе ветров» и думать не думал, да и ту,
увядшую, спровадил в помойное ведро.

Вот к вечеру и вышел Аустерлиц!

От подобного рода «женских секретов» у Родионова начинало ломить зубы, а в особо тяжелых случаях еще и глаз подергивался, как у припадочного.

— Я хочу поговорить с Лидой Поклонной, — объявила Маша, на которую он злился, пожалуй, так же, как на ту свою бывшую жену. — И еще с этим ее продюсером. Почему у них такая паника началась из-за статьи про развод, а?

— Маш, всегда противно, когда про тебя в газете пишут всякую чушь!

— Неприятно, но не до истерики же, Дмитрий Андреевич! Вот про вас написали в начале весны, что вы сделали операцию по перемене пола и что вы на самом деле женщина из Новосибирска! Помните?

— Как не помнить, — пробормотал Родионов.

— Там даже фотографии были, — продолжала Маша вкрадчиво и осторожно. Осторожность следовало соблюдать, потому что и так он был зол, того и гляди, начнет орать и топать ногами, такое с ним бывало. — И легенда гласила, что вы из женской баскетбольной сборной Новосибирского университета, поэтому и рост у вас такой... не женский, рост-то ведь нельзя операцией прибавить!

Родионов отчетливо зафыркал.

— Ну вот. У вас же не было истерики. И мы на газету даже в суд не подавали! — сказала Маша.

— Да какой смысл на нее подавать, если!..

— Вот именно, Дмитрий Андреевич. Оскорбительного ничего, а так... чушь и ерунда, и больше ничего, и Марков тогда, помните, на совещании сказал, что связываться мы не будем. Припугнуть припугнем, судом, в смысле, а связываться не станем.

— Помню, помню, ну и что?!

— А то, что Лида Поклонная не вчера родилась и замуж вышла не за принца Альберта, для которого репутация — все, весь смысл жизни! У нее муж актер, и она сама тоже какая-никакая актриса! И из-за чего весь сыр-бор? Она же почти в истерике была!

— И что ты у нее спросишь?..

Маша подумала секунду.

— Я еще не знаю. Но вчера она в кустах разговаривала со Стасом Головко о каком-то сроке. А потом весь вечер делала вид, что его не знает. Даже не взглянула на него ни разу. Почему?

— Почему?

— Я не знаю. Я хочу понять.

Родионов раздраженно пожал плечами, открыл было рот, чтобы что-то возразить, но в это самое время высокие двустворчатые двери распахнулись и появился Нестор. В руках у него был серебряный поднос с кофейными чашками.

— Кава! — провозгласил Нестор торжествующе. — Кава з вершками!

Маша и Родионов смотрели на него во все глаза.

— Никого немае? — удивился Нестор, бочком просеменил к столу и пристроил на него поднос. — Так просили же каву!

Великий писатель-детективщик замычал и большими шагами вышел прямиком в окно, где на лужайке скучал милиционер — или как там они называются на мове?..

Маша отпила кофе, который оказался таким же холодным и слабым, как и предыдущий, — из вежливости. Нестор сладко ей улыбнулся и взял себе чашку.

— Замучился, — пожаловался он и сложил губы трубочкой, приготовившись пить. — Эта что ж такое творится, когда вчора все было так чудэсненько, а сэгодни така бэда приключилась. И Мирослава Макаровна расстроены...

Маша глянула на него и спросила осторожно:

— А на этой даче часто бывают приемы?

— Та хто их знае! — печально сказал Нестор. — Я тут недавно роблю, бо до того в другым мисте...

— Так вы недавно здесь работаете? — удивилась Маша. — А мне казалось, что вы тут всю жизнь! И Мирослава Макаровна так вам доверяет!

— За шо я ей дякую!

— Простите?

— Спасибо ей большое, — прочувствованно сказал Нестор и еще раз отхлебнул. Маша внимательно за ним наблюдала. — Она чудисна женщина.

— Разве? А мне показалось, что...

— Та не, это она так, оттого шо ответственность на ей большая, прием этот, то да се!.. А вообще она гарная, добрая такая.

— Добрая? — поразилась Маша. — По-моему, она очень резкая и не слишком...

— Та не, не! И гостей она любит, и стихи сочиняет! Вы ее стихи читали? И помогает всем. У нас целая община за ее счет живет.

— Какая община? — не поняла Маша.

— Та такая. Литературная. У нас тут трудно пробиться, а она всем помогает.

— Что значит — трудно пробиться?

— Да то и значит, — Нестор повел в воздухе чашкой, которую держал, изящно оттопырив мизинец, — это у вас там просто, а у нас с этим проблемы. Вы все захватили.

Маша ничего не поняла, и Нестор объяснил.

Оказалось, что российские издательства заполонили все, что только могли заполонить. Как сорняки заполняют райский сад, так русскоязычные авторы перекрыли кислород всем авторам, пишущим «на мове», и богатые московские и питерские издательства своей рекламой совершенно забили самобытные — впрочем, Нестор, конечно, сказал «самостийные» — киевские издательства. Народ дичает. От обилия кровавых детективов и слезливых дамских романов у него портится вкус. От обилия чужого языка у народа портится речь и национальное самосознание.

— Позвольте, — робко перебила Маша разошедшегося Нестора, — но вот, к примеру, в стране Швейцарии национальных языков два или три. Немецкий и французский точно и еще, кажется, итальянский.

Это не в счет, сказал Нестор. Что вы привязались к этой самой Швейцарии! У них свое, а у нас свое! И если сейчас не остановить экспансию, украинский язык будет забыт, уничтожен!

— И что делать?

А очень просто. Проще пареной репы. Нужно перестать привозить сюда русские книги. Тогда, хочешь не хочешь, украинские авторы станут писать свои, и все будет просто прекрасно. Чудесно просто станет все.

— Но позвольте, — повторила Маша, — даже Гоголь Николай Васильевич писал по-русски! То есть у него масса чудесных певучих малороссийских слов, но писал-то он по-русски! Может, дело не в том, что надо авторов запретить, а в том, что *своих* следует вырастить? Научить? Разрекламировать? Придумать книгам какие-нибудь нестандартные обложки, красивое оформление? Заставить людей вспомнить язык, который они за годы советской власти изрядно подзабыли? Ведь весь Киев говорит по-русски!

— В том-то и беда, — печально сказал Нестор, — в том-то и беда, что никто вспоминать не хочет, а хочет ваши детективы читать и мозгами совсем не шевелить! А если ими не шевелить, их и не останется вовсе, мозгов-то! На национальной литературе только и следует воспитывать патриотизм!..

«Ого, — подумала Маша. — Этот мальчик патриотизм воспитывать собирается!»

— А Мирослава Макаровна всем помогает. Деньги дает, помещение снимает, где поэты молодые собираются. Сборник издала, называется «Видродження»,

«Возрождение» по-вашему. Она... светоч, если хотите. Светоч национальной культуры.

Может быть, потому, что Маша не читала ее стихов, и еще почему-то, но ей в то, что Мирослава светоч, как-то не очень верилось.

Видимо, скепсис был написан у Маши на лице, потому что Нестор вдруг засуетился, составил на поднос недопитые чашки, свою и ее, и стал отступать к двери:

— Я прэпрошую, но жаль, нэ можу дальше говорыть, бо мне надо найти Мирославу Макаровну...

Маша проводила его глазами.

Итак, Мирослава занимается благотворительностью и вообще очень милая и добрая. Всем помогает. Особенно тем, кто опасается русскоязычной экспансии и утраты национальной самобытности в литературе. Дает им деньги и вообще...

Странно, странно. Очень странно.

Оставшись одна, Маша Вепренцева некоторое время думала, потом встала из-за стола и прошлась по просторной и пустой комнате. Солнечный зайчик, переместившись на потолке, дрожал уже с другой стороны, и горячий и острый луч, отыскавший в серванте хрустальный фужер, вовсю играл с ним — отражался от граней, подпрыгивал, кидался в глаза горячими каплями, плясал по мебели и по натертому паркету. Маша зажмурилась, когда луч прыгнул ей на нос. Стало щекотно и горячо, и, как вчера, захотелось надеть майку, рваные джинсы и шлепанцы на плоской подошве и сначала бродить под соснами, а потом валяться на прибрежном песке, подставив лицо ветру, пахнущему водой и цветами.

Так они с Родионовым и не сходили на Днепр. А Мирослава все стрекотала, что он где-то рядом. Вот Катерина Кольцова наверняка сходила на Днепр, а если и не сходила, так это ничего, в следующий раз сходит! Как, наверное, хорошо быть свободной — во всем! Как, наверное, легко дышать, когда ты победительница — во всех отношениях! Как, наверное, легко любить *себя*, когда за спиной у тебя Тимофей Кольцов и вы с ним очень схожи в одном — он тоже любит *тебя*, именно *тебя*, и ты прикрыта этой любовью, как щитом рыцарей-тамплиеров!

Откуда в голове у нее взялись эти самые тамплиеры, она не знала, и какие такие у них щиты, она тоже не имела никакого понятия, но слово было красивое и почему-то шло Тимофею Кольцову.

Рыцарь-тамплиер.

Вот странно, почему Нестор, подчеркнуто мешавший русские и украинские слова, оставшись с ней наедине, вдруг заговорил по-русски, словно забыл, что должен говорить по-украински?..

И его речь про возрождение национальной культуры тоже показалась ей как будто знакомой, но откуда?.. Откуда?..

Маша Вепренцева задумчиво постояла возле французского окна, потом обошла стол и взглянула на кипу газет, которые листал Веселовский.

Газета. Газета?!

Статья про развод Поклонных была в газете, и Маша просмотрела ее дважды, прежде чем сообразила, из-за чего Лида впала в такое бешенство. Газеты, которые смотрел шоумен, валялись там, где он их оставил, а той самой газеты, которую читала Маша, нигде не было.

Она просмотрела их еще раз и даже заглянула под стол. Нет газеты.

Что за ерунда?

— Вы что-то ищете?

Маша неожиданно вздрогнула, больно ударившись боком о край стола.

— Вы меня напугали. — Она перевела дыхание и улыбнулась.

— Почему?

— Потому что подкрались так, что я вас не слышала.

— Очень жаль, — сказал ее собеседник и улыбнулся приятной улыбкой. — Очень жаль, что вы меня не слышали.

В его голосе, холодном, как лед, было что-то такое, из-за чего Маша вдруг стала судорожно оглядываться по сторонам, отступать, а он надвигался на нее, и в отчаянии она вдруг поняла, что на лужайке за французским окном уже нет милиционера в фуражке с высокой тульей.

Она отдала бы полжизни за то, чтобы он там был.

Дмитрий Родионов открыл компьютер, сел и уставился в него. Компьютер был шикарный — подарок издательства к выходу его десятой книги. Легкий, тонкий, в титановом корпусе, изящный, какими бывают только очень дорогие хайтековские вещи. Родионов компьютер обожал и как-то особенно им гордился.

Он вытаскивал его из мягкой замшевой сумочки и устанавливал на коленях, даже когда летел из Москвы в Санкт-Петербург, хотя это было смешно: едва взлетев, самолет начинал заходить на посадку, и даже приниматься за работу было бессмысленно, но Родионов делал вид, что принимается.

Обкусанное с одной стороны яблочко, известный всему миру символ компьютерной фирмы, произведшей родионовское чудо, наливалось неярким молочным светом, на рабочем столе появлялось весеннее деревце, трогательное в своей детской беззащитности, и одного этого Родионову было достаточно, чтобы прийти в хорошее настроение.

Работа — в этом слове было все, что требовалось ему для жизни.

Вот так просто. Работа, и все.

Без этой своей работы он был бы скучнейший человек. Впрочем, это большой вопрос, был бы он вообще или пропал бы где-нибудь от безделья и пьянства.

Бизнес принес ему денежки и не принес никакого... жизненного интереса. Он очень быстро доказал себе, что умеет зарабатывать, ну и что? В олигархи он не вышел и вряд ли вышел бы, даже если бы стал заниматься бизнесом по двадцать четыре часа в сутки, а ковыряться на среднем уровне было скучно, скучно!.. Скучно и предсказуемо.

Только компьютер с надкушенным яблочком на крышке давал ему свободу. И весь мир в придачу.

Только там, за серебряной крышкой, он мог быть кем угодно — преступником, жертвой, титаном, стоиком или Прометеем, бедной Лизой, злобной мачехой, Ромео или на худой конец Джульеттой, главой преступного клана, домработницей, садовником, богачом или нищим. Он мог скакать на лошади, управлять самолетом, тонуть в подводной лодке и спасать заложников, осторожно красться по темному переулку, наливать яд в хрустальный бокал, драться на мечах, разбирать старинные манускрипты, складывать логические головоломки. Да все, что угодно!..

Ему нравился жанр, самый свободный и залихватский из всех известных ему жанров!.. Он не требовал от Аркадия Воздвиженского никакой кондовой, а также сермяжной, посконной и домотканой правды жизни — в детективах ведь можно все.

И он *упивался* тем, что ему можно! Он наказывал врагов и защищал друзей, он находил свою большую любовь, разумеется, единственную во вселенной, и был с ней прочно, железобетонно и навсегда счастлив. Он выдумывал изящные пассажи и прятал в собственные слова известные всем цитаты. Он спешил, когда занимался любовью, или, наоборот, смаковал ощущения, он прыгал с небоскребов и ходил босыми ногами по лугу. И в этом, именно в этом, была самая главная радость жизни, самое острое чувство свободы, самое драгоценное вино, которое он то цедил по капле, то опрокидывал в рот и жадно глотал — ведь не жалко, совсем не жалко, у меня его полно, этого самого вина, и оно не кончится никогда, потому что я точно знаю, где и как его можно добыть сколько угодно!..

Он был «равнодушный» и знал это за собой, и реальный мир с его реальными событиями, радостями, огорчениями или угрозами интересовал его гораздо меньше, чем тот, который начинался, стоило только нажать приятно щелкающий замочек и откинуть серебряную крышку.

В этот раз все пошло не так.

Родионов — нет, нет, за работой он становился Аркадием Воздвиженским, и только так! — Воздвиженский открыл компьютер, полюбовался на весеннее деревце, нашел файл и уставился в него с неким мстительным чувством.

Раз вы не хотите по-человечески, бормотало это самое мстительное чувство, то и дьявол с вами. Мне ничего не мешает. Мне все даже нравится. Программа визита срывается — и к черту ее! Сидим в доме, как заложники, — ну и пусть! Милиционеры дежурят на всех газонах — ну и ладно, очень хорошо! Вам есть дело до всей этой бессмыслицы, которая происходит здесь со вчерашнего дня — ну и валяйте, занимайтесь вашей бессмыслицей! А от меня не дождетесь. У меня два трупа, и я все еще никак не могу понять, как они связаны друг с другом и связаны ли вообще. И особенно неясно, как там оказалась эта дамочка в норковой шубе и почему именно от нее решили избавиться? Случайность это или все-таки умысел?

Воздвиженский подумал несколько секунд и стал быстро, как из пулемета, печатать, и все пропало, ушло — солнечный свет, птичья возня за открытым окном, запах близкой воды, цветов и свежескошенной травы. И вся ерунда с убийством, не детективным, а реальным, и Маша Вепренцева, и Лида Поклонная, и «чоловик», качающийся в кресле, как китайский болванчик, и Мирослава — все ушло.

Он печатал так некоторое время, а потом кто-то в

голове у него гнусным голосом его собственной подозреваемой вдруг сказал: «А ведь она права, Маша-то, секретарша твоя. Дело странное, ох, странное дело!..»

«Да ладно, — сердито ответил он своей подозреваемой. — Мы сейчас с тобой быстренько разберемся, кто виноват в кончине дамочки в норковой шубе, и ты мне объяснишь, какого рожна тебе потребовалось ее убивать, и вот тогда, только если это ты ее убила, мы вместе подумаем, как тебе спрятать концы в воду!»

«Не-ет, — отозвалась подозреваемая и хищно шмыгнула кривым носом, — ничего не буду я разбирать! Во-первых, эту дамочку в норковой шубе я знать не знаю и видеть не видела. А во-вторых, твоя Маша дело говорит. Тебе перед отъездом звонили? Звонили! Ты Маркова подключал? Подключал! Маша на следующий день была сама не своя? Была! Даже ребенка с собой потащила, чего никогда в жизни раньше не делала!»

«Ну и что? — спросил Воздвиженский, и сморщился, и уже занес руку, чтобы стереть весь абзац, где его подозреваемая все шмыгала своим носом и сморкалась в углу, похожая на нищенку двадцатых годов в своем грязном свитере и матросском бушлате. — Вот я тебя сейчас!..»

«Да сколько угодно, — ехидно отвечала нахальная старуха. — Да хоть все сотри, мне не жалко. Говорю тебе, что я никого не убивала и знать ничего не знаю и ведать ничего не ведаю! А если Машка-то верно говорит, тебе самому разбираться надо! Кто тебе звонил, кто угрожал? Если бы этого хохла не зарезали, так и наплевать, кто звонил и угрожал, а так-то и не наплевать вовсе! А ну как тебя следующего зарежут? Взаправду зарежут, а не так, как ты придумываешь! И не сотрешь тогда ничего, потому что взаправду зарежут-то! Ты подумай, подумай хорошенько, ты писатель все ж таки!»

Воздвиженский сжал в кулак распластанные над клавиатурой пальцы.

Строчки на экране уже не казались ни притягательными, ни волшебными, текст как текст. И подозреваемая спряталась за строчками, перестала шмыгать носом и ехидно помаргивать подслеповатыми глазками.

Родионов остался один.

Ему не хотелось ни о чем думать и еще больше не хотелось влезать в какое бы то ни было расследование. Что еще за расследование такое!

Самое время сейчас вернуться в Киев, в гостиницу «Премьер-Палас» на бульваре Шевченко, где так буржуазно и солидно сияют лампочки, журчит фонтанчик и любезный до сладкого обморока портье всегда готов к услугам. Выпить кофе в лобби-баре, покурить в прохладе и мраморно-деревянном просторе, проводить глазами двух барышень, блондинку и брюнетку, с волосами до упругих ягодиц, обтянутых розовыми брючками, с силиконовыми укреплениями спереди и фарфоровыми улыбками на одинаковых лицах, а потом пойти в свой номер люкс, вывесить табличку «Don't disturb» и — работать.

Нет в жизни ничего интереснее работы. Нет и не может быть.

Текст на мониторе мигнул и погас — электронное родионовское чудо будто зевнуло и приготовилось спать. Родионов покосился на монитор, встал и прошелся по комнате.

Какая уж тут работа!..

Как могут быть связаны звонок с угрозами, который он получил в Москве, и убийство украинского политического деятеля? На первый взгляд никак, он даже не был знаком с Головко, и вообще Родионов политикой не очень интересовался.

Зачем в Киев полетел Илья Весник, хотя никогда с авторами в командировки не летал? Он говорил, что хочет познакомиться с Кольцовым, но предлог был странный, надуманный. Понятно ведь, что Весник и Кольцов величины несравнимые, Весник хоть и менеджер экстра-класса, но Тимофей Ильич такими менеджерами завтракает и знакомиться с ним он стал бы, только если б Весник был вице-премьером, а он вице-премьером не был!

Откуда на даче взялся Веселовский, который в Москве ни словом не обмолвился о том, что собирается в Киев? Или он внезапно собрался? И кто его на самом деле пригласил, если Маша точно помнит, что в первый раз он говорил, что Поклонный, а во второй раз кто?.. Мирослава?..

Забыл? Или наврал?

И какое все это имеет отношение к нему, Родионову, черт побери все на свете?!

Он постоял перед окном и покрутил искусственный цветок, выдернутый из вазы. И кому это, скажите на милость, в голову пришло в разгар весны в теплой, травной и солнечной Украине ставить в вазы искусственные цветы?!

Внизу на лужайке кто-то стоял, сверху было не разобрать, кто именно, кажется, Веселовский.

— Уродство какое-то, — вдруг громко сказал знаменитый ведущий, — хорошо, что ты мне сказал! Нашел кому показывать! И главное — зачем!? Хорошо, что я... уже избавился от этого!

Второй ответил что-то вовсе неразборчивое, и Веселовский скрылся в кустах, отделяющих бассейн от лужайки. Сонную тишину нарушал теперь только стрекот газонокосилки — здесь ведь наверняка и садовник есть, как не быть?

Родионов вышел в коридор и посмотрел налево, а потом направо. Никого не было в коридоре, и никаких голосов не доносилось.

А жаль. Жаль.

Сейчас в соответствии с детективным жанром как раз неплохо бы подслушать какое-нибудь объяснение, решительно все расставляющее по местам, полноценное, чтобы уж ни в чем не оставалось никаких сомнений и чтобы имя преступника было названо, а то что за объяснение без имени!..

Интересно, комната, где... убили Головко, опечатана или нет?

Родионов еще постоял, покачиваясь с пятки на носок, еще посмотрел налево и направо и двинулся в противоположную от лестницы сторону.

Скрипнула половица, и Родионов замер.

В этой комнате вчера мылся кто-то, кого Маша, на свое счастье или на беду, так и не смогла разглядеть, а в раковине лежал окровавленный нож. Какой-то... совсем неправильный убийца. Нетрадиционной ориентации, сказал себе великий писатель-детективщик. Выходит, он зарезал Головко и пошел себе спокойненько мыться под душем?! Он мылся, а Головко лежал через одну комнату от него, остывающий, мертвый, и в любую минуту кто угодно мог зайти и обнаружить... тело? И, следовательно, убийцу тоже?! А нож? Где он взял нож и зачем мыл его в раковине?! Почему не бросил возле тела, ведь нынче все, кто хоть один раз в жизни смотрел по телевизору хоть один сериал, отлично знают, что орудие убийства с собой уносить глупо и как-то вовсе бессмысленно, его нужно бросать на месте преступления, разумеется, без всяких следов отпечатков?!

Он мылся, а Машка была в двух шагах от него, идиотка!..

Тут вдруг равнодушный и холодный Дмитрий Андреевич Родионов весь залился холодным потом, так что шее под воротником рубашки моментально стало мокро.

Что было бы, если бы он... увидел? Если бы убийца увидел ее в зеркале?! Увидел и понял, что она тоже... видела и поняла?!

И что, если он... ее видел?

Господи, — вслух сказал Родионов. — Господи.

Мы знаем, что видела Машка, но с чего мы взяли, что он *не видел ее*?! Только потому, что она не разглядела его в зеркале?! Или потому, что он в ту же самую секунду не зарезал и ее тем самым ножом, который лежал в раковине?!

Пот на спине превратился в лед, замерз и сковал шею, не повернуть, не шевельнуться.

Если видел, он не остановится. Воображение, профессиональное, писательское и черт знает какое, услужливо нарисовало картинку — так из затуманенной глубины зеркала начинают проступать знакомые очертания.

Вот медленно приоткрывается дверь, шум воды становится слышнее, тянет прохладным воздухом, и подернутое банной дымкой стекло проясняется, и человек, насторожившийся и приготовившийся ко всему, видит любопытный глаз, и краешек щеки, и темные взлохмаченные волосы — Машины. Он ждет, изо всех сил стараясь не дышать, и, помедлив, она тихонько прикрывает дверь, а он переводит дух, моет под водой от крови нож, затем наскоро заворачивает краны и думает только о том, что *должен заставить ее молчать*.

Это очень просто. Для этого ее нужно всего лишь убить.

Он уже убил и знает теперь, как это делается. Он убил не один раз — а двадцать семь, именно столько ножевых ранений насчитали следователи, приехавшие ночью. Он кромсал ножом тело снова и снова, и кровь лилась и била фонтанами, и он чувствовал ее запах и вкус на губах, и не мог остановиться, и все убивал, убивал и убивал...

Маша? Маша?!

Я должен ее найти. Немедленно. Прямо сейчас.

Я найду ее, возьму за руку и не отпущу от себя ни на шаг. Что я буду делать, если...

Вот с этим самым «если» и вышло что-то совсем уж

258

скверное. Его подвело профессиональное, писательское и черт знает какое воображение. Не нужно было
этого самого «если».

Вдруг он *увидел*, как она лежит, распластанная на
полу, неловко и неестественно подогнув под себя ок-
ровавленную, вывороченную руку, и ее алебастровое
лицо, как будто обведенное мелом, выступает из чер-
ноты, и он точно знает, что она умерла, потому что у
живых нет и не может быть таких лиц. И еще он знает,
что нельзя смотреть ниже, на то месиво, в которое
превратилось ее тело, и все-таки он смотрит, потому
что *не может не смотреть*.

Родионов бегом бросился по коридору, скатился с
лестницы, чуть не сшиб по дороге какую-то тетку — то
ли Лиду Поклонную, то ли Мирославу, он не разгля-
дел и не остановился, и влетел в гостиную.

Маши Вепренцевой там не было. Он был так уверен, что она там, что сразу не поверил своим глазам.
Но ее не было. Франтоватая горничная в переднике с
кружевцами убирала со стола и с буфета утренние яст-
ва, и «чоловик» похрапывал в кресле. В безвольно опу-
щенной руке у него был стакан.

Родионов оглядывался, как волк, загнанный в
красные флажки.

— Где моя помощница?

Горничная посмотрела на него и улыбнулась во-
просительной улыбкой.

— Здесь была моя помощница, Марья Петровна!
Где она?

— Я никого нэ бачыла, пан.

За спиной у него распахнулась дверь, и он нетерпеливо оглянулся. Ему казалось, что он теряет время, теряет безвозвратно, окончательно, что именно он будет
виноват в том, что ее белое алебастровое лицо в луже
крови окажется таким неживым!..

— Что-то случилось?

— Где моя помощница?!

— Понятия не имею, — фыркнула Лида Поклонная. — Мне до нее дела нет. И вообще, вы уверены, что она помощница, а не стукачка журналистская?

Родионов отмахнулся от нее. Вдруг он вспомнил про телефон. Можно же позвонить! Вот просто взять и позвонить и приказать ей бежать к нему и не отходить ни на шаг! А вообще лучше всего будет приковать ее к себе наручниками до той самой минуты, пока они не сядут в самолет, чтобы лететь в Москву.

Наручники можно будет занять у представителей правоохранительных органов.

Он отвернулся от Лиды и выхватил из кармана телефон. Актриса еще несколько секунд смотрела на него, потом скорчила неопределенную улыбку и отвернулась. «Поду-у-умаешь! — вот что означала эта улыбка. — Не очень-то и хотелось!»

Вообще успокоилась она на редкость быстро и выглядела безмятежной и прекрасной, и Родионов, если бы он был способен соображать в эту минуту, непременно удивился бы этому обстоятельству. Но соображать ему было некогда.

Телефон гудел надсадно, как ночной комар, примеривающийся, куда бы воткнуть свое жальце, но трубку не брали.

За спиной у него зашуршали газеты, скрипнул стул, он оглянулся, но ничего не увидел. Он думал только о том, что Маша не берет трубку, и надсадный комариный писк все продолжается, все никак не разрешается ни во что, и не было и не могло быть ничего хуже, чем то, что она не брала трубку!

— Может, кофе заказать? — спросила Лида Поклонная позади него. — Господи, какая тоска! И заняться нечем. Славочка сказала, что нас еще будут допрашивать! Интересно, а то, что мы граждане России, уже не имеет никакого значения, да? Какое право они имеют нас допрашивать? Мы что, подозреваемые?

Родионов набрал еще один номер и уставился в окно. Лидино бормотание его раздражало.

— Если мы подозреваемые, значит, нам нужен адвокат. Я так и сказала всем, — тут она деликатно зевнула, и Родионов оглянулся на нее с изумлением, — я не буду отвечать на вопросы без своего адвоката!

Она сидела, положив ногу на ногу, туфелька болталась на носке, поблескивала пряжкой. Наманикюренными пальцами Лида перебирала газетные страницы, и на лице у нее была написана скучнейшая скука.

Приятный женский голос защекотал родионовское ухо, и про Лиду он моментально позабыл.

— Ваш телефон находится в режиме ожидания, — плавно говорили в трубке, — пожалуйста, дождитесь подключения.

Весник вечно экспериментировал со всякими новомодными электронными наворотами, а Родионов согласно правилам игры, им же самим и установленным, даже файл не всегда мог отыскать в своем компьютере!

— Ваш телефон находится в режиме ожидания. Пожалуйста, дождитесь подключения.

Нужно позвонить Маркову, чтобы тот нажал на какие-нибудь кнопки — или как принято говорить, рычаги, что ли? — и они сегодня же смогли бы вернуться в Москву. Маше нельзя здесь оставаться. Нельзя, и все тут.

Впрочем, неизвестно, будет ли в Москве безопасней. Если убийца видел ее, значит, найдет и в Москве. Зачем только их понесло в этот самый Киев?! Сидели бы все дома, писали бы свои книжки, варили бы свой кофе и снимались в шоу у Андрея Малахова, и все было бы как всегда, спокойно и приятно.

— Ваш телефон находится...

— Давай, — процедил Родионов, — давай уже подключайся, хватит болтать!

Словно услышав его призыв, плавный голос поперхнулся какой-то буквой, в трубке щелкнуло, и Родионов сказал:

— Але!

— ... на меня пока никто не выходил, — быстро проговорил ему в ухо Весник. — Мы по-прежнему в этой Конче-Заспе, и нас отсюда не выпускают. Я думаю, что он еще не догадался, хотя, мне кажется, что-то такое он подозревает, не дурак же, на самом-то деле!

Родионов не слышал, что именно говорил собеседник Весника, но Илья возразил энергично, хотя и приглушенно:

— Как мне его изолировать!? Прирезать, что ли, как Головко? — Опять короткая пауза, и снова: — Я знаю, что этого допускать нельзя, знаю, знаю. Я постараюсь... без членовредительства. Да, и с ним все время Маша, ты же знаешь. Хорошо, тогда до созвона.

Тут опять что-то щелкнуло, и голос Весника, совсем другой, привычный, с всегдашней иронической интонацией сказал громко:

— На проводе!

— Илья?

— Родионов, твою мать, а ты кому звонишь? Не мне, что ли?

— Тебе, — ответил Родионов. Мысли собирались с трудом, как птицы, привязанные за разные ниточки, они рвались прочь, и он не знал, как их остановить, как заставить себя подумать трезво.

— Я... Машу потерял, — сказал он с трудом. — Ты ее не видел?

— Да куда она денется с подводной лодки, эта твоя Маша? — весело удивился Весник. — Никуда не денется! Слушай, Родионов, может, нам виски дернуть, а? Все равно сегодня никуда не двинемся! Так, может, дернем?

— Дернем, — согласился Родионов. — Только мне сначала надо Машу найти.

— Чтобы она тебе компьютер в розетку включила? — поинтересовался Весник и захохотал. — Сам не сообразишь? А там, знаешь, такая пластмассовая штучка есть, а на ней два штырька. Вот эти два штырька суешь, тудыть тебя так и эдак, в дырочки. Ты умеешь всякие штучки в дырочки совать, гений ты наш?

— А ты где, Илья?

— Да я у себя в комнате. На диване лежу. Думаю, может, мне искупаться сходить, а потом нажраться до бесчувствия, как этот самый Казимир Малевич, а?

— Цуганг-Степченко, — поправил Родионов машинально. — Если увидишь Машу, попроси ее меня найти.

Лида у него за спиной длинно и скептически вздохнула.

Родионов сунул трубку в карман и вышел на лужайку.

Где она может быть? Куда она подевалась?! В бассейне? В своей комнате? В парке?!

Давным-давно он забыл чувство страха. Что-то из детства вспоминалось ему, когда он думал или писал про страх. Что-то угрожающее, залитое электрическим светом, острое, как вилка.

Вилка запомнилась ему, и это было страшно.

Отец был пьян — не слишком сильно, ровно настолько, чтобы прийти в бешенство от не понравившегося ему слова, или взгляда, или вздоха. Когда он бывал сильно пьян, то валился и спал где придется, и приходилось переезжать из комнаты в комнату, потому что он часто засыпал на Диминой кушеточке, и тогда Родионов ночевал с матерью, и это было просто замечательно. Ничего лучше невозможно было придумать, чем в стельку пьяный отец, потому что тогда у них бывал свободный вечер. Самое главное умудриться не разбудить его, и они пили на кухне чай и старались не греметь посудой и разговаривать не слишком громко, чтобы он не проснулся.

Когда он бывал пьян не слишком, скандал начинался, едва он переступал порог. Он привязывался к матери по любому поводу, да и без повода тоже, швырялся одеждой и тарелками, стучал ногами, выкрикивал оскорбительные, непоправимые, как всегда казалось Родионову, слова и утром как ни в чем не бывало приходил завтракать, был благодушен и отчасти даже смущен.

Родионов боялся и ненавидел его.

Если бы он был постарше, наверное, он бы смог в чем-то себя убедить — в сущности, отец был неплохим человеком. Он был слаб и жалок, карьера у него никак не складывалась, а мать всегда была умнее и сильнее, и его это задевало и мучило. Но Родионов был мал и не видел ничего, кроме пьяного омерзительного лица, бессмысленных глаз, отвратительного перегарного рта, из которого вываливались, как вонючие жабы, страшные непоправимые слова.

Он прятался от него под столом. Стол был низенький, шаткий, купленный для его детских занятий, когда он начал ходить в детский сад. Влезть под него было трудно, но Родионов влезал и сидел там, прижимая медведя, которого он тоже прятал, потому что переживал за него. Он был тогда маленький и не понимал, что спасать нужно не медведя, а мать, на которую было направлено пьяное отцовское бешенство.

Он понял это в один день. Тот самый, который запомнился ему вилкой и желтым электрическим светом.

Отец орал и буйствовал, Родионов сидел под столом, тиская потными ладошками медведя, и уговаривал себя вылезти, чтобы спасти мать. Ему было очень страшно, так, что он боялся описаться, и от этого возможного унижения у него темнело в глазах, и он заставлял себя вылезти, и все никак не мог заставить, а потом все-таки вылез и пошел.

От страха он ничего не видел и слышал только приближающийся отцовский крик, а мать совсем не было слышно, и он даже подумал: вдруг отец убил ее?.. Что тогда он будет делать?

Он спрятал медведя, сунул в кровать и завалил одеялом, чтобы отец не убил и медведя тоже, и потом, подгоняя себя, выскочил на кухню. Отец орал и швырялся, и маленький Родионов обрадовался тому, что мать жива. Она мыла посуду, повернувшись к нему спиной, и это была не спина, а наказание господне — напряженная, узкая, как будто раненая. Увидев перепуганного, но храброго от трусости сына, отец схватил вилку и швырнул ее об пол, она подпрыгнула и впилась Родионову в ногу — не слишком сильно, но так, что на всю оставшуюся жизнь страх остался у него в сознании именно этой вилкой, впившейся в ногу.

После этого родители развелись, и Родионов долго не мог поверить, что на свете бывает такое счастье — тишина и покой, постоянный, всегдашний, без ожидания, как гильотины, прихода отца, без гадания, завалится он сразу спать или еще будет их мучить!..

Он переболел этим страхом только годам к пятнадцати, но до сих пор еще, в свои тридцать восемь, когда подступали проблемы, его все тянуло под стол!

Теперь страх той самой вилкой впивался ему в мозги и ворочал там, колол так, что волосы на затылке вставали дыбом.

Он постоял на лужайке, а потом пошел вокруг дома, все убыстряя и убыстряя шаг, но Маши не было видно нигде, и тогда он вернулся в дом, и стал заглядывать во все комнаты подряд, и не поверил своим глазам, когда увидел ее в какой-то пятой или шестой по счету гостиной. Она сидела, подперев щеку кулаком, и читала газету.

— Маша, твою мать!..

Она подняла голову, и изумление, написанное у нее на лице, немного отрезвило его.

— Дмитрий Андреевич?..

— Почему ты не берешь трубку?! Я тебя ищу уже...

уже... — Он посмотрел на часы, но ничего хорошего не высмотрел. Получалось, что он ищет ее уже минут десять — не слишком долгий срок.

— Какую трубку?

— Телефонную!

Она растерянно похлопала себя по карманам.

— Я, наверное, мобильник в номере забыла, Дмитрий Андреевич. В смысле, в комнате. А что случилось?

Родионов вошел и сильно захлопнул за собой дверь. Тишина, вошедшая вместе с ним, мгновенно заняла все свободное место. Они оказались словно отрезанными от всего мира — так стало тихо.

— Ничего не случилось. То есть пока ничего не случилось! Тебе нужно срочно отсюда уезжать, вот что!

Она смотрела на него во все глаза.

— Как... уезжать? Куда уезжать? Мы никуда пока не можем ехать, нас же предупредили!

Родионов вытащил у нее из рук газету — она проводила ее глазами — и сел на диван рядом.

— Если ты на самом деле видела убийцу, — выпалил он, — тебе опасно оставаться здесь. Ты понимаешь?

— Нет, — честно сказала она. — Не понимаю. И потом, я его не видела!

— Если ты его не видела, это еще не значит, что он не видел тебя! Он же мог тебя видеть, когда ты заглянула в эту проклятую ванную! Это ты хоть понимаешь!?

— Я... не думала об этом.

— А ты подумай. Подумай, подумай!..

Теперь он как будто сердился на Машу за то, что она заставляет его переживать за нее, хотя она и не делала этого вовсе!

— Он не мог меня видеть, потому что ванная очень большая. Зеркало было совсем запотевшим, и я...

— Да говорю я тебе, что раз ты не видела его, это совершенно не значит, что он не видел тебя! А ты тут сидишь с какими-то, твою мать, газетами и глазами хлопаешь!

— Я не хлопаю глазами!

— А что ты делаешь?!

— Я пытаюсь ответить на вопрос, почему Лида По-клонная впала в истерику, и почему Нестор говорил все время по-украински и вдруг стал говорить по-русски, и чем ее так запугал Стас Головко, который тол-ковал о каких-то сроках!

— Да какое нам дело до Нестора и Стаса Головко! Ты что, совсем ничего не понимаешь?! Пока ты здесь, тебе угрожает опасность, соображаешь?!

Она посмотрела на него и снова уставилась в свою газету.

— Хочу вас обрадовать, Дмитрий Андреевич, — пробормотала она. — Пока мы здесь, нам всем угрожа-ет опасность.

— Да не всем, а тебе, потому что никто из нас не мог видеть убийцу, а ты могла! И о том, что ты его не видела, он не знает! Все всерьез, Маша! Все совершен-но всерьез!

— Я знаю, — сказала она. — Я сразу знала. Это вы не знали, потому что... пишете детективы и вам все представляется сюжетом. А это не сюжет. Это как раз... всерьез.

И они замолчали, сидя бок о бок, как нахохлив-шиеся воробьи.

Может, оттого, что Маша сказала «всерьез» и ка-кое-то странное, не виданное им раньше выражение промелькнуло в ее глазах, а может, оттого, что он так испугался за нее, когда понял, что она оказалась как будто за стеклянной стеной, и там, за этой стеной, опасно, а с этой стороны вполне спокойно, и он ниче-го не может сделать для того, чтобы попасть туда к ней, за стеклянную стену, или оттого, что тишина бы-ла третьей в этой комнате, заставленной громоздкой кабинетной мебелью, и Маша сидела, понурившаяся и печальная, он вдруг обнял ее за шею робким студенческим движением, так что локоть выпятился и уперся в диванную подушку.

Обнял и притянул к себе, к своему лицу, к щеке, которая словно загорелась, когда ее коснулась прохладная и обжигающая женская кожа.

«Я не хочу, — подумал он. — Я не хочу сложностей!..»

Все время она была как бы в стороне и не участвовала в том, что он называл своей «личной жизнью», и он всегда повторял себе — и ей! — что на работе они только работают, и никаких романтических грез у них нет и быть не может.

Теперь ему казалось страшно важным ее поцеловать.

Он взрослый человек, и никакого особенного смысла он не вкладывал в простой поцелуй, да и вообще это дело нехитрое, простое дело, и ничего оно не означает, и он даже думать не будет, просто поцелует ее, и все, и точка, и хватит, и это ничего, совсем ничего не означает...

Она вздохнула и обняла Родионова за шею, слегка подвинув его выпирающий локоть, и глаза у нее были закрыты, а он подсматривал сквозь ресницы!..

У нее оказалась тонкая и нежная кожа, которая странно сияла, или ему казалось, что она сияет? Она осторожно дышала, и с нежностью, поразившей его самого, большим пальцем он потрогал ее горло, вверх и вниз.

Уже пора было остановиться, потому что поцелуй затягивался, уводил их в нечто совсем другое, необъяснимое, невообразимое и — самое главное! — невозможное на этом диване, в комнате, полной кабинетной мебели, где, кроме них, была только тишина, и больше ничего.

И он сам сто раз говорил ей про «рамки»!

Эту арию про «рамки» Маша ненавидела.

Во Франкфурте, после какого-то нелегкого дня на

книжной ярмарке, полного встреч, интервью, громогласных немцев-издателей и энергичных до искр из глаз литературных агентш, они вернулись в гостиницу довольно поздно, но Родионов вдруг еще придумал, что они должны выпить. Выпить в лобби-баре «Шератона», где они жили, он посчитал почему-то слишком банальным, и Маша, всегда и во всем с ним соглашавшаяся, потащилась нога за ногу искать «типичный немецкий» бар. Ничего такого не было поблизости — все закрыто, и бюргеры уютно почивали в своих кроватках, укрывшись клетчатыми теплыми одеялами, но они все-таки нашли бар, крохотный, с двумя игровыми автоматами и алюминиевой стойкой. Возле стойки стояли три неудобных стула, и какие-то люди играли на автоматах в футбол и громко переговаривались и хохотали. Хозяйка разговаривала по телефону и налила им виски, продолжая болтать.

В этом баре они зачем-то напились. Впрочем, напился один Родионов, а Маша — нет, потому что мысли о завтрашних издателях и агентшах словно держали ее за горло железной рукой и не давали расслабиться. А Родионов напился, стал рассказывать какие-то истории из жизни своих армейских друзей — никогда Маша не знала, что он служил в армии, и он подтвердил с гордостью — служил, да еще как!..

И вот тогда, совершенно пьяный, он в первый раз и сказал ей про эти самые «рамки».

Он еще что-то договаривал про армию, а потом вдруг замолчал, уставился на нее и заявил, что есть «рамки, которые он никогда не решится переступить». Она прекрасно понимала, что он пьян, и не стала ничего уточнять, ловить его на слове, добиваться объяснений.

Он потряс головой, допил неизвестно какой по счету стакан виски и сказал, что, пожалуй, пора идти. На улице Маша взяла его под руку, потому что шел он все-таки не слишком прямо, и Родионов, посмотрев на ее руку, опять заявил, что «рамки» были, есть и будут всегда!..

Неизвестно, какой из этого следовало сделать вывод — может быть, такой, что не будь этих самых проклятых «рамок», все у них сложилось бы просто прекрасно, но Маша сделала единственный возможный для себя.

У нас никогда и ничего не будет, кроме «рамок», словно сказал он ей. И не надейся даже!..

Теперь он целовался с ней так, как будто она была последней женщиной на земле, уцелевшей после вселенской катастрофы, и именно к ней он стремился всей душой и телом и отдал бы остаток жизни только за то, чтобы продолжать целоваться с ней, прижимать ее, трогать и трудно дышать.

У него бешено колотилось сердце, и Маша слышала, как оно колотится, и удивилась тому, что слышно так хорошо.

Наверное, Родионов закончил какую-то специальную школу, где учили целоваться так, как он, — волшебно, изумительно! — и Маша почти не могла этого вынести. Он ничего не делал, только целовал ее, держал осторожно и легко, так что в любую секунду она могла отстраниться или оттолкнуть его, но она не отстранялась и не отталкивала.

Если бы это было возможно, она бы не остановилась никогда. Ну вот никогда, и все тут.

От него хорошо пахло, и губы его были приятными на вкус, и Маша не могла вспомнить, когда она целовалась последний раз, должно быть, никогда, и что при этом испытывала!..

И все-таки остановился он, а не она. Дмитрий Андреевич Родионов, знаменитый писатель-детективщик Аркадий Воздвиженский, вдруг оторвал ее от себя, как будто отсадил в угол, пристально и вопросительно глядя ей в глаза.

Маша Вепренцева молчала и косилась в сторону,

как провинившаяся собака-колли, а ему хотелось, чтобы она тоже посмотрела на него — может быть, он тогда что-нибудь понял бы, или оценил бы, или... или...

— Маш, ты...

— Дмитрий Андреевич...

Тут они замолчали, стыдливо, как две красны девицы, заставшие доброго молодца за купанием голышом в пруду.

Черт возьми, лучше «рамки», чем это стыдливое молчание, недаром он не хотел сложностей и боялся их!

— Простите меня, Дмитрий Андреевич.

Вдруг он взбесился.

— Не смей извиняться!

Она помолчала.

— Хорошо. Не буду.

Он встал с дивана — не с первой попытки, потому что диван словно затянул и притопил его, и вместо того, чтобы встать красиво и элегантно, он некоторое время припадочно дергался, стаскивая себя с плюшевой обшивки, потом все-таки стащил, отошел и закурил.

Маша из угла дивана следила за ним.

— Ничего не произошло, — буркнул он, — не смотри на меня так!

Она еще помолчала немного.

— Ничего мне нельзя! — вдруг сказала Маша обычным голосом. — Извиняться нельзя, смотреть тоже нельзя! А что можно?

Это был спасательный круг, и он ухватился за него, как хватается утопающий.

Ничего не случилось, вот что означал этот ее обычный голос. Ничего не случилось, и мы можем быстренько забежать за эти самые «рамки». Это уже трудно, но пока еще возможно, и если ты выбираешь побег, я предоставляю тебе такую возможность.

Давай. Беги. Путь свободен. Конвой смотрит в другую сторону.

И он предпочел побег.

Сейчас некогда было раздумывать, почему побег и от чего такого ужасного его смогут защитить эти «рамки», но одно он знал совершенно точно. Там, за ними, намного безопаснее, чем с этой стороны.

— Можно поговорить, — буркнул он, и Маша поняла, что спасательный круг принят. — Давай поговорим, Маш, а потом... разберемся.

Разбираться было не в чем, но она согласилась — потом так потом. Она всегда и во всем с ним соглашалась.

— Я шел сказать тебе, что мы должны немедленно уехать. Если он тебя видел, то не оставит тебя в живых.

— Мы не можем уехать, — возразила она. — Нас не отпустят. Только Кольцовы уехали, да и то потому, что они... Кольцовы! И вы это отлично понимаете, Дмитрий Андреевич!

— Да, — согласился он, — понимаю. Просто я за тебя испугался.

— А я нашла одну интересную статью.

— Какую еще статью, Маша?

— Вот тут. — И Маша разложила газету так, чтобы было видно, какую именно статью она нашла. — Это о национальном украинском искусстве и о национальной украинской литературе.

— Маш, ты о чем?!

— Дмитрий Андреевич, когда вы ушли, Нестор стал мне рассказывать, что Мирослава всем помогает, всех содержит и печатает сборники молодых поэтов, понимаете?

— Ничего не понимаю.

— Вот и я ничего не поняла, потому что он вдруг заговорил по-русски. То все была «кава з вэршками», а то вдруг говорит совершенно нормально, и акцент совсем... незначительный. Он мне рассказал, какая Мирослава замечательная и что украинская литература жива и здорова практически только благодаря ей. В смысле, Мирославе Макаровне.

— Ну и что?!

— А то, что я вспомнила, что я где-то недавно видела и про возрождение национальной литературы, и про молодых поэтов, и про альманах.

— Да и пес с ним, с альманахом!

— Да нет! Не пес! Я нашла статью, вот она. — Маша зашуршала газетой. — Это та же «Киевская Русь», в которой напечатано про развод Поклонных. Только про них на тринадцатой странице, а про альманах «Возрождение» на пятой. Вот, вот, посмотрите!

Родионов посмотрел.

Газета была как газета, и даже первый лист ее источал непередаваемый, насыщенный лимонно-желтый цвет. На фотографии, которая производила впечатление черно-белой, но раскрашенной красками, как флаг в фильме Сергея Эйзенштейна «Броненосец Потемкин», изображались две полуобнаженные красотки, обнимавшие одного полуобнаженного мужчину. Красотки хищно скалились в объектив, а мужчина держал их обеих за ноги. «Любовные игры втроем», — гласил заголовок, и несколько строчек о том, как необходимо разнообразие в сексуальной жизни.

Родионов, не будучи ханжой и лицемером, а также мракобесом и чернокнижником, на фотографию посмотрел все же с некоторым отвращением и опаской, словно это именно его призывали разнообразить таким образом свою сексуальную жизнь.

— Маш, ты... зачем мне это суешь?

— Да вот, посмотрите!

— Куда?!

— Вот статья про развод. А вот про альманах «Возрождение» и молодых поэтов! И про Мирославу написано, что она практически просветительница Екатерина Вторая!

— И что?

— А то, — с торжеством сказала Маша Вепренцева, — что обе статьи подписаны одним и тем же человеком, видите? «Л.И. Старопупков».

— Какой... Л.И.? — не понял Родионов.

— Л.И. Старопупков. Ну, это, должно быть, шутка такая, в общем, неважно.

Родионов посмотрел на подпись — и впрямь Л.И. Старопупков! — и воззрился на Машу.

— Да шут с ним, со Старопупковым! Просто и ту, и другую статью написал один и тот же человек! И написал он ее вчера, потому что это, — и Маша потрясла перед Родионовым фотографией с красотками и мустангом, — *сегодняшняя* газета!

Он вдруг заинтересовался. Она *увидела*, как глаза, словно подернутые морозом, вдруг стали живыми и заинтересованными. Он сунул недокуренную сигарету в вазу, располагавшуюся на столе, подошел и посмотрел.

— Сегодняшняя, — сказал он. — Ну да. Сегодняшняя газета.

— Значит, материал о разводе мог быть написан только вчера, правильно? Ну, или раньше когда-нибудь, но до этого никто ничего про развод не знал.

— Ну да, да.

— И обе статьи писал один и тот же человек! Вот этот самый Старопупков!

— И этот человек, — подхватил великий детективщик Аркадий Воздвиженский, — кто-то из гостей, потому что только кто-то из гостей мог, так же как и ты, подслушать разговоры Лиды и ее мужа.

— Я не подслушивала, Дмитрий Андреевич.

— Только я не понял, при чем тут Нестор? Кто угодно мог подслушать и написать статью!

— Нестор утром, когда кофе принес, вдруг начал мне рассказывать про Мирославу и еще про то, что российская литература заполонила украинский рынок, и про сборник «Возрождение», и про все остальное. Прямо по тексту, понимаете?

Родионов задумчиво почесал себя за ухом, отчего, как обычно, стал похож на большую собаку.

— То есть ты хочешь сказать, что Нестор и есть этот самый Старопупков, который написал обе статейки?.

Маша торжествующе улыбнулась.

— Именно это я и хочу сказать. Он и есть журналистская крыса или шлюха, как там Лидочка выражалась. Засланный казачок. Да, а еще он мне сказал, что работает здесь совсем недавно! Я-то была уверена, что он такой... постоянно действующий мальчик на побегушках, а он как раз свежеиспеченный, понимаете?

Родионов кивнул.

Все это нисколько не приближало их к развязке драмы, однако на одну тайну стало меньше.

Вчера утром Родионову не было никакого дела до чьих-то тайн. Черт возьми, ему никогда не было дела до чужих тайн, ему вполне хватало своих, детективных!

— Нам надо пойти и поговорить с ним, — сказала Маша решительно.

— Зачем?!

— Затем, что Лида мне надоела. — И она прищурилась, как будто прицелилась. — Я не хочу больше слышать, что я шлюха, прислуга и прихвостень грязных писак. Я хочу, чтобы она при мне поколотила этого самого Нестора. Или вставила ему каблук в... одно уязвимое место.

Родионов развеселился:

— Ты кровожадная, да?

— Еще какая. И потом, меня сегодня очень напугал этот их продюсер. Как его там?

Она отлично помнила, что продюсера зовут Матвей Рессель, но, как и Родионов, который то и дело «забывал» имена своих бывших жен, называть его по имени не хотела.

— Как он тебя напугал?!

Татьяна УСТИНОВА _____

Она сердито махнула рукой и так же, как он недавно, в несколько приемов поднялась с дивана и одернула сзади пиджак, словно военнослужащий перед строем.

Родионов усмехнулся.

— Я была одна, он пришел и как-то так... угрожающе на меня надвинулся и стал что-то говорить о судебном преследовании и что у него большие связи, и о том, что, если эту статью написала я, он меня по судам затаскает. И еще про то, что Лида очень нервная и у них с Андреем прекрасная семья. А я только вчера слышала, как он с ней разговаривал! Если бы со мной так разговаривал мой муж, я бы его в тот же день взашей вытолкала...

Тут Родионов совершенно неожиданно для себя подумал, что у нее как пить дать должен был быть какой-то там муж, ведь у нее дети. И, по идее, должен быть довольно долго, потому что Сильвестру Иевлеву двенадцать, а Лере пять или шесть, значит, Маша была замужем долго, несколько лет.

Почему-то эта мысль ошеломила его, как если бы он узнал, что до того, как поступить на место его секретарши, она работала папой римским.

— А как с тобой разговаривал твой муж?

— Кто? — удивилась Маша и перестала одергивать пиджак. — Кто со мной разговаривал?

— Твой муж, кто, кто!.. Ты сказала, что если бы он с тобой разговаривал, как Поклонный, ты бы его взашей вытолкала!

— Ну да.

— А как муж с тобой разговаривал? Не так?

Она посмотрела на него.

Ей не хотелось рассказывать.

Все это было ее личным делом, огороженной территорией, над которой висела табличка «Посторонним В.», и никто не заходил туда уже давно. Собственно, никогда не заходил.

Конечно, она влюблена в своего шефа, но вдруг

оказалось, что влюблена как-то немножко кособоко, неправильно, потому что ей решительно не хотелось пускать его в свою «личную жизнь», туда, где «Посторонним В.», потому что она понятия не имела, как он поведет себя там!

— Ну, — поторопил Родионов, не любивший затяжных пауз. — Что происходит? Почему ты молчишь?

Она знала за ним такое. Задав вопрос, каким бы этот вопрос ни был, он безмятежно ожидал ответа и продолжал приставать, даже если она явно не хотела отвечать или не знала, что ответить. Никаких тонкостей он знать не желал. Он задавал вопрос и не мытьем так катаньем добивался ответа.

— Я... не молчу, Дмитрий Андреевич. Я думаю.

— О муже? — Родионов не замечал никакого ее смятения. Или делал вид, что не замечает.

Маша Вепренцева помолчала, а потом печально посмотрела на него. Достала из кармана мобильник — все-таки он был в кармане! — протерла панель и аккуратно уложила обратно в карман.

— Не было у меня никакого мужа, Дмитрий Андреевич.

— Как?! — совершенно искренне поразился великий писатель-детективщик. — А кто же у тебя... был?

Маша усмехнулась странной усмешкой.

— А дети? — продолжал недоумевать детективщик. — Дети откуда?! Ах да!.. Прошу прощения. Можно же и того... без мужа...

Он продолжал бормотать так некоторое время, и Маша наконец развеселилась — видимо, писатель и знаток человеческих душ никак не мог допустить, что дети могут появиться каким-то окольным путем, а не только в законном браке!

Она вздохнула, выдохнула и решилась, хотя несколько раз повторила себе с привычным чувством некой оскорбленной гордости, что ему нет и не может быть дела до ее семейных проблем.

В конце концов, она ни в чем не виновата! И не за что ей перед ним оправдываться, да и место для разговора выбрано не самое подходящее!..

— Дмитрий Андреевич, Сильвестр и Лера — дети моей сестры.

Кажется, он ничего не понял.

— Что это ты придумала?!

— Я не придумала, Дмитрий Андреевич.

— Как?!

Тут она разозлилась.

— Да так! Ничего особенного в этом нет! И не делайте таких страшных глаз, пожалуйста. Сплошь и рядом люди бросают своих детей! Вы что? Не знаете?

— Нет, я знаю, — сказал он растерянно. — Знаю, конечно. Но как-то я никогда не думал, что...

— А зачем вам об этом думать?! — спросила она запальчиво. — Это совершенно не ваше дело.

— Да как не мое-то?! Как раз мое!

Кажется, Маша едва удержалась от того, чтобы спросить, когда *это* стало *его* делом, и он почувствовал, что она удержалась.

— Маш, может, ты мне что-нибудь объяснишь?

Она опять достала телефон и опять протерла панель.

— Да что рассказывать, Дмитрий Андреевич? Нечего рассказывать. Моя сестра родила Сильвестра, когда ей было шестнадцать лет. Только-только исполнилось. И она оставила его в роддоме, не захотела брать. Ну, а мы с мамой взяли. Папа к тому времени уже умер, а у мамы на работе было сокращение, и денег им совсем не платили, а с сестрой и того хуже. Она нигде не работала и учиться не желала. Ей все... развлечений хотелось, а денег на них не было. Да и еды в магазинах не было. Помните начало девяностых?

Дмитрий Родионов промычал что-то невразумительное, что должно было означать, что он помнит.

В начале девяностых у него только-только начинался бизнес, очень успешно начинался, между прочим. Он торговал компьютерами, деньги получал черным налом и купил себе лимузин, кажется краденый. Он ужинал исключительно в дорогих ресторанах, которых тогда в Москве было раз-два и обчелся, и покупал барахло только в «Ирландском доме», который впоследствии благополучно разорился. Деньги он перестал считать после того, как понял, что они вообще не кончаются, и еще из того времени ему запомнилось, что тогдашняя его жена на левой руке носила золотые часы «Картье» — его подарок, а на правой несколько гремящих пластмассовых браслетов. Тогда пластмассовые браслеты в Москве были в моде.

— Ну вот. А мне было семнадцать, только-только стукнуло, у нас всего год разницы. И мы с мамой решили Сильвестра забрать. И забрали. Сильвестром мы его назвали, а Элла зачем-то записала его на фамилию того типа, от которого она родила, ну, а раз Иевлев, мы решили, что пусть уж будет Сильвестр, как в «России молодой». А Элла на Север уехала, на заработки вроде бы, и мы о ней года... три, наверное, вообще ничего не знали.

— И... что?

— Ничего. — Она пожала плечами. — Я работала, а мама растила Сильвестра. Я хорошо зарабатывала, правда, вкалывать приходилось много. Мы в Троицком жили, в электричках холодно, окна выбиты, и ходили они кое-как, без расписания. Я однажды даже в обезьяннике ночевала, представляете?

— Почему?

— Да нипочему. На электричку опоздала, вокзал на ночь закрывали, ну, я и пошла в дежурную часть, попросилась посидеть. Они пустили. Даже чаю мне дали. Хорошие ребята попались.

— Хорошие, — согласился Родионов. — Очень хорошие ребята.

— Сильвестру мы ничего не говорили, потому что

не знали, что с Эллой, где она, появится ли... Она появилась, но уже с Лерой. Оставила ее нам и уехала.

— Как?! — поразился Родионов. — Опять?!

— Опять, — согласилась Маша. — И слава богу, что оставила, — добавила она торопливо, — не приведи господи, если бы в детдом отдала.

— Но позвольте! — вдруг возмутился Родионов. — А если она тебе еще десяток привезет? Ты всех возьмешь?!

Маша исподлобья посмотрела на него.

— Поня-атно, — протянул Родионов. — Поня-атно.

— После Лерки мы переехали из Троицкого в Москву. У нас была большая квартира, которую папе когда-то дали. Мы ее поменяли на две, у мамы однокомнатная, а у нас... двушка.

— Зачем вы переехали?

— Потому что она стала нас шантажировать.

— Кто?!

— Элла. Моя сестра.

— Как?! Чем?!

Маша пожала плечами.

— Тем, что заберет детей. Мы не можем ей их отдать.

Родионов смотрел на нее во все глаза.

— Но она все равно нас нашла. И время от времени приезжает, и я даю ей деньги. Всегда. И не надо, — она повысила голос и теперь почти кричала, — и не надо говорить мне, что все это неправильно и глупо! Я даже слышать не могу, что она отберет у меня Сильвестра и Леру!

— А она... имеет на это право?

— Я не знаю ничего о правах, — сказала Маша с неожиданным отчаянием. — Ну зачем вы ко мне пристали, Дмитрий Андреевич?!

— Я пристал, потому что хочу знать!

— Зачем?! Ну зачем вам знать!

Тут он сказал первое, что пришло ему в голову и

что укладывалось в давным-давно выбранную им линию поведения:

— Потому что ты на меня работаешь, а я не хочу никаких проблем.

— У вас не будет никаких проблем.

— Я хочу быть в этом уверен.

— Поклясться честью?

— Маша, — сказал он угрожающим тоном, — я хочу знать!

— По документам, конечно, она не имеет на них никаких прав. Я их усыновила. Обоих. Хотя это было трудно, и денег много стоило, но нам одна женщина помогла из социальной защиты. Кажется, она понимала, что им лучше с нами, чем в детдоме.

— Умная, видно, — одобрил Родионов.

— Так что с документами все в порядке, но Элла... — Маша Вепренцева всхлипнула и сердито вытерла глаза. — У нее... такие...

— Какие?

— У нее вечно какие-то мужики, которых я боюсь! Мы боимся, — поправилась она и опять вытерла ладонью глаза. — Однажды я не дала денег, и они утащили Лерку. Прямо из коляски утащили, когда мама с ней гуляла, представляете? У мамы с сердцем плохо стало, она потом в больнице долго лежала. Подлетели какие-то двое, выхватили Лерку и убежали, а мама осталась с пустой коляской. Господи, я не хочу об этом вспоминать! Не хочу, не могу я, Дмитрий Андреевич!

Они помолчали, глядя в разные стороны. Напоследок Маша еще раз всхлипнула и длинно вздохнула.

— Так это... она звонила нам домой, когда ты так перепугалась?! — внезапно осенило великого автора детективных романов. — Перед самым отъездом?

Маша посмотрела на него несчастными глазами.

— Я не знаю. Правда, не знаю, Дмитрий Андреевич. Тот голос был... мужской, и он говорил, чтобы вы не ездили в Киев, а уж потом... про детей... но я не знаю, простите меня!

— А это мог быть... кто-нибудь из ее... как это называется?

— Что?

— Хахалей, вот что, — сердито договорил Родионов. — Мог быть?

Совершенно несчастная Маша пожала плечами.

— Наверное, мог, Дмитрий Андреевич, но вряд ли. Никто не знает, что я работаю на вас. То есть с вами. Ну, кроме детей и мамы, разумеется.

— И нашего издательства, — подсказал Родионов. — И журналистов, конечно. Ну, и еще персонала двух десятков ресторанов, где мы бываем вместе, сотрудников «Останкина», посетителей книжных магазинов, где мы автографы даем. И так, пяток регионов, вроде Киева, где мы на гастролях. Да? Или нет?

— Да, — согласилась Маша. — И еще... я вам не сказала...

— Что?

Она расправила плечи и отчеканила решительно:

— Накануне отъезда она приходила. Элла приходила, опять с мужиком.

— Ах, вот что! Я помню, — любезно согласился Родионов. — Ты была в истерике и Леру отвезла к Юле Марковой. И все говорила, что ничего не можешь мне объяснить. Пока я все правильно помню?

— Совершенно правильно, Дмитрий Андреевич.

— Я уверен, что правильно, Марья Петровна.

Похоже, только тишина чувствовала себя вольготно в этой комнате, заставленной тяжелой кабинетной мебелью. Людям в ней было неудобно и стеснительно, как будто чужие мужчина и женщина неожиданно оказались вместе... в бане.

— Я не хотела втягивать вас в свои проблемы, правда. Вы мне... верите?

— Верю.

И они опять замолчали.

— Вы меня теперь уволите?

— Уволю, — согласился Дмитрий Андреевич. — Для этого только нужно вернуться в Москву.

Она не хотела спрашивать, но все-таки спросила. Нельзя же, черт возьми, всегда быть сдержанной и умной женщиной!

— А в Москве вы меня уволите?

Он никогда не говорил ничего подобного и вообще старался глупостей не говорить, но тут все-таки сказал:

— Посмотрим на твое поведение.

Зачем-то Родионов опять сел на диван и потер шею, как после долгой работы. И снова закурил.

— Значит, так, — произнес писатель Воздвиженский, покурив некоторое время. — Неизвестно, кто звонил нам с угрозами. Это мог быть кто-то из приятелей твоей сестры, а мог и не быть, потому что непонятно, зачем ему или этой твоей... как бишь ее?.. Салли?

— Элла.

— ...зачем твоей Элле нужно, чтобы мы не ездили в Киев.

— Чтобы *вы* не ездили в Киев.

— Хорошо, я. И непонятно, на самом деле, откуда твои сородичи могли узнать о поездке.

— Они не сородичи!

— Ну хорошо, хорошо. Значит, накануне нашего отъезда сестра к тебе приходила и требовала денег. Кстати, ты дала?

Маша Вепренцева кивнула.

— Ладно, — сказал Родионов решительно. — С этим самым шантажом мы разберемся в Москве, на свежую голову. А сейчас нам нужно понять, кто прикончил Головко, пока он не прикончил тебя, любознательная ты моя. Если Нестор журналист и собиратель сенсаций, значит, информацию про развод в прессу сдал именно он. Нужно понять, почему это приводит в такой ужас Лиду Поклонную и не замешан ли тут старший Головко, которого зарезали.

— А младший вчера поссорился со своей сильфидой, — подхватила Маша. — Причем серьезно поссорился, она сегодня даже к завтраку не вышла, ее никто не видел.

— Может, ее тоже зарезали? — пошутил Родионов и, взглянув на Машино лицо, понял, что пошутил неудачно.

— И Весник, — подхватила Маша. — Я так и не поняла, зачем он полетел с нами.

Тут Родионов вдруг вспомнил. Он же слышал разговор, когда телефон подключил его к линии, по которой разговаривал Весник, и ничего хорошего не было в услышанном, и ему не хотелось рассказывать о нем Маше, потому что Весник был друг, а не враг, единственный, кроме них двоих, проверенный человек в этом странном доме. И, рассказывая — Родионов все-таки решился, — он все время чувствовал себя предателем, как будто предает друга, и это было гадко, скверно, но ничего нельзя было поделать.

— Странно, — выслушав его, сказала Маша. — Очень странно. Выходит, у него здесь какая-то определенная цель, о которой мы ничего не знаем, правильно? И кто это на него должен был... выйти? Он же сказал — на меня еще никто не выходил, да?

— Ну да.

— Может, спросить у него? Просто спросить, а?

Родионов подумал немного и потушил сигарету.

— Так мы и сделаем. Пошли.

— Дмитрий Андреевич, почему вы кидаете бычки в вазу?

— Да потому что здесь нет пепельницы!

Родионов знал, что Маша терпеть не может, когда он сует окурки в цветочные горшки и кофейные чашки, и дома старался никогда этого не делать, потому что она немедленно кидалась убирать, и ему становилось стыдно. Вот и сейчас она подхватила со стола вазу, на плоском дне которой болтались два его окурка, и понеслась вокруг стола, выискивая мусорную корзину. Корзина нашлась далеко под столом, и Маша полезла под стол, пыхтела там некоторое время, а потом затихла.

— Маша?

— А!

— Маша, ты там навеки поселилась?!

Она вылезла из-под стола без всякой вазы, но с кучкой каких-то цветных обрывков, стиснутых в кулачке.

— Господи, что ты там опять нашла?! Что ты шаришь по чужим помойкам уже второй день!

— Не знаю, — сказала она. — Кажется, это фотография.

Она снова нырнула под стол и вытащила на свет божий корзину — обыкновенную кабинетную корзину, сплетенную из тонкой проволочной сетки, абсолютно пустую. Несмотря на то, что она была пуста, Маша перевернула ее и потрясла, а потом посмотрела на то место, куда, по ее мнению, должны были высыпаться невидимые вещественные доказательства.

Родионов подошел и присел на корточки рядом с ней.

Разноцветные кусочки, не слишком мелкие, и впрямь были похожи на разорванную фотографию, глянцевые, блестящие.

— Кто-то рвал здесь фотографии? — вывернув шею, Маша посмотрела на него. — Бросал под стол?

Родионов пожал плечами.

Чем дальше в лес, подумалось ему, тем больше дров.

Нет, не так.

Чем дальше в лес, тем яснее пень, так будет по-современному.

Он вытряхнул у нее из ладони обрывки и разложил

285

их на ковре, цветной стороной вверх. Маша дышала у него за плечом.

— Надо спросить у горничной, во сколько она убирается. Или у них не одна горничная?

— Наверняка целый штат, — задумчиво сказал Родионов. — Вот это вроде верх, да? Край ровный. Или низ?

— Нет, вот это верх, а это низ. Нога вроде бы, да?

— Что я делаю, что творю? — тоном старухи Пельтцер жалобно спросил сам у себя Родионов. — Вот этот подходит, или у меня галлюцинации?

— Нет, — живо отозвалась Маша, — никаких галлюцинаций, все правильно, Дмитрий Андреевич.

Картинка сложилась довольно быстро.

Это была фотография Стаса Головко. Та самая, где он сидел на диване, поджав под себя ноги, а перед ним на столе сияла белая лилия или что-то в этом духе. Впрочем, разобрать было трудно, потому что прямо на лилию пришлась рваная белая полоса.

Горничную они нашли в комнате Родионова.

Окна были распахнуты, в ванной лилась-шумела вода, горничная взбивала подушки и пела: «Черный бумер, черный бумер под окном катается, черный бумер, черный бумер девкам очень нравится!»

Завидев парочку, она засуетилась и стала отступать, странно повиливая задом и приседая — должно быть, эстетка Мирослава Цуганг-Степченко таким образом научила ее демонстрировать любезность.

— Во сколько вы убираетесь на первом этаже? — выпалил Родионов с ходу, и девушка выпучила на него глаза и разинула рот. Маша поняла, что нужно немедленно вмешаться, пока он не испортил всего дела.

— Простите нас, мы сейчас уйдем, — затараторила она, — и не будем вам мешать, честное слово!

— Та вы мне и не мешаете, — окончательно перепугалась горничная. — Я только вот постельку переменю и пойду, а туточки я ничего не трогала, только пыль смахнула и...

— Вы не беспокойтесь, — с удвоенной силой зачастила Маша Вепренцева, — мы просто так, на секундочку зашли. Мы спросить хотели. Вот Дмитрий Андреевич вчера в кабинете... ну, который на первом этаже, где такая мебель зеленая, кожаная, знаете?

Горничная покачала головой. Вид у нее был обалделый.

— Ну, на первом этаже, третья дверь по правую руку. Там еще сова такая на камине!

— Сова? — переспросил детективный автор, который в силу своего профессионализма всегда подмечал детали и очень этим гордился. — На камине?

— Та цэ нэ кабинэт, — пропела горничная. — Цэ курытельная!

— Да-да-да! — обрадовалась Маша. — В курительной, именно в курительной он вчера позабыл... визитную карточку с одним важным телефоном.

— Як же ж он в курытельной позабув телефон, когда там никакого телефона не було!

— Да не телефон, а маленькую такую бумажку с телефонным номером! Ма-аленькую! — И Маша Вепренцева показала пальцами, насколько мала была бумажка.

Родионов и бумерная девушка проследили за ее пальцами, а потом снова уставились на нее.

— Вы не находили?

— Хде?

— Да в курительной!

— Та не, ничего я не находила, бо там и не було ничого!

— Точно не было?

— Та я николи чужого не возьму, бо Мирослава Макаровна сразу казала...

— А во сколько вы убираетесь?

— Хде?

Маша чуть не заплакала, а вместе с ней и Родионов, и вместе с ними и горничная, которая решила, что ее облыжно обвиняют в воровстве.

— В курительной! Где же еще? — Маша сильно выдохнула и решила, что брать надо только лаской. Исключительно лаской. Поэтому она сделала светское лицо, подобное лицу Лиды Поклонной, подошла и взяла горничную за руку.

Та уперлась и руку не давала, и получалось, что Маша тянет ее, а горничная сопротивляется изо всех сил.

— Послушайте, как вас зовут?

— Мене?

— Да, как вас зовут?

— Га... Галей мене зовут, ну и шо такое?

— Галечка, дорогая, в котором часу вы убираетесь на первом этаже?

— Та как приду, так и убираюся.

— А во сколько вы приходите?

— Та у... утречком прихожу, а шо такое?!

— А сегодня убирались?

Галя вырвала руку и спрятала ее под передник.

— Та я каждый божий день, а шо такое?..

— И сегодня?

— И сегодни. С самого спозаранку. А шо я не пылесосю, так это потому, шо вчора пылесосила!..

Маша перевела дыхание.

— Вы пришли утром, убрались на первом этаже, подали завтрак и пошли на второй, так?

— Ни, не так, бо сниданок готовыт Марыся.

— Завтрак готовит Марыся, — зачем-то перевел подсунувшийся Родионов. — Она готовит, а вы убираетесь, да?

— Та шо я и кажу!

— И вы в курительной утром ничего не находили, да? Бумажек каких-нибудь?

— Та не було тама нияких бумажек! — обретая уве-

ренность, заговорила горничная. — Усе було чыстень-
ко, а шо я не пылесосю...

— Галя, — прочувствованно сказала Маша. — Огромное вам спасибо. Дим, у тебя есть деньги?

Родионов полез в бумажник, извлек купюру и сунул в направлении Галиного фартука. Горничная не
стала отказываться, и купюра быстро исчезла.

— Галечка, спасибо вам большое.

— Нема за що! — весело ответила горничная, и когда они выходили в коридор, Галя уже весело пела:
«Лелик, солнце, я тебя люблю, но замуж не пойду!»

«Хорошая девушка», — решила Маша.

— Значит, никаких бумажек в комнате не было, —
сказала она задумчиво. — Значит, фотографию порвали и бросили уже после того, как Галя там убралась.
Хоть она сегодня и не пылесосила!

— Это потому, что она вчера пылесосила! — энергично возразил Родионов. — Ты же слышала! А фотографии никакой не было, если эта Галя в сознании на-
ходилась, конечно, когда убиралась.

— Да бросьте вы, Дмитрий Андреевич! Конечно, в
сознании. Просто мы ее перепугали, а она, наверное,
место боится потерять! А ну как мы там кольцо с бриллиантами забыли и теперь все на нее свалим! Что скажет Мирослава Макаровна?!

— Ох не знаю, — Родионов покрутил головой и засмеялся. — Даже подумать страшно, что она такое скажет!

— Вот именно. Нам надо найти Илью и поговорить
с ним. Или сначала с Лидой Поклонной?

— Мне все равно, — вмиг помрачнев, сказал Родионов. — Хорошо бы еще с этим сыном Головко тоже
поговорить. Может, он сам фотографию выбросил,
потому что она ему не нравилась?

— Нет, Дмитрий Андреевич. Она ему нравилась.

— Откуда ты знаешь?

— Он вчера мне ее показывал.

— Зачем?!

— Хвастался. У него там целая пачка была, и все он с какими-то знаменитостями. И вот эта, — она кивнула на родионовский карман, в котором были обрывки. — По-моему, он вообще себе очень нравится!

— Или Лида порвала? — задумчиво продолжал Родионов. — Он же ее пугал чем-то?

— Откуда у Лиды его фотография?! И зачем ее рвать и бросать в корзину в какой-то совершенно нежилой комнате?! По-моему, вчера в эту комнату никто даже не заглянул. И я бы в нее не заглянула, но там было тихо, и можно было подумать.

Родионов сверху посмотрел на нее. Глаза у нее горели, короткие пряди темных волос торчали в разные стороны, и он неожиданно подумал, что такой она ему очень нравится.

Просто страшно нравится. Как мальчишке.

И еще Родионову очень понравилось, как она сказала ему «ты». Она сказала: «Дима, у тебя есть деньги?» И ему это очень понравилось.

— Ты хочешь сказать, что фотографию порвали и выбросили именно там, чтобы никто не нашел обрывки?

— Ну конечно! И если мы догадаемся, что там такого... опасного, на этой фотографии, мы поймем...

— Все, — с торжественной иронией заключил Родионов. — Как в романе Аркадия Воздвиженского, да?

— Не все, — возразила Маша, которой не понравилась его ирония, — но хоть что-то! А так... сплошные загадки, Дмитрий Андреевич.

— Это точно, Марья Петровна.

Она вдруг посмотрела на часы:

— Господи, хоть бы Сильвестр позвонил! Как они там? Где?

— Они в Киево-Печерской лавре, — охотно объяснил Родионов. — И если бы ты своего мальчика заперла в сейф и сдала в швейцарский депозитный банк, он был бы там в гораздо большей опасности, чем с семьей Тимофея Кольцова. Соображаешь?

— Я соображаю, но он обещал звонить и не звонит!

— Они наверняка в пещерах, — сказал Родионов. — Вряд ли оттуда можно дозвониться! И как это твоя Кольцова придумала забрать его с собой! Умница просто.

— Она не моя, — буркнула Маша. — Она личная, частная, неприкосновенная собственность Тимофея Ильича Кольцова. Он вчера такие гастроли перед ней закатывал!..

В голосе ее звучала неподдельная женская зависть, и Родионов вдруг подумал, что у нее, наверное, никогда не было мужчины, который «закатывал» бы перед ней «гастроли».

Откуда?! У нее были племянники — то есть дети, конечно, дети! — с семнадцати ее лет, и на племянников она работала, моталась на электричке в это самое Троицкое и даже в обезьяннике ночевала, где были хорошие парни, напоившие ее чаем!

И вдруг так ему захотелось сделать что-то такое, очень молодое, удалое, черт знает какое, чтобы она перестала так завистливо вздыхать по Тимофею Ильичу, чтобы поняла, что на свете есть много разных мужчин, и пусть не все они олигархи и политики — вот писатели есть, к примеру, которые тоже чего-то стоят!

Это была ужасная чепуха, и он понимал, что чепуха, но все-таки думал именно так, и довольно долго.

С лестницы они, не говоря друг другу ни слова, повернули в гостиную и через французское окно вышли на лужайку, где было тепло, и солнце припекало, и весело пахло розами и еще чем-то приятным, похоже, свежевыпеченными булками, и Маша повела носом — ей хотелось есть, потому что за завтраком она совсем ничего не съела, «из приличия».

Когда в доме происходит убийство, считается, что никто ничего не может есть, потому что «кусок не лезет в горло». Если лезет, то это свидетельствует о душевной черствости либо о причастности к кошмарному преступлению.

— Как я люблю май, — пробормотал рядом Родионов и потянулся, закинув руки за голову, потом охнул и перестал тянуться. — Лето впереди, и все такое!.. В Турцию поедем отдыхать?

— Когда, Дмитрий Андреевич?

— В августе, наверное. Я как раз книжку сдам.

— Как?! — тяжело поразилась бедная Маша, за два дня совершенно отвыкшая от своих секретарских обязанностей. — Как в августе?! Марков с ума сойдет! Он ждет ее самое большее недели через две, а никак не в августе!

Родионов засмеялся — так горячо она вступила в дело!

— Нет, не эту! Следующую.

— За три месяца не успеете, Дмитрий Андреевич.

— Успею.

— Не успеете. Пообещаете и не сдадите, а мне Валентин Петрович голову снимет!

— Ничего, он снимет, я приставлю. Подумаешь, твоя голова! Все-таки не моя!

Иногда он шутил именно так, и Маша пропускала такие его шутки мимо ушей.

За спиной послышались шаги, и появилась Мирослава. У нее был озабоченный вид — может, «чоловик» вместо «горилки з пэрцем» хватил керосину?..

— Доброго вам дня! Через час второй завтрак, так шо ласкаво просимо на каву з булкамы!

— Спасибо, Мирослава Макаровна!

— Встретите Олесю, передайте ей, что Стас ее ищет, бедный мальчик, потерявший отца! Ему нужна ее поддержка, а она куда-то запропала совсем! И про завтрак ей скажите, будьте ласкавы!

Сейчас она напоминала удрученную деревенскую тетку в своем нелепо-нарядном костюме, с платком, засунутым за обшлаг рукава, и ничего демонического не было в ней, и нельзя было даже подумать, что это именно она вчера никак не могла решить, стоит ли Машу сажать вместе со всеми за стол, «бо» она прислуга.

— Хорошо, Мирослава Макаровна!

— А город ведь так и не посмотрим, — проводив ее глазами, сказала Маша. — Сказочный город. Волшебный. Одна Андреевская церковь чего стоит. Или дом с химерами, который Городецкий построил!

— Кто такой Городецкий?

— Знаменитый киевский архитектор! — Кажется, она едва удержалась, чтобы не добавить «темнота» или что-то в этом роде. — Он построил в Киеве несколько домов, и этот самый знаменитый, с мордами, хоботами, горгульями и прочим. И еще я хотела в квартал за Театром Ивана Франко. Там как в Париже, и каштаны цветут, наверное!

— Я привезу тебя в Киев, — вдруг пообещал Родионов. — Будем три дня гулять и больше ничего не станем делать. Я даже роман писать не буду. Договорились?

Маша Вепренцева сбоку посмотрела на своего работодателя.

Что она могла ему ответить?

Да, договорились? Вези меня в Киев, гуляй со мной по улицам, пей со мной кофе в маленькой французской кофейне за углом улицы Михаила Грушевского?

Нет, не договорились? Потому что вам-то ничего не будет, а я, может быть, после всего этого просто-напросто умру, когда позвонит ваша очередная девушка и вы станете с ней разговаривать обыкновенным голосом, а потом возьмете машину и уедете на свидание? А мне нельзя умирать, у меня дети маленькие!

— Пойдемте погуляем, — вдруг предложила она. Просто так, потому что ей больше не хотелось думать, а хотелось погулять с ним по солнышку. — До стоянки и обратно. Это, между прочим, не так уж и близко.

Он покивал, соглашаясь, и они пошли в обход, чтобы не лезть через кусты, как Маша вчера, когда ее то и дело за этим занятием заставали разные люди.

Она шла и думала — что же здесь все-таки произошло? Что?

Не похоже на политическую драму или на то, что с кандидатом в президенты разделались конкуренты, хотя у Маши Вепренцевой не было никакого опыта по части разборок между политиками самого высокого ранга.

Она не видела Головко живым, а мертвым он был чудовищен — из него вытекло слишком много крови, и он был весь словно пустой, и это было очень страшно. Маша понятия не имела, что должна чувствовать его жена, а ведь она *видела* его! За ней прибежали, когда труп нашли, и она *видела*!

Родионов рядом пробормотал:

— Красота! — и закурил.

Сигаретный дым, какой-то очень московский, офисный, зимний, что ли, моментально заглушил запах травы, цветов и близкой воды, «Днипро»-то совсем рядом, в другой стороне, под обрывом.

Кажется, здесь это называется круча. Или круча — это что-то совсем другое?

Маша помахала перед носом рукой, разгоняя дым.

Весник непонятно разговаривал по телефону.

Лида Поклонная непонятно о чем разговаривала в кустах со Стасом Головко.

Олеся неизвестно из-за чего поссорилась с ним.

Неизвестно кто и неизвестно зачем порвал и выбросил фотографию того же Стаса на диване — в куртуазной обстановке и при халате! Что там было такого, из-за чего следовало рвать эту самую фотографию?!

Неизвестно кто пригласил на дачу Веселовского — каждый раз непонятное происходит с разными людьми, и имеет ли это значение? Или никакого не имеет?

А нож, странные разговоры, неестественный Лидин страх, что о статье в газете с голыми тетками на обложке узнает ее муж? Или величайший актер современности привык доверять именно таким газетам? С тетками?

Они шли по дорожке, молчали и думали каждый о своем, пока не заметили в кустах фуражку с высокой тульей. Похоже, что милиционер с лужайки переместился в кусты.

Родионов приостановился.

— Как ты думаешь, он ведет оттуда наблюдение?

Маша зашикала на Родионова, потому что, как только он сказал про наблюдение, фуражка пришла в движение. Видно было только ее; голову, на которой она сидела, было совершенно не видно.

Фуражка двигалась над кустами, и когда они повернули, стало понятно, за кем ведется наблюдение. Возле бассейна в шезлонге лежала Олеся, длинноногая, загорелая, гладкая, почему-то показавшаяся Маше похожей на флейту.

У соседа Боречки была флейта, и именно такая, темного дерева, легкая, тоненькая, в бархатном футляре. Маша никогда не слышала, чтобы Боречка на ней играл, но иногда вынимал ее и показывал соседским девчонкам. Потом он уехал в Израиль и, по слухам, очень успешно торговал там машинами.

Олеся лежала, скрестив безупречные ноги, и была почти голой — острые загорелые грудки торчали, и она как-то выпячивала их, чтобы торчали еще больше.

— Здравствуйте! — закричала она, увидев Машу с Родионовым. — Почему вы не купаетесь?! Сегодня опять жарко!

— Что это она? — тихо спросил Родионов. — Спятила, что ли?

— Здесь чудесно! — продолжала концерт Олеся. — Подходите сюда!

Маше не хотелось подходить — из-за того, что

Олеся была голая и соблазнительная, а она, Маша, не была ни голой, ни соблазнительной.

Впрочем, если бы она вот так лежала у бассейна в чем мать родила, вряд ли созерцание ее доставило бы кому-нибудь удовольствие! Но не подойти было глупо, и они подошли.

Рядом с Олесей на столике лежали розовые очки, широкополая шляпа и стоял коктейль с зонтиком — как в фильме про Майами-Бич.

— Давайте купаться! — сказала она весело, когда Родионов и Маша приблизились. — Я так люблю воду! А вы любите воду?.. — И она вопросительно посмотрела на Родионова. Вообще казалось, что она обращается только к нему, а Машу не замечает.

Родионов пожал плечами.

— А где Стас? — спросила Маша. — Вы его сегодня видели, Олеся?

— Вчера тут какие-то дети купались, — сообщила та и повела глазами, а потом с некоторым усилием вернула их на место, — ужасно шумели, а сегодня их нет, слава богу! Говорят, что майский загар самый стойкий и самый волшебный. Вам нравится майский загар... м-м-м?

— Дмитрий Андреевич, — подсказал Родионов. — А вы не знаете, зачем Стас свою фотографию порвал? Где он на диване сидит, весь из себя такой прекрасный. Зачем?

— Я не знаю, — процедила девушка. — Я ничего про Стаса не знаю и знать не желаю!

Маша переглянулась с Родионовым, и Олеся это заметила.

— Ну что вы переглядываетесь?! — спросила она, схватила коктейль и стала жадно пить, как будто замучилась от жажды. Потом оторвалась от бокала и тяжело задышала. — Что вам от меня нужно?! Что?! Я его ненавижу, ненавижу, ненавижу! Педик проклятый, дрянь! Я его убью! Найму киллера и убью, у меня деньги есть, много денег! Мне ничего не надо, ни учебы, ничего, мне только бы его убить, перерезать его поганое горло!

И она с грохотом вскочила, опрокинула столик, бросилась на Родионова и стала хватать его за рубашку, тянуть руки, словно подбираясь к его горлу, а он не подпускал ее близко и тоже хватал Олесю за руки, а Маша сзади хватала ее за бока, и при том что Олеся была почти голой, сцена эта выглядела неприлично, как в третьесортном двусмысленном кино!..

Олеся молотила руками довольно долго, а потом Родионову удалось их перехватить, и он заломил один локоть ей за спину, и она наклонилась вперед и затрясла головой.

— Все? — тяжело дыша, спросил Родионов. — Успокоилась?

— Пустите!

— А драться больше не будешь?

Олеся молчала, вырывалась, и он встряхнул ее, как куклу.

— Ты успокоилась или нет?

— Отпустите ее, Дмитрий Андреевич, она вон трясется вся!

— Да, «отпустите»! Я отпущу, а она опять на меня кинется!

— Я не кинусь, — сказала Олеся и дернула локти, пытаясь освободиться. — Да отпустите вы, слышите!

И Родионов отпустил, и она кинулась на него, и вся пикантная сцена повторилась снова — Олеся бросалась, волосы ее развевались, пальцы были стиснуты, как когти, а глаза полузакрыты. Родионов ее ловил, пытался утихомирить, а Маша хватала сзади Олесю за бока.

— Стой смирно! Стой, кому говорю!

Пойманная во второй раз, сильфида вдруг громко заплакала и стала вытирать глаза кулачками и отворачиваться, и Маша решила, что у нее истерика.

— Сколько ты коктейлей выпила? — спросил Родионов. — Пять? Или десять? Слышишь или нет?

Олеся начала икать, и вид теперь у нее был довольно страшный — залитое слезами лицо с растекшимися следами макияжа, волосы, повисшие безвольными патлами, вывороченные губы. Лицо у нее, раньше четкое и определенное, как на картинке из журнала, странно расплылось, и на нее невозможно стало смотреть.

— Я... я... не помню...

— Что ты не помнишь?!

— Сколько выпила, не помню... Но много. Я ночью... ик... джин пила, а потом... ик... мартини...

— Я тебе сочувствую, — пробормотал Родионов. — Но от похмелья еще никто не умирал.

— А у меня нет похмелья!

— Бу-удет, — пообещал Родионов. — Вот проспишься, и будет тебе похмелье!

— Может, ей аспирин дать? — спросила сердобольная Маша Вепренцева. — Сходить, Дмитрий Андреевич?

— Да какой ей аспирин! — сказал Родионов, и никакого сочувствия не было в его голосе, и Маша Вепренцева осторожно и, должно быть, несправедливо порадовалась тому, что в его голосе нет сочувствия. — Ей надо бочку воды выпить и спать. Разве аспирин поможет, если она джин запивала мартини!

Девушка продолжала икать и вдруг затряслась крупной дрожью, села в шезлонг и взялась руками за голову.

— Боже мой, — простонала она и начала раскачиваться. — Боже мой, господи...

Маша присела перед ней на корточки. Даже накинуть на Олесю было нечего, потому что рядом не было никакой одежды — должно быть, она из дома пришла в чем была, то есть без всего.

Родионов посмотрел по сторонам и, шагая через

газон, дошел до небольшой раздевалки и скрылся в ней.

— Олеся, что случилось, скажите мне! Чем вы так... расстроены?

— Я?! — поразилась Олеся. — Я расстроёна?!

Она опять икнула, засмеялась демоническим смехом и взялась за голову.

— Принесите мне выпить, — приказала она через какое-то время. — Я хочу пить. Я о-чень хо-чу пи-ить!

— Олеся, что случилось? Вы поссорились со Стасом, да? Вчера! Мы слышали!

— Ну и черт с вами! Ну и плевать, что вы слышали!

— Из-за чего? Из-за чего вы поссорились?

— Он... он... ик!... он меня броси-ил! Броси-ил! Сказал, что он меня больше не любит, и никогда, никого...

— Что никого, Олеся?!

— Никого-о-о он не люби-ит!

— Не плачь, — растерянно сказала Маша. Она понятия не имела, как нужно утешать девиц, которых бросил любимый. — Все будет хорошо. Найдешь себе другого, лучше прежнего.

— Да-а, найдешь! Никого я не найду, никому я... ик!... не нужна, и ему не нужна! Я его убью, убью! У меня деньги есть! Мне папка сказал, что раз в жизни я богатого подцепила, а он меня бро-осил! Что я папке скажу! Я обратно в Днепропетровск не ха-ачу! Я здесь ха-ачу! Со Стасом, а он меня больше не хочет!

Маша погладила ее по голове, подивившись тому, что волосы такие жесткие, как будто утром девушка головой нырнула в ведро с лаком. Впрочем, может быть, на самом деле нырнула. Длинные волосы, чтобы они лежали сказочными прядями, нужно укладывать и «фиксировать». Машу очень забавляло слово «фиксировать», словно волосы — это монтажное оборудование или арматура, что ли..

Олеся тряслась крупной дрожью, а Родионов куда-то пропал, и Маша, продолжая ее гладить, сердито посмотрела по сторонам — где он?!

Писателя не было видно, зато милицейская фуражка прямо лезла в глаза. Ее обладатель больше не прохаживался взад-вперед, стоял на месте, видимо, внимательно прислушиваясь.

— Дай мне выпить, сука!! — выкрикнула Олеся и отбросила Машину руку, но тут же захныкала: — Ну дайте, ну жалко вам, что ли!?

— Мне не жалко, но тебе уже хватит!

— Мне не хва-атит! Я хочу, хочу! Мне плохо-о!

Маша, не переставая гладить Олесю по голове, прикинула, имеет ли смысл о чем-то ее расспрашивать. Похоже, что не имеет, потому что Олеся вдруг начала раскачиваться, так что свалила со столика пустой стакан с зонтиком. Раскачиваясь, она заливалась слезами и растирала их по физиономии.

И Родионов пропал!

— Олеся, а вы не знаете, у отца Стаса были какие-нибудь проблемы?

— Стас меня бро-осил! Совсем! Что мне папка скажет?! Папка говорит, что если он меня замуж не возьмет, значит, я проститу-утка! Все пальцами будут на меня пока-азывать!..

— Олеся, вы знакомы с его отцом?

— А они меня лю-юбили, так любили-и-и! На день рождения телефон подарили-и-и!! Дорого-ой! Ик!.. Ой!..

— Кто подарил вам телефон?

— Ро... ро... родители Стаса... Подарили... и деньги тоже... карточку «Виза»... с фотографией! К... сва... дьбе готовились. Обещали на Ибицу, так, что ли, она...

— Родители Стаса? — переспросила Маша и даже слегка встряхнула ее за плечи. — Они подарили вам телефон и деньги и к свадьбе готовились?

— Ну... ну да!.. А он меня... он меня бросил!..

Маша села на траву, придерживая Олесю за плечи.

Все это не лезло ни в какие ворота.

Родионова все не было, и фуражка в кустах торчала неподвижно.

Девушка перестала рыдать и теперь сидела, понурившись и взявшись руками за голову. Волосы ее висели почти до земли, и худые лопатки жалобно и как-то очень трогательно торчали на загорелой глянцевой спине.

— Никому я теперь не нужна, — горестно прошептала Олеся и вздохнула прерывисто. — И никто меня не любит... Никто...

Хлопнула дверь раздевалки, и показался Родионов, который издалека возмущенно заговорил о том, какой там бардак, и вообще, пока там что-нибудь найдешь, с ума можно сойти! В руках у него был огромный ярко-желтый ком, оказавшийся халатом. Родионов подошел и накинул его на плечи бывшей сильфиды и нынешней девочки-беспризорницы. Она отнеслась к халату совершенно равнодушно.

— Там кто-то есть, — негромко сказал Родионов, присаживаясь на корточки рядом с Машей. — Я слышал шаги и хруст веток.

— Где?

Он выдернул травинку, сунул ее в зубы и пожевал. Никогда раньше Маша не видела, чтобы Родионов жевал травинки.

— За этой будкой. Я его слышал. Он сначала просто так стоял. Стоял и дышал, а потом ветку, похоже, сломал, треснуло что-то. Потом отошел, но все равно я его слышал.

— Кто мог там стоять?

Родионов пожал плечами и оглянулся на раздевалку. Маша тоже посмотрела и ничего не увидела, кроме зеленой травы, розовых кустов и разросшейся акации прямо позади раздевалки. Все было тихо, даже ветки не шевелились.

Тем не менее чье-то неясное присутствие отчетливо чувствовалось во всем — и в кустах, и в акации, даже в воздухе. Теперь, после того как Родионов сказал, Маша была уверена, что кто-то из кустов пристально наблюдает за ней.

— А там... все слышно?

Родионов пожал плечами:

— Когда она кричала, было слышно. Но она ведь ничего такого не сказала!

— Это он сказал, — вдруг пробормотала Олеся. — Он сказал, что меня не любит. Он меня... меня... бросил. Совсем. Навсегда. — Она соскочила с шезлонга и стала раскачиваться из стороны в сторону.

— Олесенька, — стараясь быть нежной, проговорила Маша, — а у тебя его фотографии есть? Фотографии Стаса есть у тебя?

— Е...есть. Мы в Египте были и фотографировались и потом еще в этом... тоже были... триста лет еще и лошадки там всякие... в Петербурге... Только они у меня в комнате спрятаны, никому их не отдам!

— Где в комнате? Здесь? Или в Киеве?

— В... Киеве. Здесь нету... нету ничего у меня...

— А ты его фотографию не выбрасывала, Олесенька? Не рвала?

Девушка опять скорбно икнула и помотала головой из стороны в сторону.

— Я его люблю, — вдруг громко сказала она, — я его выбросить не могу! Это он меня выбросил совсем, а я теперь как же?..

— Ничего, — сказал Родионов, поднялся с корточек и за руку потянул Олесю в шезлонг. Она послушно дала себя уложить. — Ничего, другого найдешь.

— Да-а... найдешь, — забормотала она. — Где его найдешь... богатый... отец у него... телефон мне купили, а папка сказал, чтобы я без штампа домой не возвращалась... В салон мне надо... ногти красить...

— Успеешь в салон, — приговаривал Родионов, — и ногти покрасишь, и волосы, и уши заодно можешь...

Он накрыл страдалицу халатом, подоткнул его со всех сторон и даже зонтик подвинул так, чтобы солнце не светило ей в лицо.

— Воды бы ей оставить, — сказал он, оглядывая плоды своих трудов и забот. — Сушняк у нее будет не приведи господи, когда она проспится!..

— С каких пор вы стали жалеть чужих пьяных девиц? — поддела его Маша.

— Ты ревнуешь, что ли, я не понял?

На этот вопрос Маша предпочла не отвечать. Оглянувшись по сторонам, она взяла Родионова под руку и повела его по дорожке, где за кустами маячила фуражка с тульей.

Родионов шел и оглядывался.

— Да не волнуйтесь вы так, — насмешливо сказала секретарша, — в крайнем случае она воды из бассейна попьет.

— Я не за бассейн волнуюсь, — негромко сказал Родионов, — и не за дамочку. А волнуюсь я, что нас подслушивал кто-то!..

— А зачем вы тогда оглядываетесь? Чтобы он точно понял, что вы его слышали или видели?

Родионов перестал оглядываться и сердито посмотрел на Машу.

— Ну что? Зачем мы влезли в этот, черт побери, детектив?

— Она говорит, что фотографий не выбрасывала, да? Кто тогда выбросил?

— Маша, — стараясь быть терпеливым, сказал Родионов, — если она не выбрасывала, значит, выбросил кто-то другой. По-моему, это очевидно.

Но Маша Вепренцева его не слушала.

— Она сказала, будто его родители были очень счастливы, что Стас собирается на ней жениться, и даже готовили им свадьбу и медовый месяц.

— Ну и что?

Маша посмотрела в сторону, где между деревьями

черный дрозд боком скакал по зеленой траве, примериваясь склевать бабочку.

— А то, что этого быть не может.

— Почему?!

— Она совсем не пара сыну будущего президента, Дмитрий Андреевич, неужели вы не понимаете?! Вы же такой... проницательный! Ну, господи, Дмитрий Андреевич! Она хорошенькая, молоденькая, волосы до попы, белые. Глаза большие, голубые. У нее в Днепропетровске папка, и он ей приказал без штампа в паспорте не являться!

— Ну и что такого?

— Дмитрий Андреевич, это странно. Ну, правда, странно. Она говорит, что его родители ей телефон подарили и деньги и мечтали, чтобы сыночек на ней женился, но его родители богатые и влиятельные люди! Как они могли мечтать, чтобы их сын женился на хорошенькой бедной дурехе?!

Родионов подумал некоторое время.

— Хорошо, а если ей просто *казалось*, что они мечтают?

— Не могло ей ничего такого казаться! Ну как же вы не понимаете?! Все девушки в мире моментально понимают, возражают родители любимого или не возражают против женитьбы! Ладно бы все было наоборот — она богатая наследница, а он мальчик с помойки. Тогда его родителям нужно было бы делать вид, что они ее обожают, даже если бы она им не нравилась! А в этом случае зачем?! Я не понимаю.

Родионов помолчал.

— По-моему, ты слишком большое значение придаешь этому вопросу.

Маша пожала плечами.

— Не знаю. Просто мне странно. И чем дальше, чем страннее.

В пиджаке ей было жарко и уже не хотелось никуда идти, но она шла — просто чтобы побыть с ним вдвоем.

Когда они вернутся в дом, нечего будет даже и думать о том, чтобы побыть вдвоем, и придется продолжать затеянное расследование, и разговаривать с Весником, выяснять, кто он, друг или враг, и снова отвечать на вопросы, и чувствовать себя под подозрением — не самое приятное ощущение!

— Надо поговорить с Надеждой, — сама себе сказала Маша. — Может, она объяснит, почему им с мужем так хотелось, чтобы сыночек женился непременно на *этой* Олесе, а не на какой-нибудь *другой*.

— Ты что? — спросил Родионов довольно холодно. — С ума сошла? У нее мужа только что прикончили. Двадцать семь ножевых ранений! А ты собираешься у нее спрашивать, почему ей хотелось, чтобы сын женился?! И непременно на этой, а не на другой?

— Да, — покаялась Маша. — Просто мне все кажется, что это роман, Дмитрий Андреевич. Роман, а никакая не жизнь.

— Зря тебе кажется, — сказал Родионов. — Я таких глупых романов не пишу никогда.

— Это вы верно подметили, Дмитрий Андреевич.

Сосны расступались, выходили на простор, хотя никакого простора еще не открывалось, но чувствовалось, что он вот-вот откроется.

Маша покосилась на своего спутника и вдруг решила, что сейчас возьмет его за руку. Как в десятом классе.

Впрочем, в десятом классе она ни с кем не ходила за ручку. Никто особенной готовности не выражал, и она тоже не слишком старалась. А потом дети, работа, зарплата, короткие глупые романы, когда непременно нужно тащиться к любимому в Бирюлево Восточное и ночевать в съемной неуютной грязной квартирке с разномастными выцветшими обоями, хозяйским шкапчиком на кухне с одной раздвижной дверцей — вторая куда-то подевалась, а за дверцей щербатые чашки, тусклые блюдца и непременно граненый стакан, задвинутый в угол. Одеяло и подушка пахнут «чужим», в ванной на веревке висят носки, которые обязательно оказываются перед твоим носом, когда принимаешь душ, фена нет, и его нужно везти с собой в сумке, зато есть «крем после бритья для чувствительной и нежной кожи» в мятом тюбике. Почему все до одного мужики уверены, что у них «чувствительная и нежная кожа», так и осталось для Маши загадкой.

Больше того, устроившись к Родионову на службу и обнаружив, что работа у него находится там же, где и дом, Маша Вепренцева потихоньку пробралась в хозяйскую ванную и изучила там все тюбики и пузырьки. Шеф в своих парфюмерных пристрастиях оказался удручающе однообразен. Все тюбики и пузырьки у него были одной фирмы, вполне французской и вполне душистой, стояли в ряд на вычищенной до зеркального блеска полочке, носков нигде не наблюдалось, зато был фен, вделанный в специальную стенную нишу. Бедная Маша попыталась прочитать на тюбиках что-то вроде «для чувствительной и нежной кожи», но по-французски она не понимала ни слова и даже обрадовалась этому. Вот и хорошо, что не понимает, разочароваться в Родионове она не могла себе позволить.

Сейчас она возьмет его за руку, и хоть две минуты они будут похожи на влюбленных, прогуливающихся по зеленеющему майскому лесочку.

Маша покосилась на его руку, которая ни о чем не подозревала, потом проделала своей некие пассы и как будто случайно наткнулась на ту.

Родионов поднял свою ладонь, на которой лежала Машина рука, и покачал из стороны в сторону.

— Ты что? Хотела что-то сказать?

Момент был испорчен.

Маша не отвечала, и Родионов осторожно вытащил из ее руки свои пальцы.

Момент был испорчен окончательно.

Тот поцелуй ничего не значил. Совсем ничего. Просто у него было такое настроение, и она оказалась ближе всех к нему именно в тот момент, когда у него грянуло это самое настроение!

Маша независимо смотрела в сторону.

— Я не люблю, когда меня трогают, — помолчав, сказал Родионов. — Ты же знаешь.

— Знаю, но я ничего не имела в виду! — это она постаралась сказать с возмущением и соврала. Она-то как раз все на свете имела в виду. — Я... просто так.

— Я не люблю, когда меня трогают, — повторил он с нажимом, — и ты это отлично знаешь! Тем более ты меня взяла... как маленькая девочка, за палец!

— Ну и что?

— Ни... ничего, но я это не люблю!..

— У вас тактильная недостаточность, — пробормотала Маша. — Ярко выраженная.

— Нет у меня никакой недостаточности!

Препираясь, они вышли на лужайку, за которой был асфальт и несколько машин дремали в тени. За стоянкой показался забор — глухой, высокий, до небес, не забор, а крепостное сооружение.

— Пошли обратно, — сказал Родионов, — тут уже неинтересно. И вообще, куда нас понесло?! Зачем мы время теряем?!

— Дмитрий Андреевич, — предложилала Маша, соображая, — давайте подойдем посмотрим машины, а?

— Зачем?!

— Ну... мне надо. Давайте подойдем?

Родионов пожал плечами, пробормотал что-то себе под нос и двинулся к стоянке. Маша шла, вытянув шею, как гусь. Родионов поглядывал на нее.

— Что ты придумала?..

— Пока ничего, Дмитрий Андреевич. Давайте пока посмотрим.

— Да на что мы... пока посмотрим?!

Он чувствовал себя дураком, и это было неприятное чувство.

Маша вышла на асфальт, огляделась и спросила:

— А лимузин чей?

— Откуда я знаю!? Но если исходить из дедуктивного метода, скорее всего, Мирославин или Головко.

— Или его жены, сына, или будущей невестки!

— Станут они чужой девчонке такую тачку покупать!

— Она же сказала, они ее любили сильно. Прямо мечтали, чтобы мальчик на ней женился, — рассеянно сказала Маша, — мечтали, как пионер мечтает о том, чтобы его приняли в комсомол, где он сможет достойно продолжать дело Ленина...

— Маша?

— Вон та развалюха, скорее всего, прислуги или охраны, и следующая из той же серии, Тимофей Ильич уехал, Мирослава вряд ли держит свои машины на гостевой стоянке, вон въезд в подземный гараж, видите?

Родионов посмотрел в ту сторону, куда она кивнула, — черт возьми, и правда, подземный гараж. Как это он не заметил?..

— Машка, ты Пуаро, — сказал он негромко, так, чтобы она с гарантией не услышала.

— Значит, остается Головко-старший, ныне покойный, — продолжала Маша. — Ну, Олеся сто процентов без машины, потому что это официальный прием и они пара, значит, ее должен был привезти жених. Что может быть у жениха? Вряд ли микроавтобус и вряд ли черный седан, я отсюда не вижу марку. Остается вон та спортивная машина, больше ничего не подходит.

Родионов опять посмотрел. За полированным боком лимузина и в самом деле пряталась маленькая желтая машинка, по виду совершенно безобидная и элегантная.

За спортивным авто стояла еще только одна машина, безликий, надраенный до блеска, явно взятый в прокате автомобиль. Родионов от него отвернулся, а Маша Вепренцева почему-то им заинтересовалась.

Остальные машины явно интересовали ее меньше.

Она подошла поближе, обошла его со всех сторон, даже проломилась сзади, вдоль решетки, хотя авто стояло довольно близко к ней, и Маша немедленно зацепилась брюками за торчащие ветки и некоторое время выпутывалась из них.

Родионов тоже подошел. Он немного злился, но решительно не хотел это показать.

Маша обошла машину и, вывернув шею и шевеля губами, прочитала какую-то бумажку, которая лежала на передней панели с пассажирской стороны. Фрачная черная пара висела на вешалке за водительским креслом, и запотевшая от жары бутылка воды грелась на передней панели.

— Ве-се-ловс-кий, — выговорила Маша по слогам, — Игорь Евгеньевич. Это его машина, то есть прокатная, конечно. Договор на его имя. Господи, что за удивительный язык, фамилию пишут через «и» с точкой!

Родионов раздраженно пожал плечами.

— Какая тебе разница, где чья машина?! Ну вот скажи мне!

— Ах, Дмитрий Андреевич, как вы не понимаете?!

— Я не понимаю.

— Но это же очевидно!

Родионов посмотрел на нее и догадался:

— Ты надо мной смеешься, да? Правильно я понял?

— Правильно, — покаялась Маша. — Но на самом деле это любопытно, Дмитрий Андреевич. Смотрите. Лимузин чистый, и машина Веселовского чистая, а микроавтобус пыльный.

Родионов посмотрел — и вправду пыльный.

— Ну и что? Просто его мыли неделю назад, а эти вчера или позавчера!

— Может быть, — сказала Маша задумчиво. — Все может быть. Но интересно не то, что эти грязные, а то, что те две чистые! Вот что интересно.

Родионову казалось унизительным выспрашивать,

требовать разъяснений — он не капитан Гастингс, на самом-то деле, и вообще все это напоминает дешевый картонный киношный детектив, и уж он-то ни за что не станет втягиваться во все это! — но ему до ужаса хотелось знать, при чем тут машины, что Маша еще придумала?!

Какое отношение машины имеют ко всему происшедшему или происходящему в этом доме?!

Он постарался подумать «так и эдак», как всегда делал, когда писал свои книжки.

Итак, они знают, что...

Что они знают, собственно?

Что статью про развод Поклонных написал, скорее всего, Нестор — по крайней мере, это казалось логичным. Что Матвей Рессель почему-то изо всех сил старается сделать вид, что предстоящий развод — это наветы с клеветой, хотя Маша вчера слышала разговор Поклонных, и, по ее словам, они готовы были друг друга задушить на месте.

Еще они знают, что сегодня после того, как голосистая и прелестная горничная Галя убралась в «курытельной», кто-то зашел туда и выбросил в мусорную корзину порванную фотографию Стаса Головко. Это было уже после горничной, но еще до Маши, которая пришла туда после «кавы з вершками» для того, чтобы подумать.

Еще они знают, что Стас Головко бросил свою сильфиду не далее как вчера вечером и сильфида напилась до полусмерти и не знает, что теперь делать, потому что родители Стаса любили ее, как родную, и папка вообще велел ей обратно в Новокузнецк или Днепродзержинск, быть может, Днепропетровск, без штампа в паспорте о законном браке не возвращаться.

Весник, проверенный, любимый всеми, весельчак, профессионал, топ-менеджер, по телефону говорил, что «пока он еще не догадался», и непонятно было, о ком шла речь.

Еще они знают, что Головко был убит перед приемом — перед, а не после, что бы на этот счет ни думала местная милиция. Потому что именно перед приемом Маша Вепренцева слышала шум воды в ванной и видела в раковине окровавленный нож.

Да, и еще! Кто-то звонил Родионову домой перед самым отъездом и угрожал, а об отъезде знали только в издательстве.

Весник знал точно, к примеру.

Еще Машка, которая вполне могла видеть убийцу, и до сих пор непонятно, видел ли он ее!..

— Маша, — начал Родионов, — по-моему, эту ерунду с расследованием надо кончать!.. Мы все равно ничего не добьемся, а ты...

Тут она опять схватила его за руку, и он посмотрел с неудовольствием, в конце концов, сколько раз можно повторять, что он не любит, когда его трогают!..

Кованые железные ворота в завитках и чугунных листьях стали медленно отворяться, охранник в синей форме выскочил из белой будочки, замаскированной в кустах, вытаращил глаза и сделал «во фрунт», и огромная черная машина беззвучно и медленно вплыла в ворота.

Она была похожа на «Титаник», каким его показывают в фильмах, — громадная, блестящая, с хромированными железяками, огнями и почти слепыми, сильно тонированными стеклами. Шума двигателя совсем не было слышно, и в солнечном мареве машина, шурша огромными шинами, подплывала все ближе и ближе.

Маша и Родионов смотрели на нее как завороженные.

«Титаник» еще немного прошуршал колесами по чистой дороге, миновал стоянку, приблизился к ним и неслышно остановился.

Маша сделала шаг назад — слишком огромной была машина, слишком темными стекла, слишком ярко сверкало солнце, отражаясь в полированном капоте.

Полыхнув в глаза отраженным солнечным светом, открылась задняя дверь, и Маша почему-то подумала, что из нее сейчас покажется начищенное серебряное дуло «винчестера», беспощадные загорелые руки и зеркальные очки, в которых отразится ее собственное растерянное лицо.

Не спастись. Выстрел почти в упор.

Видимо, Родионов чувствовал или представлял что-то в этом же духе, потому что он вдруг рванул секретаршу за руку, так, что она покачнулась, и...

— Мам, привет! Здрасьте, Дмитрий Андреевич!

Никаких «винчестеров» и зеркальных очков. Из «Титаника» выпрыгнул Сильвестр, самый обычный, всегдашний, с растрепанными волосами, в черной майке навыпуск. Он тянул за собой черный шуршащий пакет, доверху набитый какими-то газетными свертками.

Из передней двери выскочил молодой человек в безупречном костюме и придержал заднюю так, чтобы было удобней выходить, и подал руку, и из лайнера на берег сошла Катерина Кольцова, улыбающаяся, беззаботная, похожая на курортницу в разгар сезона.

— Вот и мы! — объявила она. — Доставили Сильвестра в целости и сохранности!

— Мама, такой ужас в этих пещерах! Просто жуть! И все святые праведники! Как это называется, я забыл?

— Что?

— Ну, труп святого праведника!

— Сильвестр! — простонала Маша.

— Труп святого праведника называется мощи, — совершенно серьезно объяснила Катерина Кольцова.

— Мощи там кругом, мам! Прямо в стене лежат! Я такого никогда не видел, даже в кино! Ужас, мам! А знаешь, сколько ей лет, Киево-Печерской лавре?!

— Сколько?

— Много, — подумав, решительно сказал Сильвестр, — мам, у меня в телефоне батарейка сдохла, ты зарядник взяла? У Михи фотоаппарат даже в полной темноте берет, потому что у него такая вспышка. Если с обычной вспышкой снимать, будет одна чернота, а посредине твоя рожа и больше ничего. А это сувениры, мам. Мы на Андреевском спуске их купили, и еще у меня в багажнике роза. Только у меня денег не хватило, и мне Катерина дала, ты теперь ей отдай, пожалуйста.

Маша покачнулась и дернула своего сына за руку, чего никогда в жизни не делала.

— Какая Катерина?! Ты что, Сильвестр!?

— Катерина — это я, — представилась жена олигарха. — У нас так принято — мы разрешаем всем знакомым детям и взрослым называть нас по именам, потому что отчества почему-то плохо запоминаются, а «тетя, дядя» — это я не люблю. Мы купили розу каслинского литья.

— Для тебя, мам, — вступил Сильвестр. — Очень красивая. Катерина сказала, что такие только в Киеве бывают! У тебя деньги есть? Отдай!

Произошло некоторое препирательство, когда Маша пыталась всучить жене Тимофея Кольцова дензнаки, а та отказывалась, смеялась и повторяла, что это подарок.

Сильвестр взирал в недоумении — он никак не мог понять, почему мать так настойчиво предлагает деньги. Ну, не берут, да и замечательно, какая экономия выходит!

Он нетерпеливо переминался с ноги на ногу, все порывался влезть в разговор, пока вдруг мамин начальник не положил ему на плечо руку. Сильвестр замер, как суслик-свистун перед норой, а потом осторожно скосил глаза. Рука была здоровенная, пальцы длинные, и держали они Сильвестра крепко. Помявшись, он поднял на дядьку глаза, и тот тоже посмотрел на него.

Посмотрел и подмигнул.

И Сильвестр моментально перестал нервничать —

как-то очень успокоительно подмигнул мамин началь-ник.

Катерина и Маша о чем-то негромко разговарива-ли, и Родионов почти ни слова не мог разобрать, чув-ствовал себя лишним и маялся, и единственное, что его утешало, что Сильвестр тоже лишний в этом дам-ском тет-а-тете.

— Так утром мы заедем, — громко сказала Кольцо-ва, посмотрела на Родионова с Сильвестром и улыбну-лась. — И если вам срочно нужно уехать, я могу по-просить мужа, он позвонит местному милицейскому начальству. Вас выпустят.

— Спасибо! — горячо вскричала Маша. Горячо и неискренне. — Спасибо вам большое, но мне кажется, что завтра мы уже сможем уехать.

— Угу, — пробормотал раздраженный Родионов. Раздражение было из-за дам, которые не обращали на него никакого внимания. — Выпустят, как же! И так весь визит псу под хвост!

— Да у нас все тоже неудачно получилось, — согла-силась Катерина Кольцова. — И началось кое-как. Знаете, перед самым отъездом вдруг кто-то позвонил мне на работу и какие-то гадости начал говорить.

Маша переглянулась с Родионовым, и он чуть сильнее сжал мальчишкино плечо. Сильвестр посмот-рел на него с неудовольствием и отодвинулся.

— А... что такое, Катерина Дмитриевна? Какие га-дости?

— Да я особенно не слушала, но что-то в том смыс-ле, чтобы мы не ездили в Киев, потому что... — Она вздохнула. Чувствовалось, что ей неприятно повто-рять, даже сейчас. — Потому что мой муж может вер-нуться в гробу. Я... я такие звонки ненавижу просто! Ублюдки какие-то!

— А у вас... они часто бывают? Такие звонки?

— Да нет, конечно, не часто. Но бывает. Наша служба безопасности мне телефон каждые три месяца меняет, чтобы не влез никто. Но за три месяца кто-нибудь обязательно позвонит и скажет какую-нибудь гадость. «Дайте денег, или мы всех убьем...» Не хочу я все это повторять, право слово!

Маша подумала несколько секунд.

— Катерина, а... вот этот звонок... тоже был на ваш мобильный телефон?

— Да нет, в том-то и дело! — Катерина посмотрела в сторону и передернула плечами. — В пресс-службу. Я возглавляю пресс-службу судостроительного холдинга «Янтарь».

Маша еще секунду подумала.

Сильвестр смотрел на нее, как тот самый капитан Гастингс, который не давал покоя писателю Воздвиженскому, на великого Эркюля Пуаро.

— А вас всегда зовут к телефону? И не спрашивают, кто звонит?

— Да всегда спрашивают. Но... я уже сейчас не помню точно... кажется, Тимофей заходил и, как всегда, шороху навел на всех, и переполох у нас случился! У нас всегда переполох, когда он приходит, его все боятся как огня. — Она помолчала, вспоминая. — И я пошла его провожать, а потом меня вдруг позвали к телефону. Ну, я и взяла трубку. Просто так, потому что мне ее сунули. А там голос, отвратительный голос, понимаете? И он сказал, чтобы Тимофей не ездил в Киев.

— И вы все-таки поехали? — уточнил Родионов.

Катерина вдруг засмеялась.

— Ну, конечно, поехали! А как же иначе? Да ему каждый день угрожают. Дудников, шеф службы безопасности, говорит, что если каждого такого звонка пугаться, то Тимофея Ильича хорошо бы в клетку поместить, а клетку в бетонный бокс, и охрану по кругу поставить, да и то гарантий никаких.

— Поня-ятно, — протянула Маша. — А вы ему про звонок сказали?

— Дудникову?

— А кто такой Дудников?

— Шеф службы безопасности, — напомнил Родионов старику Эркюлю. — Судостроительного холдинга «Янтарь».

— Ах да! Ему или мужу? Сказали?

Катерина пожала плечами:

— Володе Дудникову сказала, а Тимофею, по-моему, нет. Да поймите, для нас это никакой не форс-мажор, а самое обычное дело. Рядовое. Ну, неприятно, конечно, но... не фатально.

Вид у Маши Вепренцевой был задумчивый:

— Странно, что он на офисный телефон звонил. Очень странно. Или ему было наплевать, дойдет ли звонок до вас?

— Что это означает? — удивилась Катерина.

— Понимаете, ему могло быть все равно, вы подойдете к телефону, или ваша секретарша, или кто-то из сотрудников. Может быть, ему был важен сам факт звонка, понимаете? — У нее вдруг голос стал очень звонкий. — Допустим, ему было важно, чтобы звонок был просто зафиксирован. Вашей службой безопасности хотя бы. Чтобы в случае чего неожиданно выяснилось, что кто-то звонил и угрожал Тимофею Кольцову. Или Аркадию Воздвиженскому. Наша служба безопасности, между прочим, тоже в курсе дела.

— А вам... тоже кто-то звонил?

— Ну да! Звонил и говорил, что если мы поедем в Киев, плохо нам придется. И еще детям моим угрожал!..

— Да, но зачем угрожать Тимофею Кольцову или мне, Маш? Что за бред?! И при чем тут служба безопасности, а? — Родионов почти орал, потому что Маша своей осведомленностью и логикой его взбесила. — Что такое-то, а?

— Мы все узнаем, — пообещала Маша. — Нужно пойти и найти Весника.

— Весник-то тут при чем?!

— Пошли, — сказала Маша. — Пошли-пошли!..

Илья Юрьевич Весник, топ-менеджер, профессионал и человек свой во всех отношениях, плавал в бассейне и получал от этого огромное, ни с чем не сравнимое удовольствие. Это самое удовольствие было написано у него на лице и, кажется, даже на пузе, потому что плавал он на спине, выставив живот на поверхность.

Увидев делегацию, он булькнул, замахал рукой, пошел ко дну, вынырнул, смахнул воду с волос и захохотал.

— Вы чего такие кислые, господа и дамы? Здрасти, Катерина Дмитриевна! Прошу меня извинить, я без галстука в некотором роде.

— Ты и без штанов тоже, — буркнул Родионов, которого теперь раздражала жизнерадостность Весника.

— Но мог бы быть при галстуке! — радостно объявил пиарщик. — Без штанов, но в галстуке — в этом есть что-то пикантное, правда?

— Вылезай, — попросила Маша Вепренцева и оглянулась. Девушка Олеся по-прежнему спала в шезлонге под зонтиком, прикрытая халатом, который добыл Родионов.

Весник послушно поплыл к бортику, на полдороге остановился и опять захохотал.

— Представляете, я пришел, а она спит! Я думал, что ее тоже... того... прикончили, подошел, а она храпит! Во все горло! Как матрос в кубрике! Ой, анекдот!

Он нырнул и вынырнул у самого бортика, подтянулся и уселся на краю, смахивая с лица воду.

— Красота, — сказал он и потянулся. — Вот красота-то! Буду дом строить, обязательно бассейн выкопаю, ну, точно выкопаю!

— А дом у тебя где будет? — поинтересовался Родионов. — В экваториальной зоне? В нашей зоне девять месяцев зимы, будешь в своем бассейне на коньках кататься.

— Это точно, — жизнерадостно согласился Весник, — но все равно выкопаю. Из принципиальных соображений!

— А у тебя есть принципы? — поддел его Родионов.

Илья Весник был вовсе не дурак и, вообще говоря, соображал всегда быстро и безошибочно.

— Так, — сказал он и перестал улыбаться. — А что случилось-то? Что за делегация такая, уроды? Простите, Катерина Дмитриевна, это у нас такая форма корпоративного общения. Это к вам не относится.

Катерина пожала плечами:

— Пожалуйста, пожалуйста, — разрешила она. — Как вам удобней.

— Илюш, — начала Маша. — Дмитрий Андреевич мне сказал, что вы утром разговаривали по телефону.

— Я все утро разговаривал по телефону, — быстро ответил насторожившийся Весник. — Я только и делаю, что беседую по телефону, блин! У меня других занятий-то и нет. А что такое? Я под подозрением, да?

Маша молчала, и Родионов молчал, а Катерина Кольцова вдруг предложила Сильвестру пойти в дом и съесть булку. Сильвестр заныл, что не хочет он никакую булку и в дом не пойдет, потому что он уже не маленький и, может, ему интересно!

— Так, — сказал Весник, поднялся и пошел к своему шезлонгу. Сначала он потряс рубаху, потом джинсы, потом опять рубаху, выудил сигареты, достал одну и сунул в рот. Руки у него были мокрые, сигарета моментально намокла, и он вынул ее изо рта и швырнул в траву.

— Что происходит, я не понимаю?!

— Кому ты сказал по телефону, что должен меня изолировать, что я не совсем дурак, что ты ничего не можешь поделать, только прирезать меня, как Головко, а вообще, постараешься обойтись без членовредительства? Кому, Илья?

— Блин, — сказал Весник с изумлением, — откуда ты узнал?! Откуда?

— Слышал.

— Ты не мог ничего слышать.

— Я слышал.

— Как ты мог слышать?!

— По телефону я слышал! — заорал Родионов. — Не хочешь, чтобы тебя подслушивали, не валандайся со своими техническими усовершенствованиями! Режим конференции, режим ожидания, твою мать!.. Я все был в режиме ожидания, а потом мой телефон подключился к твоему! С кем ты говорил, Весник?!

— Режим ожидания?! — протянул безмерно удивленный Илья Юрьевич. — Ты все слышал?! А мне говорили, что такого просто быть не может, что у меня стопроцентная гарантия от прослушки!.. Мать, мать, мать!..

— Стопроцентную гарантию даже презервативы не дают, — буркнул Родионов. — Это ты замочил Головко, Весник?

— Ты что? — вдруг оскорбился главный пиарщик издательства. — С ума, что ли, сдвинулся?! Еще не хватает!

— Тогда о чем шла речь? — Это Маша спросила.

Тут Весник вспомнил про нее, повернулся, нацелил на нее палец и пошел в наступление:

— Так это твои идеи, Марья Петровна? Про то, что я убийца и мясник?! Ну, конечно, твои, Родионову это бы и в голову не пришло! — Маша пятилась к бассейну, а Весник пер на нее, как танк. Родионов стал подвигаться поближе, чтобы в случае чего схватить его, хотя Весник был почти голый, ни пистолета, ни ножа выхватить не мог, просто неоткуда было. — Что это ты придумала, дорогая?! Да еще и... растрепала всем?! А?! Ты чего?! Дура совсем?!

— Илья, зачем ты с нами полетел? — пискнула Маша, которую он уже почти столкнул в бассейн. — Ты же никогда не летаешь, а тут вдруг полетел! Зачем? Про Тимофея Кольцова и про то, что ты с ним мечтал познакомиться, сказок не рассказывай, пожалуйста, потому что это неправда.

— Что неправда?

— Все неправда! — крикнула Маша и сделала еще шаг назад. Следующий шаг — и она упадет в воду. Родионов стремительно приблизился к ним и растопырил руки, собираясь хватать Весника за бока, но тот неожиданно остановился сам.

— Вот дает девка! — восхищенно сказал он и покрутил головой, зажмурился и наконец захохотал. — Огонь-девка!

Маша, замершая на краю бассейна, смотрела на него во все глаза. Весник повернулся и хлопнул Родионова по плечу.

— Женись на ней, — велел Весник. — Горя не будешь знать! Вот я во второй раз женился и... А с первой дурой, думал, подохну, и похоронят меня с бомжами и бродягами, потому что дома было невозможно, ну невозможно!

Тут он вдруг проворно поклонился Катерине Кольцовой и галантно перед ней извинился, во-первых, за то, что по-прежнему без галстука, а во-вторых, втягивает ее в семейные дела, потому что у нас в издательстве практически на всех одна семья. Одна семья на всех.

— Ты сумасшедший? — осведомился Родионов мрачно. — Или только что спятил в Конче-Заспе?

— Марков меня отправил, — сказал Весник серьезно. — Дай мне сигарету, я все свои промочил.

Он закурил, подошел к шезлонгу и стал натягивать джинсы, смешно и неуклюже прыгая на одной ноге.

— Ужасно, — вдруг заявил он и перестал прыгать. — Гадкое чувство. Как ты мог подумать, что я Головко зарезал? И что? Тебя тоже собирался?

Все смотрели на него. Он застегнул свои штаны, накинул рубаху и стал по очереди застегивать пуговицы.

— А ты, Марья Петровна? Тебя куда понесло? Ну ладно, ладно, — остановил он себя. — Меня отправил

Марков, потому что он не договорился с Ольховским. Вот и все.

— Кто такой Ольховский? — спросила Катерина Кольцова.

Все оглянулись на нее, словно забыли, а тут вдруг вспомнили про нее.

— Ольховский — глава издательства «Русская литература», — машинально ответил Родионов. — Они наши главные конкуренты.

— При чем тут Ольховский, я не понял?

— А при том, что Марков с ним встречался и не смог ни о чем договориться.

— О чем, Илья?!

— О тебе. Наши узнали, что Ольховский собирается тебя перекупить и хочет предложить какую-то... сногсшибательную сумму.

— Родионову? — встряла Маша, которая слушала очень внимательно.

— Да, и именно в Киеве. Марков собирался с ним договориться. Чтобы подстраховаться заранее, и... Короче, у Маркова не получилось ничего. Не знаю я подробностей, но они встречались и так и не пришли к соглашению, мне Марков особенно не рассказывал. Ты же долгосрочные договоры с издательством не подписываешь, мать твою! Только на одну книгу! Держишь всех в подвешенном состоянии. А сумма предполагалась с шестью нулями. Ты же у нас... раскрученный и вообще... Гений русской прозы, это всем известно.

— Марков мне не доверяет? — холодно спросил Родионов.

— Он бизнесмен, Дим. А бизнес у нас конкурентный. Ольховский полетел в Киев, чтобы встретиться с тобой, а у меня была задача этого не допустить. Ни при каких обстоятельствах. Хоть силой тебя в самолет посадить и в Москву вернуть, понимаешь? Марков звонил и сказал, что Ольховский прилетел и живет в

«Премьер-Паласе», там же, где и мы. Просил тебя изолировать, ну и далее по тексту, все, что ты слышал. Вот такие дела.

Он замолчал, и стало слышно, как птицы радостно переговариваются в листве и храпит красотка Олеся: «Хр-р-фью-ю, хр-р-фью-ю». С присвистом храпит, в свое удовольствие.

— Конкурентный бизнес, говорите, — сказал Родионов и тоже закурил. — Сумма с шестью нулями!..

Весник пожал плечами.

— А что ты хочешь? Чтобы Марков тебя просто так отдал чужакам, да?

— Да не надо меня отдавать, я не школьник! — фыркнул Родионов. — А поговорить со мной нельзя было? Просто поговорить, и все?! Объяснить мне что-нибудь!

— Да что тебе объяснять-то?! Ты миллион у Ольховского не бери, он плохой мальчик?! Мы хотели, чтобы ты вообще ни о чем не знал!

— Лучше бы вы мне гонорар повысили, и дело с концом. Миллион!..

— Да где мы тебе возьмем миллион?!

— А Ольховский где его взял?!

— Да он и не взял! Он бы тебе один раз заплатил, а потом всю жизнь имел бы!

— Но ведь все-таки заплатил бы!

— Стоп, — сказала Маша Вепренцева. — Больше не надо, пожалуйста, а? Зря ты со мной не поговорил, Илья.

— Да все знают, что с тобой говорить — это все равно что с Воздвиженским! Ты ему тут же все бы и доложила! Разве нет?

— Д-да, — с запинкой сказала Маша. — Доложила бы. Ну и что?

— Марков вообще не хотел, чтобы кто-нибудь об этом знал!

— Мам, может, чаю выпьем? — все-таки встрял

Сильвестр, который понял, что все завершилось благополучно или относительно благополучно, и это самое главное. Катерина Кольцова что-то там говорила про булки, но тогда он не хотел, тогда он занят был и вообще должен был контролировать ситуацию, а теперь отчего же, теперь можно и булку, очень даже замечательно!

— Да, — согласилась Маша. — Пошли. Надо довести дело до конца.

— Да-а? — протянул Весник. — У нас такие радужные перспективы? Мы можем довести дело до конца?

— Вполне, — решительно отвечала Маша. — Только мне нужно Катерине Дмитриевне два слова сказать. Можно, Катерина Дмитриевна?

— Легко! — весело ответила жена олигарха. — Мы пойдем вперед, а вы за нами, джентльмены. Через две минуты, и не раньше.

Она взяла Машу под руку, и они удалились в сторону дома, а оставшиеся «джентльмены» переглянулись.

— Что они задумали? — спросил Весник и захохотал. — И вообще, ты бы приглядел за Марьей Петровной, чесслово! Она вон с женой самого главного нашего олигарха под ручку прогуливается! Ох, не доведут эти прогулки до добра! Ох, не доведут!.. Придется тебе ей зарплату прибавлять!

Родионов вздернул брови:

— До миллиона прибавлять?

Весник дружески его толкнул, так что Дмитрий Андреевич едва устоял на ногах.

— Пошли, — сказал он, — послушаем, кого там опять разоблачила Петровна! Кто в очереди следующий, после меня?

— Сейчас узнаем.

— Есть хочется, — добавил Сильвестр. — Ужасно просто.

В гостиной Маши не оказалось, зато были Лида Поклонная, ее звездный муж и их безупречный продюсер. Мирослава в бархатном костюме, пригорюнившись, сидела за столом, подле своего «чоловика», и вскочила, только когда вошла Катерина Кольцова.

Нестор тосковал возле буфета, на котором стоял поднос с пирожками. Сильвестр так и впился в них глазами и даже облизнулся, а потом посмотрел на Родионова умоляюще. В отсутствие матери главным начальником он выбрал Родионова и теперь слушался только его и именно к нему обращал вопрошающие или умоляющие взоры.

Родионов проследил за его взором и кивнул. Сильвестр немедленно кинулся к буфету и ухватил сразу два пирога. В каждую руку по одному.

Веселовский читал газету, Стас Головко качал ногой и время от времени поглядывал на свое отражение в стеклянной дверце старинного посудного шкафа.

Его мать, абсолютно спокойная и даже безучастная, сидела на диване и смотрела в окно, словно там показывали что-то интересное и необыкновенное. Там ничего не было, кроме лужайки и синей милицейской фуражки, торчавшей над кустами совершенно неподвижно.

Андрей Поклонный что-то страстно шептал в телефон, и вид у него при этом был как будто слегка обезумевший.

Мирослава тут же стала восклицать:

— Нэстор, Нэстор, пусть Марыся нальет всем чаю, бо главный милицейский казав, шо после чаю усих опять допросят и отпустят до дому!

— Слава богу, — воскликнула Лида Поклонная, — а то я себя чувствую заложницей какой-то! А я, слава богу, не в турецком плену!

— Лидочка, — укоризненно произнес продюсер и показал глазами на милицейскую фуражку, маячившую в окне, — перестань, дорогая! Мы все устали, конечно, и переволновались, и слава богу, что все заканчивается.

— Вы правы, — от высокой двустворчатой двери сказала Маша Вепренцева. Очень громко сказала, и все оглянулись на нее. — Все заканчивается. Я знаю, кто убил Бориса Дмитриевича Головко. И это один из нас, дамы и господа.

— Занавес! — тихо произнес Весник. — Последнее действие «Ревизора»!

И беззвучно захохотал.

Сильвестр перестал жевать и тревожно уставился на свою мать, Родионов протяжно вздохнул, Надежда Головко продолжала смотреть в окно, а Лида Поклонная подумала и разразилась сатанинским смехом.

— Господи, — давясь этим самым смехом, простонала она, — я же говорила, что она ненормальная! Она чокнутая просто, эта баба! Матвей, она ведь чокнутая, да?

Рессель взял ее за руку, и Лида вдруг замолчала, так же внезапно, как закричала.

— Андрей, — сказала Маша твердо. — Я прошу вас, положите трубку, пожалуйста. Это займет всего несколько минут.

Неизвестно, что случилось в этот момент, но все как-то сразу поверили в то, что Маша Вепренцева, секретарша писателя Аркадия Воздвиженского, действительно знает, кто убил кандидата в украинские президенты. Веселовский отложил газету, а Стас Головко переместился на диване и перестал таращиться на свое отражение. Безучастной была только Надежда Головко, хотя история с убийством касалась ее больше остальных. По крайней мере, Родионов так думал.

Или ошибался?..

— Статья про развод Поклонных, которая появилась в сегодняшней газете, была написана Нестором. — Маша решила, что нужно брать быка за рога, пока они все не пришли в себя и не разбежались. Ищи их потом!.. — Мирослава Макаровна! Я права или нет?

— Что?! — тихим-претихим и страшным-престрашным голосом спросила Лида. — Кто?! Славочка, что это значит?!

— Я сейчас заходила в кабинет к Мирославе Макаровне, — продолжала Маша. — Вы же никакая не поэтесса, правда? Вы как раз и есть руководитель водочного бизнеса, которым, по легенде, занимается ваш муж, верно? Поэтому Головко и принял ваше приглашение — всем известно, что Казимир Цуганг-Степченко финансирует его выборную кампанию. Только Казимир тут ни при чем, да? У вас на столе сплошь финансовые отчеты, ведомости и графики поставок. Цистерны, бутылки, литры и баррели. Нет никаких... рукописей, стихов и поэм.

Мирослава вытащила из рукава кружевной платочек, собралась было зарыдать, но передумала. Маша явственно видела, что она передумала. Надежда Головко с любопытством смотрела на нее. Ни горя, ни отчаяния не было в бледном лице, только странное безразличие, как у животного, которого волокут на убой и которое знает, что изменить уже ничего нельзя, что рваться и умолять о пощаде бессмысленно, все равно убьют — так хоть скорее бы!

Маше стало жалко ее, но она твердо решила, что доведет дело до конца.

— Кто такой Нестор, Мирослава Макаровна?

— Нэстор? — переспросила Мирослава и сунула платочек обратно в рукав. — Та что вы такое... Та как вы можете?..

— Мирослава Макаровна!

Лжепоэтесса Цуганг-Степченко высморкалась в платок, который был для этого вовсе не предназначен, скатала его в шарик и кинула на пол. Шарик беззвучно упал на ковер.

— Племянник мой, — сказала Мирослава решительно, и акцент исчез из ее речи. — Он начинающий журналист, и ему нужна была сенсация для его газеты. Я пригласила его, чтобы он получил эту сенсацию.

— Слава! — дрожащим голосом произнесла Лида Поклонная. — Славочка?! Ты торгуешь водкой и пригреваешь у себя... журналюг?

Мирослава поднялась и подошла к буфету. Постояла, потом взялась двумя руками за полированную доску, будто хотела ее оторвать.

— Да, торгую, — заявила она громко. — И что тут такого?! Я торгую качественной водкой, а не какой-то там паленой! У меня европейское производство, ко мне даже немцы приезжали учиться. И в этом нет ничего... непристойного!

— Я никогда... никогда не стала бы гостить у... торговки водкой! — сказала Лида Поклонная и сморщилась, словно понюхала нечто отвратительное. — Ты меня обманула, да?

— Она обманула нас обоих! — вступил Андрей Поклонный и повернулся к жене. — Репутация для меня все, а ты даже не проверила ничего! Надо же быть такой дурой! Идиотка! Я знал, что ты идиотка, узнал в тот самый день, когда на тебе женился, но не до такой же степени!

— Ты болван! Ты такой болван, что даже не смог отличить торговку водкой от поэтессы!

— А придурок, который подавал нам эту гадость и утверждал, что это кофе?! Что он там набрехал про меня в своей газетенке?!

— Да про тебя и набрехать ничего нельзя, ты, скользкий, отвратительный червяк! Ты даже развестись как следует не умеешь!

Продюсер беззвучно открывал и закрывал рот, как выброшенная на берег рыба. Скандал, неприличный, как нарыв на носу, раздувался с каждой минутой, грозил вот-вот прорваться, а он ничего не мог поделать! Ну совсем ничего!..

— Я сейчас же уезжаю, — визжала Лида. — Сию же минуту! Я не останусь здесь! Я должна... должна... посоветоваться со своим адвокатом!

— Какой тебе еще адвокат, дура?! Ты с еврейчиком своим советуйся! Ты думаешь, я не знаю, что ты с ним спишь?! Спишь с ним, а денег хочешь с меня срубить?! Ничего у тебя не выйдет, Лидочка! Ни гроша я тебе не дам, потому что это мои гонорары, которые я заработал потом и кровью!

— Не потом и кровью, а гримасами перед камерой!

— Нет, потом и кровью, а вот ты!.. Ты не актриса, а проститутка! Ни одного режиссера не пропустила, всем дала, все-ем! Говорили мне, что ты б..., все говорили, а я не верил, не верил!..

Тут Матвей Рессель обрел дар речи.

— Андрей, — сказал он тихо, — спокойней. Вы уверены, что у... некоторых из нас, так сказать, нет с собой диктофона и ваша пламенная речь не появится в завтрашних газетах?

Как по команде, Андрей и Лида, любящие супруги, нашли глазами Нестора, который со страху спрятался за кофейный сервиз. Очевидно, в четырех глазах обоих супругов было такое отчаянное обещание казни, что поднос заходил у него в руках, чашки тоненько зазвенели.

— Мам, — в полной тишине сказал Сильвестр, — по-моему, они сейчас его побьют!

Это своевременное заявление было встречено молчанием. Потом Рессель вскочил и встал перед парочкой, будто всерьез опасаясь, что Лида или Андрей могут кинуться на Нестора.

— Я хочу знать вот еще что, — продолжала Маша Вепренцева, и Весник толкнул увесистым локтем Родионова в бок и бровями подвигал, словно заставляя его разделить его изумление перед Машиными детективными способностями, — чем именно вас пугал вчера в кустах Стас Головко? А, Лида?

— Я?! — поразился бедный Стас. — Я пугал?! Та я ее знать не знаю!

— Лида! Чем?

Поклонная вынырнула из-за Матвея Ресселя и подлетела к Нестору. Машу она не слушала или делала вид, что не слушает:

— А тебя, гнида журналистская, я вообще отсюда не выпущу! — Она размахнулась и врезала Нестору по зубам крепким кулачком. Нестор пошатнулся, чашки поехали с подноса и посыпались на ковер. Он отступил на шаг, уронил сильно грохнувший поднос и утер с подбородка тоненькую красную струйку.

Мирослава Цуганг-Степченко процедила сквозь зубы:

— Ах ты, шалава! — и двинулась на Лиду, уперев руки в боки, и почему-то сразу всем стало ясно, что победителем из схватки выйдет именно она. Она защитит племянника, честь семьи и свои интересы — или что там она должна защищать?!

— Матвей! — пискнула Лида, моментально осознав серьезность опасности. — Матвей, она... она ко мне пристает!..

— Так тебе и надо, сука! — сказал ее муж и откинулся на спинку кресла, приготовившись наблюдать бой. — Пусть она тебе покажет! Покажите ей, Мирослава Макаровна!

— Никто никому ничего не будет показывать! — громко сказала Маша. — Лида, хватит истерик! Или вы на самом деле ненормальная?!

— Конечно, ненормальная, — хладнокровно сказала Мирослава. — Нестор, подними чашки, не ровен час, еще наступит кто-нибудь из... этих. Из гостей, я имею в виду!

— А ты вообще обманщица! — крикнула Лида и всхлипнула. — Ты меня надула! Ты... нечестная! Водкой торгуешь, а я думала, что ты стихи пишешь!

Маша Вепренцева, наблюдавшая эту сцену, никак

не могла понять, где игра, а где реальность, и есть ли между ними грань. То ли Лида Поклонная на самом деле убогая дурочка, то ли она гениальная актриса, игравшая агрессивную и недалекую стерву — в своих целях игравшая! — то ли так уж ее перепахали события последних дней, что она совершенно потеряла разум!

— Да тебе-то что? — равнодушно поинтересовалась Мирослава. — Водкой я торгую или стихи пишу? Я ничего противозаконного не делаю, у меня легальный бизнес. А из-за тебя и таких, как ты, я всю жизнь как в подполье живу! Потому что вы, чистоплюи столичные, в мою сторону бы даже не посмотрели, если бы знали, чем я занимаюсь! А мне связи нужны. Знакомства хорошие. Люди деловые.

— Та какие они деловые! — с презрением сказал Нестор, ползавший по полу и составлявший чашки обратно на поднос. — Так, обмылки какие-то! Зря вы так расстраиваетесь, тетя! На что они вам сдалися?

— А стихи-то кто пишет? — спросил Весник, сделал над собой усилие и не захохотал. — Ведь они есть, стихи-то! Я даже сборничек видел, своими глазами. Литературные рабы, так сказать?

Мирослава Цуганг-Степченко вздохнула:

— Шо вы ерунду городите, ей-богу! Он и пишет, — кивок в сторону кресла, в котором дремал «чоловик». — Казимеж. Он ще в университете талант большой показывал, так я ему и того... создала... все условия. Деньги есть, забот нет, вот и пишет та пишет!

— Все наоборот, значит, — заключил Весник. — Стихи — он, а водкой — она.

— Ну и шо?! Шо такого?! А кому не нравится, может отсюда выметаться, не бойтесь, не пожалеем!

— Лида, — настойчиво повторила Маша, — что вам говорил Стас в кустах? Что-то про сроки и про то, что он больше ждать не может!

— Это не Стас говорил, а я, — обреченно сказал Рессель. — Это я разговаривал с Лидочкой. С чего вы

взяли-то, что там был Стас?! Мы разговаривали о ее
разводе. Видите ли, Андрей и слышать про развод не
хочет, а я больше не мог ждать, потому что я... люблю ее!

— Ты?! — переспросил Андрей и покатился со сме-
ху. — Любишь?! Да ты деньги на ней будешь делать!
Чем ты ее заставишь заниматься? Петь на эстраде, без
лифчика и в ботфортах?! Или в порнушке сниматься?
Она же больше не годится ни на что! Потому что она
дура, идиотка, дубина! — И он постучал себя по лбу
ладонью. Вышло очень звонко. — А я разводиться не
стану, сказано же! Не стану! Зачем разводиться, когда
мне придется деньги делить, совместно нажитые! Нет
уж! Дома, выходит, тоже придется делить?!

— Все придется делить, Андрейка, — весело сказала Лида, — я с тобой даже коврик поделю, который
возле толчка лежит! Пополам. Половину тебе, половину мне!

— И огласка мне не нужна, — твердил свое Андрей, — у меня выстроенный имидж, другого не надо!
Моментально все пронюхают, что Поклонного жена
кинула, какой тогда из меня секс-символ! Нет уж, дорогая, сиди где сидела и не вылезай, или я тебя!..

Он замахнулся, но ударить Лиду не смог или просто передумал, и было во всем этом какое-то формен-
ное свинство, как определила про себя Маша Вепренцева, которая ненавидела публичные семейные скандалы.

— Если Стаса не было в кустах, откуда он взялся на
дорожке?

— Та приихал я! — сказал Стас, и фыркнул, и покрутил головой из стороны в сторону. — Приихал и
шел по дорожке, а тама — вы! Заблукали!

— Я не заблудилась — с досадой возразила Маша,
которой почудилось в этом что-то унизительное. —
Я просто... гуляла.

— Послушайте, — подал голос Игорь Веселовский, — сколько это будет продолжаться?! Вы же обе-

щали сообщить нам, кто убийца, а говорите пока какую-то ерунду. Вся тусовка знает, что Поклонные день и ночь... того... друг друга любят. Любят и любят, остановиться не могут! А убил-то кто?

— Вы и убили, — сказала Маша Вепренцева. — Вы убили Бориса Дмитриевича Головко, потому что он был очень встревожен вашей связью с его сыном. Он опасался, что перед выборами все откроется. Он вам, наверное, угрожал и загнал вас в угол...

Игорь Веселовский, красавец, талант, звезда отечественного телевидения, посмотрел на Машу с трудноопределимым выражением лица.

— Во-он как, — протянул он, — заня-ятно!

— Маша? — строго спросил Родионов. Он вообще все время на нее сердился, с самого утра, потому что никак не мог ее контролировать. Ну никак!

Лида засмеялась.

— Игорек? — весело удивилась она. — Так ты и вправду гомик?!

Вот пойди и пойми, притворяется она или на самом деле такая дура?!

— Головко назначил вам встречу, правильно я понимаю? Именно в этом доме, потому что здесь много народу, прием и ваш разговор с ним прошел бы незамеченным — подумаешь, один гость наедине поговорил с другим! О вашей связи со Стасом вообще никто не должен был знать. Он сам узнал, наверное, потому, что Стас часто отлучался в Москву, ведь вы в Киев регулярно ездить не могли — у вас еженедельное шоу на телевидении. Очевидно, старший Головко кого-то нанял, и за Стасом проследили, отцу донесли, у кого он останавливается, и, зная наклонности сына, Головко сделал выводы... Так ведь? Он предложил вам денег, верно? А потом, когда вы отказались, скорее всего, пригрозил, что вас где-нибудь по-тихому убьют и не найдет вас никто и не вспомнит. Пока все правильно, Игорь?

— Говорите, говорите, — улыбнулся Веселовский. — Я слушаю.

— Вы вышли из себя, потому что вы вообще... страстная натура, романами увлекаетесь! Вы вышли из себя и убили его, причем с особой жестокостью. Но у вас не было никакого состояния аффекта, Игорь! То есть решительно никакого, потому что нож и костюм вы принесли с собой.

— Какой костюм? — спросил Весник. На лбу у него образовалась складка, и вид был встревоженный.

— Официанта. Веселовский в нем ушел из комнаты, в которой совершил убийство, — пояснила Маша. — Он привел Головко в мою комнату будто в свою, но это случайно получилось. Да, Игорь? Просто нужно было его убить в какой-то комнате, и вы решили в моей. Ведь у Головко нельзя было поговорить, он небось боялся, что жена помешает или Стас. Правильно я понимаю? Вы поговорили, вышли из себя, кинулись на него с ножом и убили. Вас залило кровью, и пришлось отмываться в соседней. Рядом с трупом не хотелось. Вы были так в себе уверены, в себе и еще в том, что все внизу ждут, когда великий Тимофей Кольцов окажет им честь своим появлением, что даже не особенно прятались. Только потом темный парик надели.

Веселовский пожал плечами:

— А вас-то куда понесло? Все ждали Кольцова, а вы почему не ждали?..

— Мне нужно было книжки принести Дмитрию Андреевичу, — словно оправдываясь, сказала Маша. — Я и пошла.

— Пошла, — повторил Веселовский и протянул: — Поня-атно.

— Потом, когда мы с Родионовым поднялись на второй этаж, нам навстречу попался официант. Это были вы, Игорь, в пиджачной паре и галстуке-бабочке и в парике. Накануне вы рассказывали, что сценические костюмы позабыли, а черные пиджаки никогда не носите. А в машине у вас черный костюм висит на вешалке. И еще фотография! Я все думала, зачем вы ее выбросили или заставили Стаса выбросить! Все рассматривала ее, и ничего там не было подозрительного, а потом я сообразила. Стас сидит на диване, а на столике перед ним лежат ваши сигареты. Коричневая пачка, очень приметная. Вы утверждали, что ни с кем из гостей не знакомы, кроме Поклонных, и здесь в первый раз, тогда откуда у Стаса дома ваши сигареты? Стас демонстрировал мне свои прелести, запечатленные на фото, и ему даже в голову не пришло, что это может быть опасно! А вы-то, конечно, сообразили. И от фотографии избавились. Да, и еще! В тот день вы приехали позже всех, по крайней мере, вы так утверждали, Игорь. А мне из Киева звонила Ольга Иванова, сказала, что головная боль у всех, потому что дождь идет уже час. Ехать сюда двадцать минут. Если бы выехали поздно, вы бы попали под дождь, а вы не попали, потому что у вас чистая и сверкающая машина, ни одной капли нет, значит, приехали вы до дождя. Если бы ехали позже, все равно машину бы запачкали. Лужи кругом, грязь и все такое!

Веселовский, прищурившись, смотрел на нее.

— И еще вы ошибку сделали, Игорь. Раньше, в Москве. Вы назвали меня Мария Петровна, помните, у Весника в кабинете, а мы с вами до этого никогда не виделись, и вряд ли Илья, даже если он про меня вам рассказывал, называл меня по отчеству. А вы знали мое отчество. Заранее. Значит, что-то про нас выясняли, да? Вы про нас выяснили и позвонили сначала нам в офис, а потом в офис Кольцовым, или наоборот, с какими-то нелепыми угрозами, но и в одном и в другом случае вы сказали, чтобы мы не ездили в Киев! А звонили вы, чтобы при случае мы могли бы в один голос заявить, будто накануне визита неизвестные преступники угрожали и Тимофею Ильичу, и Дмитрию Андреевичу! А Головко якобы маньяку просто под руку попался! То есть убийство вы планировали заранее, задолго до приезда сюда. Так что не было никакого аффекта! Один голый расчет.

Она помолчала.

— И в издательство тогда вы приезжали, чтобы убедиться, что мы-то уж точно собираемся ехать, несмотря на ваши угрозы, — вам ведь обязательно нужно было, чтобы мы поехали, чтобы прием состоялся, потому что именно во время приема вы и собирались убить Головко! Весь ваш план провалился бы, если бы мы не полетели — народу мало, и вы были бы у всех на глазах, а вам это не подходило! Вот вы и напросились к Веснику на кофе с коньяком! Или что вы пили? Чай?

Веселовский пожал плечами. Он все рассматривал Машу Вепренцеву, и даже какая-то удаль была у него в глазах, гордость, что ли?..

Все остальные потрясенно молчали.

Стас Головко медленно поднял обе руки, будто собирался помолиться, и, застонав, закрыл ими лицо. Щеки у него были серыми. Маша никогда не видела раньше таких серых щек.

— Кстати, куда вы дели одежду, в которой... убивали? Крови было очень много, вы непременно должны были... должны были...

— Ну что ж ты? — спросил Веселовский насмешливо. — Или потрохов не хватает? Да, крови было много, очень много, из него лило, как из свиньи. Я даже удивился, что из него так лило! И он еще ползал по полу, потому что не сразу умер! А я его убивал! А он ничего не мог со мной сделать, потому что я сильнее и я боролся за свою жизнь! Он посмел мне угрожать, мол, убьет меня, если я не откажусь от своей любви. Как в той книжке!

Родионов вздрогнул. Ему вдруг стало плохо, нечем дышать, и перед глазами поплыло, словно после сильной физической нагрузки, но он справился. Справился, потому что его вдруг взял за руку Сильвестр. Ручка его была узкая и холодная, испуганная и немножко скользкая, потому что именно в ней он держал пирог.

Родионов сдавил эту испуганную детскую ручку, и его чуть-чуть отпустило.

Стас хрипло крикнул и затряс головой. На него никто не обратил внимания, даже мать, которая сильно побледнела и смотрела на Машу немигающими горящими, страшными глазами.

А Маша поняла, что задела Игоря за живое, на что она и не рассчитывала.

— Крови было много! — с удовольствием повторил Веселовский. — И я был весь в крови. Только я прихватил с собой сумку, в которой лежали костюм и чистая рубаха, все наготове. А в дом я прошел через черный ход и поднялся наверх. Вошел в самую дальнюю комнату, не знал, чья она. Там сумки стояли. Я позвонил на мобильный Головко и сказал, где я. И этот козел пошел на собственную казнь. Когда он подох, мне нужно было помыться и переодеться. Я точно знал, что все эти идиоты-гости будут торчать в гостиной, потому что им обещали встречу с сильными мира сего! — Он закинул голову и засмеялся, от души засмеялся. — Вы же не подозревали, что одного из них я уже прикончил! Прикончил сам, своими собственными руками. Вы все торчали внизу, а он уже к тому времени давно подох, как свинья! Свинья, которую я сам зарезал! Он хотел все у меня отнять, даже жизнь, а я его остановил! Я зашел в соседнюю комнату, принял душ и переоделся. А грязное барахло запихал в сумку, только и всего! И опять через черный ход для прислуги ушел, только когда на первый этаж спускался, на вас наткнулся.

— Вы врете, — подумав, заявила бледная Маша Вепренцева, — когда мы вас встретили на лестнице, вы в руке держали только серебряный поднос, и все. Никакой сумки не было. Кстати, когда я вспомнила про поднос, то поняла, что официант мог быть замешан, потому что на таких серебряных подносах во всех комнатах стоят вазы. Вы взяли поднос из комнаты.

— У-у ты какая! — радостно сказал Веселовский. — Как это я тебя не заметил, когда ты в комнату влезла! Лежала бы сейчас рядышком с дяденькой, и никто бы никогда... А сумку я, милая, в окошко вытолкнул. Из коридора, там все окошки под глухую стену выходят. А потом по лестнице спустился, подобрал ее и в Днепр с обрыва кинул. И никто из вашей гребаной охраны не обратил на меня внимания! А я мимо всех прошел с этой сумкой! Но всем ведь на официанта наплевать, да? Кто такой этот самый официант?! Разве же он человек?! Официант не может быть человеком, он же прислуга, собака последняя! Ну, тащит он сумку, да и хрен с ним! А я до Днепра дошел, камушков в нее навалил — и с обрыва бултых!..

— Как же вы успели сменить костюм?

— А ведь костюм я и не менял, я ведь сказал, что не люблю черные пиджаки, а отнюдь не брюки. Когда я приехал, то взял из машины сумку, засунул в нее черный смокинг и свой светлый пиджак. Пока шастал по участку с разведкой, меня никто не встретил, а если б встретил, я сказал бы, что заблудился. Посмотрел самый короткий путь к Днепру, потом вышел к бассейну. Там уже никого не было, но я для порядка в кустах посидел. Пиджак оставил в крайней раздевалке и пошел в дом. Далее известно: убил, вымылся, переоделся в смокинг официанта, с кровавым барахлом в окно и прочь из дома. Ну, а потом сбросил сумку в Днепр, добежал до раздевалки, переоделся. И обратно сюда. А уж когда почтенная публика стала расходиться, я потихоньку отнес черный пиджак в машину. Ну и тут ты, Пуаро и Марпл в одном флаконе, труп нашла.

— А нож вы тоже в сумку бросили?

— Да что же я, дурак, что ли? — обиделся Веселовский. — А если бы ее на следующий день течением вынесло? Нож вы не найдете. Барахло с убийством бы точно не связали, а нож — вполне могли связать. Надо же, у них только что кандидата в президенты зарезали, почти на глазах у почтенной публики! — Он опять с удовольствием засмеялся. — Вот если бы не ты, паскуда!..

Про «паскуду» Маша не стала слушать и сказала:

— Головко надеялся вас подкупить или запугать. Он только было поверил в то, что у сына все может быть, как... у нормальных людей. Девушка, свадьба, семья. Он Олесю готов был на руках носить, а тут вы появились, и все вернулось, и девушку Стас бросил. А вы обозлились. Никто не смеет отнимать у вас вашу собственность! Никто не смеет угрожать вашей жизни.

— Вы все равно ничего не докажете, — заявил Веселовский, став равнодушным. — Ничего и никогда.

— Да мы и не станем, — холодно сказала Катерина Кольцова, и в гостиную вошли два охранника ее мужа. — Мы и без доказательств разберемся уж как-нибудь.

И они «разобрались».

— Маша, где роман?!

Никакого ответа.

— Маша, где роман, я тебя спрашиваю?!

Молчание, и больше ничего.

— Маша!

— А? Вы меня зовете, Дмитрий Андреевич?

Она появилась на пороге — волосы причесаны идеально, в руках ежедневник и ручка. Для идеального образа идеальной секретарши не хватает только очков. И как она успевает подхватить все свои причиндалы, чтобы выглядеть идеальной секретаршей всегда и во всем и при любых обстоятельствах!? Или она специально кладет их под дверь и хватает, как только он ее позовет?!

— Маш, где файлы последнего романа?

Она пожала плечами.

— Там же, где и были, Дмитрий Андреевич. У вас в компьютере.

— А почему они в компьютере, когда я тебя просил еще утром отправить их в издательство?!

— Я отправила, Дмитрий Андреевич, сразу же, как только вы мне об этом сказали.

— А почему Марков мне звонит и говорит, что они ничего не получили?!

Маша Вепренцева пожала плечами.

— У нас так бывает. Почта не всегда работает четко.

— Почтальонам мало платят?

— Электронная почта, — объяснила она совершенно серьезно. — В ней не предусмотрены никакие почтальоны, Дмитрий Андреевич. Но мы ведь собирались сегодня поехать в издательство, так что захватим рукопись с собой.

— Вот и скажи это Маркову.

— Хорошо. — Она кивнула — образец сдержанности и деловитости. — Это все, Дмитрий Андреевич?

Он крутанулся в кресле и еще покачался из стороны в сторону. Ему не хотелось, чтобы она уходила, и он никак не мог придумать, как бы ее задержать.

— Дурацкий роман, — буркнул он сердито. — Как все началось по-дурацки, так и закончилось. По-моему, ерунда какая-то получилась.

Она помедлила на пороге, потом прошла и села в кресло, рядом с его письменным столом.

— А по-моему, ничего.

— Да ладно! Я в такую... ерунду никогда в жизни не попадал.

— Все уже закончилось, — философски заметила Маша Вепренцева. — Все нормально.

— И в Киев я больше никогда не поеду, — продолжал Родионов сердито, — ужасное место.

— Прекрасный город, — возразила Маша. — Жаль только, мы его и не видели совсем. Нам надо туда просто так поехать, без работы. Он вам понравится, Дмитрий Андреевич, обещаю вам.

— Да не надо мне ничего обещать, — вдруг вспылил Родионов. — Обещает она мне!

Они помолчали, вспоминая каждый свое.

Очень много всего случилось в прекрасном городе Киеве. Так много, что и не осознать сразу.

— Звонила Катерина Дмитриевна, — проинформировала Маша. — Надежда Головко в больнице, а ее сын в психушке. Против Веселовского все улики косвенные, кто-то видел его машину недалеко от дачи «поэтессы» задолго до того, как он появился на приеме. Выяснилось, что Головко предупредил охрану на даче, что приедет телеведущий, да и охранники на воротах показали, что он приехал намного раньше, чем появился на приеме. А нож не нашли... Мне почему-то в этой истории больше всех жаль Надежду.

Родионов пожал плечами:

— Каждый получает по заслугам.

— Да бросьте вы, Дмитрий Андреевич, она ни в чем не виновата!

— Да ладно! Она что, всю жизнь не видела, что с ее ребенком не все... в порядке?

— Что значит... не в порядке?! Он же не инвалид и не больной! Он просто... нетрадиционной ориентации!

— Вот именно. И к чему это привело, а?

— Дмитрий Андреевич, — строго сказала Маша. — Вы судите чужую жизнь, не имея о ней никакого понятия. Вы же ничего не знаете!

— А ты знаешь?

— Мне Катерина рассказала, что эта Надежда несчастнейший человек! Муж ее знать не хотел, все с какими-то девицами путался, это потом, перед выборами, его приперло, и он о жене вспомнил, а до этого сослал ее в деревню какую-то, как в монастырь, без денег, без всего! А ей только со всех сторон докладывали, где он, с кем и почем им платит!

— Ну и что? — упрямо спросил Родионов. — Она что, не знала, за кого выходила замуж?!

— Ну, а если и знала?

— А развестись? Слабо?!

— Бывает так, что нельзя развестись, Дмитрий Андреевич.

— Да ладно тебе!

— А тут еще сын! То есть получилось, что из-за сына погиб отец! Из-за сына и его связи с этим психом Веселовским, а она ничего не могла поделать. Кстати, Кольцова сказала, что на следствии выяснилось, что у Игоря бывали нервные срывы с детства. Конечно, Надежда мужа терпеть не могла, но все же он был отец ее сына!

Родионов пожал плечами. Все это его нисколько не убеждало.

— Все в жизни можно изменить, Маша, — сказал он сердито. — И ты это прекрасно знаешь. Ты сама племянников в детдом не сдала, а растишь и... Кстати, эта ваша Эмма не объявлялась?

— Элла, — поправила Маша. — Нет, Дмитрий Андреевич. Пока все тихо.

— Значит так, — продолжал Родионов. Собственно, весь этот разговор он и затевал, чтобы это сказать. — Больше ты никогда не платишь ей никаких денег и не вступаешь ни в какие переговоры. Если она появляется на твоем горизонте или кто-то из ее дружбанов, первое и единственное, что ты должна сделать, это позвонить мне. И больше ничего ты делать не должна.

— А вы что предпримете?

— А вот эта моя забота.

— Но... Дмитрий Андреевич...

— Никаких «но»! Ты поняла?

— Это мои проблемы, — сказала она и отвела глаза. — Я не хочу втягивать вас в них.

Он поднялся из-за стола, засунул руки в карманы

джинсов и подошел к ней. Некоторое время он стоял над ней, а потом сказал веско:

— У тебя больше нет никаких «твоих» проблем. У тебя есть я.

Вдруг словно солнце ударило ей в лицо. Она улыбнулась и зажмурилась.

— Вы?

— Да, — твердо заявил Родионов, рассматривая ее. — Да.

— Это невозможно, — сказала она, и солнце пропало, зашло за тучи. — Я так не умею. Мне нужно все или ничего.

Родионов кивнул.

Она рассматривала его так, как не рассматривала никогда, — исподлобья и очень внимательно. Ему даже неловко сделалось, и как будто чуть-чуть взмокла спина от ее взгляда.

— Ты чего?.. — спросил он, помолчав. — Ты чего, Маша?

Нельзя ничего этого делать, она точно знала, что нельзя, но дальше продолжать играть в «ограничения и рамки» было невозможно.

«Я взрослый человек, — сказала она себе мрачно. — Чего я так уж боюсь?! Ну чего?!»

«Ты боишься, что, поставив все на одну карту, ты все и проиграешь, разом, чохом, и тогда останется только найти укромный уголок, заползти в него и застрелиться, как делают все, кто проигрывается в пух и прах без надежды отыграться».

«Если я сейчас скажу *это*, надежды отыграться не будет никакой. Взять обратно эти самые слова — невозможно. Как невозможно остановить время или повернуть ветер.

Невозможно».

— Маша! — воскликнул Родионов раздраженно. — Что такое? У меня сейчас на лбу будет дырка. Не надо так на меня смотреть!

— Я вас люблю, — мрачно сказала Маша, словно говорила, что терпеть его не может и собирается завтра уволиться, только чтобы век его не видеть. — Я вас люблю, Дмитрий Андреевич.

— Я знаю.

— Как?!

Она ждала, что сейчас он начнет метаться из угла в угол, опрокинет кресло и начнет кричать, что ничего этого нет, потому что не может быть никогда. Маша будто даже слышала, как он кричит, и видела, как ей приходится отступать за дверь, зажимать ладонями уши, только чтобы ничего больше не слышать и не видеть, а он сказал, что... знает?!

Он знает?!

— Вы... не поняли меня, Дмитрий Андреевич?

— Это вы не поняли меня, Марья Петровна.

Тут он ушел к окну, где в раздражении принялся обдирать лепестки с фиалки альпийской, только распустившейся нежными, тоненькими цветочками. Фиалку содержала на подоконнике домработница и очень ею гордилась. Мимоходом Родионов подумал, что домработница не простит ему ободранных лепестков, и тут же забыл об этом.

— Маша, я принял решение, — сказал он высокомерно, потому что плохо представлял себе, что именно должен говорить. О родстве душ?.. О единении целей?.. О том, что он нечто такое осознал и понял?.. — Я принял его уже давно, и с тех пор... с тех пор... Короче, когда мы с тобой поцеловались в том гребаном доме... То есть когда я тебя поцеловал в том самом доме...

— Да? — заинтересованно и безмятежно спросила Маша Вепренцева, видимо, решившая играть по каким-то своим правилам. — Что?..

У него опыт, черт возьми!

Он был дважды женат, ведь как-то он объяснялся тогда со своими будущими женами, и даже с успехом,

раз они все-таки соглашались выйти за него замуж!..
Только... как? Как?!

Он не мог вспомнить, а Маша, черт бы ее побрал,
ничем ему не помогала, и он точно не мог сказать, что
это — часть хитроумной женской игры, эпизод в ее
сценарии или она и вправду ничего не понимает?!

— У тебя дети, — объявил Родионов, мрачнея с каждой секундой. — Мальчик и...

— Мальчик, — подсказала Маша. — Это из кино.

— Какое, к черту, кино?! — возмутился Дмитрий
Андреевич. — Ну что такое, а?

— А что такое?

Он, перестав обдирать фиалку, сел на подоконник
и скрестил руки на груди. Из романтического объясне-
ния ничего не выходило.

— Ты ничего не понимаешь, да? — спросил он язвительно. — Ничего-ничего? Или тебе нравится, как я
тут извиваюсь, словно червяк, перед тобой?

— Вы... извиваетесь?

— Маша!

Она подошла и стала рядом, так что рукав его рубахи касался рукава ее пиджака, и принялась рассматри-
вать его близко-близко.

Раньше она никогда не подходила так близко,
только тогда, в том сумасшедшем доме на диване зеленой кожи, они были рядом, но это не в счет...

Не в счет. Не в счет. Сердце стучало, отбивая простые слоги.

Он знал: для того чтобы успокоиться, надо медленно думать, и он стал медленно думать о том, что он
скажет ей, как важно, что она рядом с ним, как ему хорошо работается, когда он точно знает, что она за
стенкой или на кухне, варит ему кофе или когда она с
таким умным и деловым видом составляет его расписание, а потом теряет записную книжку и бегает по
всему дому и ищет ее. И еще он должен сказать, что
тогда, на море, он только и делал, что смотрел на нее,

и это было не слишком весело, потому что, насмотревшись, он плохо спал по ночам, и то, что ему при этом снилось, даже в роман нельзя вписать в качестве чьей-то больной фантазии — обвинят в распространении непристойных текстов, и будет скандал, то-то Марков порадуется!.. Он никогда не признавался ей в этом и был уверен, что так и не признается — зачем?! Все и так хорошо, отлично просто — она рядом и никуда не денется, и он завладел ею, ее временем, ее мыслями, ее умом и душой, а тело... ну, телом-то вовсе не обязательно, тел можно найти сколько угодно, он и так прекрасно обойдется, ему сложностей не надо, «равнодушный» он...

Он медленно думал все эти думы, и это совершенно не помогало, потому что Маша стояла рядом и молчала, а он отлично понимал, что все эти мысли — вранье.

Вранье.

Слова церковного обещания быть вместе «телом и душой» всегда представлялись ему надуманными, слишком уж поучительными, слишком... прямолинейными какими-то. Он никогда и ни с кем не был вместе... душой, с телом получалось значительно проще.

Он понятия не имел, что будет, если соединить все. Взрыв? Смерч? Электрическая дуга в три тысячи вольт?..

Зато он точно знал, что все это будет сложно. Так сложно, как никогда, и сложно будет долго, всегда!..

Он не отделается от нее, а Маша не отделается от него, и он станет переживать, если вдруг случайно ее обидит, и ходить за ней, и просить у нее прощения, и маяться, если прощения получить не удастся, хоть ему вовсе не хочется ничего этого делать! Он станет есть сваренные ею макароны, смотреть с ней кино, возить в школу ее детей, поздравлять с днем рождения ее мать — даже если вместо всего этого им планировались другие, гораздо более увлекательные занятия.

Он убьет ее, если она будет ему изменять, — вот просто убьет и все тут, и наплевать ему, что все это дикость и варварство, и вообще он нынче отлично понимает Отелло, венецианского мавра, а всегда думал, что это выдумки, желание «подпустить трагизма»!

И ничего этого ему вовсе не хочется, но по-другому нельзя, по-другому не получается, потому что, собственно, это и есть жизнь. А все остальное — капризы, качание ногой, дорогая машина, дорогая барышня, красное вино, неорганизованность, и «Я опять потерял рукопись!», и еще «Я никуда не годный писатель!», и еще так: «Мне не дают работать!» — вот все это вовсе не жизнь, а роман. Роман из жизни вальяжного гения, которых не существует в природе, которых придумывают писатели и сценаристы!..

Дмитрий Родионов взял свою секретаршу за локти, притянул к себе, так что ее грудь оказалась прижатой к его груди, и кровь вдруг ударила ему в голову.

На самом деле ударила. Как будто кулаком в висок. Пришлось сцепить зубы и подышать немножко.

— Я не хочу без тебя, — сказал Родионов, отдышавшись. — Я хочу с тобой. И тебя.

Она откинула голову и посмотрела ему в лицо.

— А... это возможно? Мы так давно вместе, и вы никогда ничего не хотели, а я... мне всегда так трудно было, особенно когда у вас свидание! Мне казалось, что я умру, если вы утром не приедете, а останетесь там. Но вы всегда приезжали.

Он ничего не понял. Куда он приезжал? Зачем он приезжал? Какие такие свидания?..

Нет, все-таки женщины и мужчины устроены не просто по-разному. Адам был простой и понятный парень, а с Евой дело пошло плохо. Так плохо, что и по сей день мужчина слышит совсем не то, что женщина ему говорит!

— ...я думала, что просто буду работать с вами и ждать, но это так трудно, Дмитрий Андреевич!..

Вот тут он был с ней полностью согласен. Вот тут она права совершенно.

Трудно. Так трудно, что даже зубы болят — оттого что сжаты слишком крепко.

Маша еще что-то говорила, а потом вдруг посмотрела ему в лицо, замолчала на полуслове и обняла его за шею.

Просто обняла, и все.

Дмитрий Родионов щекой почувствовал ее дыхание, волосы на виске и взял в ладонь ее шею, оказавшуюся странно тоненькой, он и забыл, что она такая тоненькая.

Значит, душой и телом, да?.. Почему так? Потому что одно без другого теряет всякий смысл? Потому что... неинтересно?

Он поцеловал ее сначала легко, а потом, вдохнув, глубже, и еще глубже, а на следующем вдохе он уже забыл о душе и теле, и о том, что это было для него почему-то важно.

В голове у него осталась только одна мысль, и она заняла все свободное место, которого было много — больше никаких мыслей не осталось!.. Он все время думал и помнил о том, что это Маша, его Маша, с которой ему всегда было так легко и свободно, которая знает о нем все, даже сколько ложек сахара он кладет в кофе и какой у него размер ноги! Это она так прижимается к нему, это ее грудь, щека, губы, ответившие ему вдруг с неожиданной силой, которой он от нее не ожидал!

Это все она, и от этого так легко и так... страшно.

Он снял с нее пиджак и зачем-то затолкал за себя, на подоконник, где стояла ощипанная альпийская фиалка, и задрал на ней короткий топик, и попробовал ее на ощупь и на вкус, там, где на шее билась голубая жилка, и вдруг оказалось, что она расстегнула на нем рубаху, а он заметил это, только когда вдруг осознал, что кожа на груди как-то странно и болезненно натянулась.

Он понял, что куда-то нужно идти и что-то такое

делать, только когда она почти повисла у него на руках и целовала его куда попало — в живот, в грудь, в бок. Остаться в кабинете он не мог.

Не мог, и все тут.

Даже в нынешнем сумасшедшем угаре он почему-то твердо знал, что на этот раз все должно быть «по-человечески». Не на полу, и не наспех, и не...

Подхватив ее под спину, он повел ее к двери, и тут Маша сообразила, что они куда-то идут.

— Ты меня выгоняешь?

— Нет.

— Мы... идем гулять?..

— Нет.

— Дима?

Он не мог говорить, и ему было дико, что она этого не понимает! Простой парень Адам вместе со своим создателем тоже, видимо, все время был озадачен тем, что Ева проделывала в райских кущах. Где там разобраться?!

Он толкнул дверь в спальню и зачем-то очень быстро заперся на ключ, хотя в доме, кроме них, никого не было. Но он заперся, выдернул руки, застрявшие в рукавах рубашки — даже в этой рубашке, развеселившей их, было что-то новое, отличное от того, что было до этой невесть зачем запертой двери! Он всегда спешил отделаться от своего желания, снова обрести свободу, и независимость, и ясность духа, и спокойствие тела. Он всегда отчаянно торопился, потому что медлить не было никакого смысла, нужно было только получить желаемое и больше не вспоминать об этом до следующего... сеанса.

Маша гладила его голую спину, и он готов был вечно стоять возле постели, только чтобы она гладила ему спину. Вот так. И еще так. И еще так немножко. Совсем чуть-чуть.

Странное дело, но она словно была настроена на него, на его волну, частоту или черт знает на что. Она точно знала, что он думает и чувствует, чего боится и о чем беспокоится, — может, в этом и есть смысл «души и тела», именно смысл, а не просто красивые слова?..

Может, все не так, когда в действе принимает участие не только тело? Может...

Он закрыл глаза, чего никогда раньше не делал, но у него просто не оставалось сил, чтобы воспринимать мир, который все еще существовал вокруг них, такой унылый в своей привычности! Он знал, что она рядом с ним, каждую секунду рядом, и наслаждался этим знанием, оказавшимся страшно важным!

Он любил ее, как первый человек на земле, открывший это вечное, единственно правильное действо, которое было так милостиво подарено людям взамен утраченного рая. Он любил ее и знал, что все пропало, — он не сможет без нее, потому что только с ней, в ней, вокруг нее он становится цельным существом, не раздираемым никакими противоречиями.

Она дышала все быстрее, влажный лоб блестел, у нее не оставалось сил, и он чувствовал это. Все как будто отступало, уменьшалось, темнело, а потом вдруг взорвалось, и осыпалось, и грохнуло, словно от обвала, и пустота, в которую он упал, оказалась спасительной и уютной, вовсе не холодной, как было раньше, и оказалось, что мир по-прежнему вращается в нужную сторону и можно продолжать жить дальше.

Дмитрий Родионов лежал, обнимал свою Машу и думал очень свежую и ясную думу о том, что он не один в этом мире.

»Я не один. У меня теперь есть Маша. И она знает про меня все, как я сам.

Я больше никогда не буду один».

Ему не хотелось ничего говорить, и он не знал, что говорят в таких случаях, и он долго думал, а потом заявил:

— Мы с тобой обвенчаемся в кафедральном соборе.

Она молчала довольно долго, и он даже забеспокоился было, а потом она спросила лениво:

— Почему в кафедральном?..

Он пожал плечами. Ему хотелось говорить глупости и венчаться в кафедральном соборе.

— Ну и ладно, — сказала Маша Вепренцева и улыбнулась. — В кафедральном так в кафедральном.

На залитой солнцем лестничной площадке стоял Лазарь и курил свою «беломорину». Солнце светило в окна, отражалось от мокрого подоконника, с листьев огромного тополя, который рос прямо посреди стоянки, с сочным и довольным звуком падали чистые летние капли.

Когда закладывали стоянку возле нового офиса издательства, Марков строго-настрого запретил трогать тополь, хотя рос он явно не на месте и всем мешал.

— Не мы его посадили, — сказал тогда Марков, — и не нам его рубить! Пусть растет.

И не разрешил рубить, несмотря на то, что строители ныли и стонали, будто им неудобно класть асфальт и всякое такое!

Лазарь курил, щурился на солнце и кивал тополю.

Маша притормозила возле него и сзади взяла его под руку. Лазарь нисколько не удивился, только покосился и продолжал курить.

Так они стояли и молчали, и слушали, как падают капли.

Лазарь выбросил сигарету, протяжно и длинно вздохнул и покрутил носом.

— Ну что вы все вздыхаете, Лазарь Моисеевич! — сказала Маша и засмеялась от счастья. — Дождик прошел, воздух такой чистый, и вообще пятница сегодня. Воздвиженский роман сдал, и Марков доволен, а я к редакторам иду и не боюсь, что они ругаться будут!

Лазарь Моисеевич Вагнер вздернул свои необыкновенные брови и выставил вперед кривоватый указательный палец.

— Что роман сдал — это мне радостно слушать, — объявил он. — Что не боишься — это мне радостно вдвойне. Скажи теперь наконец, будете вы жениться или обратно не будете? Я волнуюсь.

Маша чмокнула Лазаря в безукоризненно выбритую щеку и зажмурилась.

— Жизнь, — сказала она Лазарю, — такая отличная штука!

— Штука, деточка, это тысяча, — изрек Лазарь и потряс кривоватым пальцем.

Поудобнее устроил ее руку у себя под мышкой и повел Машу на четвертый этаж, к редакторам.

Литературно-художественное издание

Устинова Татьяна Витальевна

САКВОЯЖ СО СВЕТЛЫМ БУДУЩИМ

Ответственный редактор *О. Рубис*
Редактор *Т. Семенова*
Художественный редактор *Д. Сазонов*
Технический редактор *Н. Носова*
Компьютерная верстка *Г. Клочкова*
Корректор *З. Харитонова*

В оформлении переплета использован рисунок
художника *В. Нартова*

ООО «Издательство «Эксмо»
127299, Москва, ул. Клары Цеткин, д. 18/5. Тел.: 411-68-86, 956-39-21.
Home page: www.eksmo.ru E-mail: info@eksmo.ru

По вопросам размещения рекламы в книгах издательства «Эксмо»
обращаться в рекламный отдел. Тел. 411-68-74.

Оптовая торговля книгами «Эксмо» и товарами «Эксмо-канц»:
ООО «ТД «Эксмо». 142700, Московская обл., Ленинский р-н, г. Видное,
Белокаменное ш., д.1. Тел./факс: (095) 378-84-74, 378-82-61, 745-89-16,
многоканальный тел. 411-50-74.
E-mail: reception@eksmo-sale.ru

Мелкооптовая торговля книгами «Эксмо» и товарами «Эксмо-канц»:
117192, Москва, Мичуринский пр-т, д. 12/1. Тел./факс: (095) 411-50-76.
127254, Москва, ул. Добролюбова, д. 2. Тел.: (095) 745-89-15, 780-58-34.
www.eksmo-kanc.ru e-mail: kanc@eksmo-sale.ru

Полный ассортимент продукции издательства «Эксмо» в Москве
в сети магазинов «Новый книжный»:
Центральный магазин — Москва, Сухаревская пл., 12
(м. «Сухаревская»,ТЦ «Садовая галерея»). Тел. 937-85-81.
Информация о других магазинах «Новый книжный» по тел. 780-58-81.

В Санкт-Петербурге в сети магазинов «Буквоед»:
«Книжный супермаркет» на Загородном, д. 35. Тел. (812) 312-67-34
и «Магазин на Невском», д. 13. Тел. (812) 310-22-44.

Полный ассортимент книг издательства «Эксмо»:
В Санкт-Петербурге: ООО СЗКО, пр-т Обуховской Обороны, д. 84Е.
Тел. отдела реализации (812) 265-44-80/81/82/83.
В Нижнем Новгороде: ООО ТД «Эксмо НН», ул. Маршала Воронова, д. 3.
Тел. (8312) 72-36-70.
В Казани: ООО «НКП Казань», ул. Фрезерная, д. 5. Тел. (8432) 70-40-45/46.
В Киеве: ООО ДЦ «Эксмо-Украина», ул. Луговая, д. 9.
Тел. (044) 531-42-54, факс 419-97-49; e-mail: **sale@eksmo.com.ua**

Подписано в печать с готовых монтажей 21.10.2005.
Формат 84x108 $^1/_{32}$. Гарнитура «Таймс». Печать офсетная.
Бум. тип. Усл. печ. л. 18,48. Уч.-изд. л. 15,6.
Тираж 20 000 экз. Заказ № 4502647.

Отпечатано с готовых монтажей
на ФГУИПП «Нижполиграф».
603006, Нижний Новгород, ул. Варварская, 32.